LIENS FAMILIAUX

Danielle Steel

LIENS FAMILIAUX

Roman

Traduit de l'anglais (Etats-Unis)
par Hélène Colombeau

PRESSES
DE LA CITÉ

Titre original : *Family Ties*

© Presses de la Cité, un département de place des éditeurs, 2012 pour la traduction française
ISBN 978-2-258-08229-8

A mes enfants chéris,
Beatrix, Trevor, Todd, Nick,
Sam, Victoria, Vanessa,
Maxx et Zara,
dont je suis si fière,
à qui je suis si reconnaissante,
qui sont ma raison de vivre,
auprès de qui la vie est une joyeuse aventure !
Puissent les liens qui nous unissent
être toujours tendres, et toujours forts !

Avec tout mon amour,
Maman/D.S.

1

Par un beau dimanche après-midi de septembre, Seth Adams quitta l'appartement d'Annie Ferguson dans West Village, à Manhattan. Ils s'étaient rencontrés deux mois plus tôt lors d'un pique-nique dans les Hamptons, le 4 juillet, jour de la fête de l'Indépendance. Leurs regards s'étaient croisés parmi la foule et ils s'étaient tout de suite plu. Seth, jeune homme séduisant, intelligent et plein d'humour, adorait son métier autant qu'Annie se passionnait pour le sien. Diplômé de la Harvard Business School depuis deux ans, il gravissait les échelons à une vitesse fulgurante au sein d'une banque d'investissement de Wall Street. Annie, elle, avait obtenu son diplôme d'architecte six mois auparavant à Columbia et s'enthousiasmait pour son premier emploi dans une grande agence, la concrétisation de son rêve. Après un merveilleux été, ils envisageaient déjà de louer un chalet au ski avec des amis. Ils étaient amoureux et impatients de profiter de la vie.

Ils s'amusaient comme des fous, occupant leurs weekends à faire l'amour ou à paresser sur le joli petit voilier que Seth venait d'acquérir. A vingt-six ans, avec un nouvel homme dans sa vie, un nouvel appartement et un début de carrière prometteur, récompense de tous les efforts fournis, Annie était comblée. Grande, blonde et belle, elle avait un sourire à faire fondre la banquise, et toutes les raisons d'être heureuse. Une vie idéale, en somme.

Cet après-midi-là, après un autre week-end idyllique en bateau, elle eut bien du mal à convaincre Seth de partir. Mais elle voulait peaufiner son premier projet important, qu'elle devait présenter à un client le lendemain. Bien décidée à l'impressionner, elle avait élaboré les plans avec un soin méticuleux. Son responsable lui avait fait part de son approbation et lui donnait, à travers cette mission, une chance de faire ses preuves. Annie venait de s'installer devant sa table à dessin lorsque son portable se mit à sonner. Peut-être était-ce Seth, qui n'était parti que depuis cinq minutes. Il lui arrivait d'appeler avant même d'être rentré pour lui dire qu'elle lui manquait déjà.

Alors qu'elle souriait à cette pensée, Annie vit que le téléphone affichait le numéro de Jane. Les deux sœurs s'adoraient. Jane avait été comme une mère pour elle après la mort de leurs parents, l'année des dix-huit ans d'Annie. Elles se ressemblaient tellement qu'on eût dit des jumelles, malgré leurs dix ans d'écart. Installée à Greenwich dans le Connecticut avec son mari, Bill, et leurs trois adorables enfants, Jane avait hâte de rencontrer Seth, qui lui semblait quelqu'un de bien. Tout ce qu'elle souhaitait à sa cadette, c'était de trouver un homme aussi formidable que son époux et de connaître un mariage aussi heureux que le sien. Après quatorze ans de vie commune, Bill et Jane Marshall se comportaient encore comme de jeunes mariés en pleine lune de miel. Leur couple était pour Annie un modèle qu'elle espérait bien imiter un jour. Pour l'heure, elle préférait se consacrer à sa carrière naissante, en dépit de la délicieuse diversion qu'avaient constituée ces deux derniers mois avec Seth. Elle comptait bien devenir une architecte de renom.

— Il est là ? demanda Jane sur le ton de la conspiration.

Annie se mit à rire. Jane, illustratrice free-lance d'albums pour la jeunesse et artiste talentueuse, avait toujours fait passer son mari et ses enfants avant sa carrière. Bill dirigeait une maison d'édition respectée, quoique modeste. Ils s'apprêtaient à quitter l'île de Martha's Vineyard après avoir fermé pour l'hiver leur maison de vacances, où ils avaient passé le week-end en amoureux, sans leurs trois enfants.

— Il vient de partir, répondit Annie.

— Pourquoi si tôt ?

Jane semblait déçue pour elle.

— Il faut que je travaille. J'ai une présentation cruciale demain pour un client important et je veux revoir mes plans.

— C'est bien, tu es sérieuse.

Très fière de sa petite sœur, Jane la portait aux nues.

— Nous sommes sur le départ, annonça-t-elle. Nous serons rentrés d'ici une heure ou deux. Bill est en train de faire les dernières vérifications avant le décollage. Les deux jours ont été splendides ; ça me fend le cœur de devoir fermer la maison.

Jane et Bill adoraient Martha's Vineyard, tout comme leurs enfants. Ils y avaient acheté cette résidence secondaire à la naissance de Lizzie, leur fille aînée. Celle-ci, à douze ans, était le portrait craché de sa mère. Ted, huit ans, ressemblait à Bill, dont il avait hérité la gentillesse et le caractère sociable. Quant à Katie, la benjamine, Jane aimait à dire qu'elle venait d'une autre planète. A cinq ans, c'était une petite fille intrépide et incroyablement intelligente qui avait un avis sur tout. Un esprit d'adulte dans un corps d'enfant. Elle disait toujours que sa tante Annie était sa meilleure amie.

— Il fait quel temps à New York ? s'enquit Jane.

C'était la saison des cyclones, d'où la question.

— Chaud, il y a eu du soleil tout le week-end. Mais on prévoit des orages ce soir. J'ai du mal à y croire.

— On annonce la même chose ici. Le vent s'est levé il y a une heure, rien de bien méchant pour l'instant. Bill veut rentrer avant que ça éclate. Il me fait signe, je dois y aller. Je t'appellerai une fois à la maison. Ne travaille pas trop quand même... Je t'aime. Au fait, tu veux venir dîner le week-end prochain, avec Seth ?

— J'essaierai. Il se peut que j'aie du travail, cela dépendra de mon rendez-vous de demain. Je t'aime moi aussi. On se rappelle, conclut Annie avant de raccrocher et de se remettre à l'ouvrage.

Elle étala les plans devant elle et les étudia avec attention. Il n'y avait pas beaucoup d'améliorations à apporter, mais, perfectionniste dans l'âme, la jeune femme voulait que tout soit impeccable. Elle entreprit d'effectuer les dernières modifications auxquelles elle avait songé tout le week-end.

Jane monta dans l'appareil qui faisait la fierté et la joie de son mari. Bill, ancien pilote de la Navy, était amoureux des avions depuis toujours. Celui-ci, le plus gros qu'il eût jamais possédé – un Cessna 414 Chancellor capable de transporter huit personnes –, était parfait pour eux deux, leurs trois enfants et la baby-sitter, Magdalena, lorsqu'elle les accompagnait en vacances ; il restait même de la place pour deux amis ou pour la montagne de valises et de sacs de shopping que Jane déplaçait à chaque fois entre Greenwich et Martha's Vineyard. Un moyen de transport certes luxueux, mais Bill tenait davantage à l'avion qu'à leur maison : c'était son bien le plus précieux. Jane s'y sentait en sécurité, bien plus que sur un vol commercial. Son mari gardait sa licence à jour et possédait une qualification de vol aux instruments en cas de mauvaise visibilité.

— Allez, ramène ta fraise, lui dit-il en plaisantant alors qu'elle fourrait un sac de plus dans l'appareil. L'orage approche et j'aimerais qu'on soit rentrés avant que ça pète.

Tandis qu'il prononçait ces mots, le ciel s'assombrissait et le vent faisait virevolter les longs cheveux blonds de Jane. Elle pénétra dans le cockpit. Bill se pencha pour l'embrasser, avant de se concentrer sur les cadrans devant lui. Ayant obtenu l'autorisation de décoller, il ajusta son casque et s'adressa à la tour de contrôle pendant que Jane sortait un magazine people de son sac. Elle aimait lire les derniers potins sur les stars, connaître leurs idylles et leurs ruptures et en discuter ensuite avec Annie comme si ces célébrités étaient leurs amies. Bill adorait les taquiner à ce sujet.

Scrutant le ciel, il décolla dans un vent violent et atteignit rapidement l'altitude qui lui avait été assignée. L'atterrissage à l'aéroport de Westchester County était prévu environ une heure plus tard. Le vol, qui ne présentait pas de difficulté particulière, requérait juste un peu d'attention au-dessus de Boston à cause du trafic très dense. Bill échangea quelques amabilités avec le contrôleur et sourit à Jane. Ils avaient passé un bon week-end. Même s'il adorait ses enfants, c'était agréable, de temps en temps, d'avoir sa femme rien que pour soi.

— Ça a l'air sérieux entre Annie et son nouveau copain, commença Jane.

— Toi, tu ne seras tranquille qu'une fois que tu auras marié ta sœur, répondit Bill en riant.

Il connaissait bien sa femme, et ils savaient tous les deux qu'il avait raison.

— Elle a tout le temps, elle vient juste de commencer son premier boulot, ajouta-t-il.

— J'avais vingt-deux ans quand je t'ai épousé. Annie en a vingt-six.

— Tu n'étais pas aussi impliquée dans ta carrière. Laisse-lui une chance. Elle n'est pas encore vieille fille.

Et elle ne risquait pas de le devenir. Jeune et belle, Annie ne manquait pas de soupirants. Néanmoins, Bill

13

ne se trompait pas : sa belle-sœur voulait que sa carrière d'architecte soit bien lancée avant de se marier, ce qui paraissait plutôt raisonnable. D'ailleurs, si le rôle de tante lui plaisait beaucoup, Annie n'était pas encore prête à avoir des enfants.

Jane remarqua que Bill semblait soudain préoccupé ; le ciel était de plus en plus sombre. L'air devenait instable, l'orage n'était pas loin. N'aimant pas le déranger lorsqu'il pilotait, elle ne lui posa aucune question. Elle regarda par le hublot, avant d'ouvrir son magazine et de boire une gorgée de café. Soudain, l'avion se mit à tressauter et la boisson se renversa sur ses genoux.

— Que se passe-t-il ?

— La tempête se lève, répondit Bill, les yeux rivés sur les cadrans.

Il prévint la tour de contrôle qu'ils rencontraient beaucoup de turbulences et obtint la permission de voler à plus basse altitude. Sur leur gauche, au-dessus d'eux, Jane aperçut un gros avion de ligne, sans doute en provenance d'Europe, qui se dirigeait vers l'aéroport Logan ou JFK.

Le Cessna était toujours ballotté malgré le changement d'altitude. La situation empirait de minute en minute. Jane vit un éclair déchirer le ciel.

— Est-ce qu'on va devoir se poser ?

— Non, ça va aller, répondit Bill avec un sourire rassurant alors qu'il se mettait à pleuvoir.

Ils survolaient la côte du Connecticut. Bill allait ajouter quelque chose quand une violente explosion retentit dans le moteur gauche. L'avion bascula brutalement.

— Bon sang, qu'est-ce qui se passe ? s'exclama Jane d'une voix inquiète.

Ils n'avaient jamais rien vécu de tel. Bill, concentré sur les commandes, était tendu.

— Je ne sais pas. Peut-être une fuite de carburant. Je ne suis pas sûr.

Les dents serrées, il luttait pour garder le contrôle de l'appareil, qui perdait rapidement de l'altitude. Soudain, le moteur prit feu. Bill guida l'avion vers le sol, à la recherche d'un endroit où se poser. Jane le regardait en silence pendant qu'il s'efforçait de redresser, sans succès. Le Cessna penchait dangereusement et plongeait à une vitesse effrayante. Bill transmit leur position au contrôleur.

— On descend. L'aile gauche est en feu, déclara-t-il calmement tandis que Jane posait une main sur son bras.

Sans lâcher les commandes, il lui dit qu'il l'aimait. Ce furent ses dernières paroles. Le Cessna s'écrasa au sol, explosant dans une grande boule de feu.

Quand le téléphone sonna, Annie effaçait à la gomme une modification qu'elle avait passé une heure à intégrer aux plans, mais dont elle n'était finalement pas satisfaite. Elle jeta un coup d'œil à l'appareil posé sur la table à dessin. C'était Jane – ils devaient être rentrés chez eux. Elle fut tentée de ne pas répondre pour éviter de se déconcentrer, connaissant la tendance de sa sœur à s'éterniser au téléphone.

Annie essaya de faire abstraction de la sonnerie, mais le bruit insistant l'agaçait. Elle se résolut à décrocher.

— Je peux te rappeler ? commença-t-elle à dire avant d'être interrompue par un flot de paroles en espagnol.

Annie reconnut la voix de Magdalena, la Salvadorienne qui s'occupait de ses neveux. Elle semblait paniquée. Annie était habituée à ce genre d'appel : Magdalena avait son numéro pour pouvoir la joindre quand Bill et Jane s'absentaient. Elle ne lui téléphonait que si l'un des enfants avait un problème. Il s'agissait en général de Ted, un vrai casse-cou, toujours couvert de bleus. Les filles, elles, se montraient beaucoup plus calmes. Lizzie approchait de l'adolescence ; quant à

Katie, son énergie débordante se manifestait plus dans ses propos que dans ses actes : elle ne se blessait jamais. Annie savait que sa sœur allait bientôt rentrer, si ce n'était déjà fait, et elle ne saisissait pas un mot de ce que Magdalena lui disait à toute vitesse.

— Ils sont en route, fit-elle d'une voix rassurante. J'ai eu Jane au téléphone il y a deux heures. Ils devraient être là d'une minute à l'autre.

Magdalena répondit par un torrent d'espagnol. Annie avait l'impression qu'elle pleurait ; les seuls mots qu'elle comprenait étaient *la policia*.

— Quoi, la police ? Les enfants vont bien ?

Peut-être l'un d'eux s'était-il vraiment fait mal. Jusque-là, l'accident le plus grave qui leur fût arrivé remontait au jour où Ted s'était cassé la jambe en tombant d'un arbre à Martha's Vineyard, en présence de ses parents.

— Dites-le-moi en anglais, insista Annie. Que s'est-il passé ? Qui est blessé ?

— Votre sœur... la police a appelé moi... l'avion...

Annie eut l'impression que la terre s'arrêtait de tourner. Elle éprouva un vertige.

— Qu'ont-ils dit ? réussit-elle à articuler malgré l'angoisse qui lui serrait la gorge, rendant chaque mot douloureux à prononcer. Que s'est-il passé ? Qu'est-ce que la police a DIT ?

Elle s'était mise à crier sans s'en rendre compte, face à Magdalena qui ne faisait que sangloter.

— PARLEZ, BON SANG ! hurla-t-elle.

— Je ne sais pas... obtempéra Magdalena dans un anglais hésitant. Il y a accident... Appelé elle sur téléphone portable et elle répond pas... Ils disent... ils disent... l'avion prendre feu. C'est la police de New London.

— Je vous rappelle, lâcha Annie avant de raccrocher.

Elle parvint à contacter un service d'urgence de la police de New London, qui la transféra vers un autre poste. Là, une voix de femme lui demanda son identité, qu'Annie déclina. Un silence interminable s'ensuivit.

— Etes-vous sur place ? s'enquit la voix.

— Non, je ne suis pas sur place, répondit Annie, partagée entre l'envie de pleurer et celle de prendre à partie l'inconnue.

Il devait être arrivé quelque chose de terrible. Elle priait pour qu'ils ne soient que blessés.

— Je suis à New York, expliqua-t-elle. Que s'est-il passé ?

Elle dicta à la femme l'indicatif radio de l'avion de Bill. Celle-ci lui passa alors un commissaire, qui lui annonça ce qu'elle aurait voulu ne jamais entendre. L'avion avait explosé au moment de l'impact, ne laissant aucun survivant. Il lui demanda si elle savait qui se trouvait à bord.

— Ma sœur et son mari, murmura Annie le regard perdu dans le vide.

Ce n'était pas possible. Ça n'avait pas pu leur arriver, pas à eux. Et pourtant, c'était la réalité. Elle informa le commissaire qu'il pourrait la joindre chez sa sœur à Greenwich et lui donna le numéro. Ne sachant quoi ajouter, elle le remercia et raccrocha. Puis elle attrapa son sac à main et sortit de l'appartement sans même éteindre les lumières.

Elle ne garda par la suite aucun souvenir d'être montée dans sa voiture, ni d'avoir conduit jusqu'à Greenwich sous une pluie battante. Ce passage-là se trouva effacé de sa mémoire. L'orage annoncé avait éclaté sur New York. Arrivée à Greenwich, elle gara la voiture dans l'allée et fut trempée jusqu'aux os avant même d'atteindre la maison. Magdalena pleurait dans la cuisine. Les enfants regardaient un film à l'étage en attendant le retour de leurs parents. Lorsqu'ils entendirent la porte d'entrée claquer, ils descendirent en courant, pressés de les revoir. A la moitié de l'escalier, ils se figèrent. Car c'est Annie qu'ils aperçurent dans le séjour, les vêtements dégoulinants, les cheveux plaqués par la pluie, le visage baigné de larmes.

— Ils sont où, papa et maman ? demanda Ted, désorienté.

Lizzie fixa sur Annie des yeux écarquillés par l'horreur. Elle avait tout de suite compris. Elle porta une main à sa bouche.

— Papa et maman... murmura-t-elle.

Annie fit oui de la tête, avant de se précipiter dans l'escalier pour les prendre dans ses bras.

Et tandis qu'ils s'accrochaient à elle comme à un radeau sur une mer démontée, l'évidence la frappa avec la force d'un boulet de canon : ces trois enfants étaient maintenant les siens.

2

Les jours suivants furent un vrai cauchemar. Il fallut expliquer les événements aux enfants. En apprenant la nouvelle, Lizzie s'effondra, Ted se cacha dans le garage. Katie fondit en larmes, inconsolable. Au début, Annie ne sut pas quoi faire. Elle partit pour New London interroger la police. L'épave de l'avion de Bill avait brûlé au point d'en devenir méconnaissable, et il n'y avait pas de corps : ils avaient été déchiquetés par l'explosion.

Tant bien que mal, Annie réussit à prendre les dispositions nécessaires. Elle organisa des funérailles dignes pour sa sœur et son mari, auxquelles assistèrent la moitié des habitants de Greenwich. Les collègues éditeurs de Bill firent le déplacement de New York pour leur rendre un dernier hommage. Annie avait prévenu son employeur qu'elle aurait besoin de s'absenter pendant une ou deux semaines et qu'elle ne pourrait pas faire sa présentation.

Avant de s'installer chez Bill et Jane, elle retourna à New York récupérer ses affaires. Elle pouvait en effet tirer un trait sur le nouvel appartement qu'elle aimait tant : il ne disposait que d'une seule chambre, et elle préférait faire la navette entre Greenwich et New York plutôt que d'arracher les enfants si tôt à leurs racines. Magdalena accepta de venir vivre avec eux. Quant à Annie, elle dut se faire à l'idée de se retrouver avec trois enfants à charge, à vingt-six ans. Sa sœur et son beau-frère lui avaient demandé de prendre la relève au cas où il leur arriverait quelque chose. Bill n'ayant pas de famille proche et les parents de Jane et Annie étant décédés, Annie était donc la seule à pouvoir s'occuper d'eux. Tous les quatre allaient devoir s'en arranger au mieux. Ils n'avaient pas le choix. La veille des obsèques, Annie avait fait à Jane dans le secret de son cœur le serment de consacrer sa vie à leurs enfants. Elle ne savait pas du tout comment être une maman, mais s'attellerait sans réserve à la tâche. Jusque-là, elle avait rempli son rôle de tante rigolote, et il lui faudrait apprendre. Bien sûr, elle ne remplacerait jamais des parents comme Jane et Bill – elle n'arrivait même pas à s'imaginer à leur place –, mais les enfants n'avaient plus qu'elle au monde.

Seth eut la délicatesse d'attendre une semaine après les funérailles pour venir la voir à Greenwich. Il l'invita à dîner dans un endroit tranquille où il lui expliqua qu'il était fou d'elle, mais qu'à vingt-neuf ans il ne se voyait pas s'installer avec une femme et trois enfants. Bien que ces deux mois avec elle aient été fabuleux, cette nouvelle situation le dépassait complètement. Annie répondit qu'elle comprenait. Elle ne pleura pas, ne lui en fit pas grief. Hébétée, elle ne prononça pas une parole pendant le reste du repas, et il la reconduisit chez elle en silence. Lorsqu'il chercha à lui donner un baiser d'adieu, elle détourna la tête et entra dans la maison sans un mot. Elle avait des tâches plus importantes à présent, à commencer par élever trois enfants. Du jour au lendemain, ils étaient devenus une famille ; Seth n'en faisait pas partie et ne voulait pas en faire partie. Aucun homme ne l'aurait voulu. Annie avait été propulsée à l'âge adulte à l'instant même où l'avion s'écrasait au sol.

Neuf mois plus tard, à la fin de l'année scolaire en juin, Annie et les enfants emménagèrent dans un appartement avec quatre chambres qu'elle avait loué à New York, non loin de celui qu'elle occupait lorsque sa sœur était morte. Elle inscrivit son neveu et ses nièces dans des écoles du quartier. Lizzie avait alors treize ans, Ted neuf ans et Katie six. Depuis qu'elle vivait avec eux, Annie passait son temps à courir entre son travail et la maison. Le week-end, elle accompagnait Katie à la danse, Ted aux matchs de football et faisait du shopping avec Lizzie. Elle emmena le garçonnet chez l'orthodontiste lorsque ce fut nécessaire, et assista aux réunions de parents d'élèves quand elle ne travaillait pas trop tard. L'agence d'architecture qui l'employait s'était montrée compréhensive. Grâce à l'aide de Magdalena à la maison, elle réussit à mener à bien ses projets et finit même par obtenir une promotion et une augmentation.

Jane et son mari avaient assuré un avenir confortable à leurs enfants. Bill avait fait quelques bons placements, ils avaient souscrit à une police d'assurance pour Lizzie, Ted et Katie, et les maisons de Greenwich et de Martha's Vineyard se vendirent très bien. Mais si les enfants ne manquaient de rien sur le plan financier – pour peu qu'Annie se montre économe –, ils n'avaient plus de papa ni de maman, seulement une tante. Néanmoins, ils firent preuve de patience avec elle pendant sa phase d'apprentissage. Il y eut bien quelques heurts au début, quelques moments difficiles, mais ils finirent par s'habituer à leur sort. Et Magdalena resta avec eux.

Puis vint l'époque du lycée, des premières histoires d'amour, des inscriptions à l'université. A quatorze ans, Ted savait déjà qu'il voulait faire du droit. Lizzie était passionnée de mode et, un temps, pensa même devenir mannequin. Kate, quant à elle, forte du talent artistique hérité de sa mère, décida de sortir des sentiers battus. A treize ans, elle utilisa son argent de poche pour se faire percer les oreilles, puis le nombril, au grand désarroi d'Annie. Elle se teignit les cheveux en bleu, puis en violet ; à dix-huit ans, elle se fit tatouer une licorne à l'intérieur du poignet, endroit sensible s'il en est. Aussi douée en dessin que sa mère, elle fut acceptée à l'école des beaux-arts du Pratt Institute. Katie ne ressemblait à personne d'autre. C'était un petit bout de femme farouchement indépendante et très courageuse. Elle avait des convictions sur tout, y compris en politique, et se disputait avec quiconque ne partageait pas son avis, sans craindre de se retrouver en minorité. Adolescente, elle avait donné du fil à retordre à Annie, mais elle finit par s'assagir lorsqu'elle partit à l'université et prit une chambre d'étudiante. A l'époque, Ted avait son propre appartement et travaillait en attendant de commencer le droit. Lizzie avait décroché un poste au magazine *Elle*. Pour Annie, élever les enfants de sa sœur avait été une vocation et une occupation à plein temps. Sa vie se résumait à son neveu, ses nièces et son travail.

A trente-cinq ans, elle avait ouvert son propre cabinet d'architecte, après neuf ans dans la même agence. Ses nouvelles activités lui convenaient parfaitement : elle préférait travailler sur des projets résidentiels plutôt que pour l'industrie, ce qu'elle avait fait pendant des années. Au bout de quatre ans à son compte, elle avait réussi à se faire un nom. Mais lorsque les enfants quittèrent la maison, elle fut étonnée de voir à quel point ils lui manquaient : le syndrome du « nid vide » prenait soudain tout son sens. Au lieu de combler ce manque en rencontrant du monde, elle se plongea davantage dans ses activités professionnelles.

Les trois premières années qui avaient suivi la mort de sa sœur, elle n'était pas sortie une seule fois. Par la suite, elle eut quelques relations sans importance. Elle n'avait pas le temps, tout occupée qu'elle était à élever son neveu et ses nièces et à s'établir en tant qu'architecte. Il n'y avait pas de place pour un homme dans son existence, ce que sa meilleure amie, Whitney Coleman, lui reprochait sans cesse. Whitney, qu'elle

22

avait connue à l'université, vivait dans le New Jersey avec son mari médecin et leurs trois enfants, plus jeunes que ceux des Marshall. Source inépuisable de soutien et de précieux conseils, elle aurait voulu qu'Annie pense enfin à elle, après treize ans passés à ne penser qu'aux autres. Le temps avait filé à la vitesse de l'éclair. Si les premières années s'étaient succédé dans une sorte de brouillard, Annie avait ensuite vraiment eu plaisir à s'occuper des enfants. Elle avait tenu sa promesse vis-à-vis de Jane, les menant à bon port jusqu'à l'âge adulte.

— Et maintenant ? lui demanda Whitney lorsque Kate partit vivre en résidence universitaire. Qu'est-ce que tu vas faire pour toi ?

Voilà une question qu'Annie ne s'était pas posée pendant ces treize dernières années.

— Que veux-tu que je fasse ? Que je me plante à un coin de rue et que je siffle un type comme je le ferais pour un taxi ?

A trente-neuf ans, l'idée de rester célibataire ne lui faisait pas peur. Elle s'en fichait. Son existence avait suivi un cours imprévu, mais cela ne l'empêchait pas d'être heureuse.

Les enfants s'en étaient bien sortis et son cabinet prospérait – elle avait des commandes par-dessus la tête. Tout allait bien pour elle et pour eux. Ted, inscrit en faculté de droit, louait un appartement avec des amis étudiants, et, à vingt-cinq ans, Lizzie venait d'obtenir une place chez *Vogue,* après avoir travaillé trois ans pour *Elle.* Chacun entamait sa carrière. Annie avait accompli sa mission. Il lui manquait juste une vie personnelle en dehors du travail, mais elle affirmait que les enfants la comblaient et qu'elle n'avait besoin de rien d'autre.

— C'est ridicule ! s'exclamait Whitney sans ambages. Tu n'as pas cent ans, bon sang de bois ! Et tu n'as aucune excuse pour ne pas sortir, maintenant qu'ils sont grands.

Elle lui avait déjà arrangé plusieurs rendez-vous galants qui n'avaient rien donné. Annie prétendait que cela lui était égal.

— Si je dois rencontrer quelqu'un, ça arrivera bien un jour, disait-elle avec philosophie. En plus, j'ai mes petites habitudes, maintenant. Et j'ai envie de passer les fêtes et les vacances avec les enfants. Un homme remettrait tout en question et risquerait de les perturber.

— Etre tante, c'est tout ce que tu attends de la vie ? l'interrogeait Whitney avec un soupçon de tristesse dans la voix.

Elle ne trouvait pas juste que son amie se soit sacrifiée. Mais ce n'était pas ainsi qu'Annie considérait son existence. Son horloge biologique s'était éteinte depuis des années, sans un bruit : elle avait trois enfants qu'elle aimait et n'en voulait pas d'autres.

— Je suis heureuse, assurait-elle.

Les deux amies déjeunaient ensemble lorsque Whitney venait en ville faire les magasins. Depuis que les enfants étaient partis, Annie avait passé quelques week-ends dans le New Jersey chez son amie, mais la plupart du temps elle avait trop de travail pour quitter New York. Elle réalisait des projets magnifiques : elle avait rénové plusieurs résidences urbaines majestueuses dans le quartier de l'Upper East Side, ainsi que de spectaculaires appartements-terrasses, quelques belles propriétés dans les Hamptons, et une à Bronxville. Elle avait également transformé en bureaux un certain nombre de maisons anciennes en grès rouge, construites au XIXe siècle. Ses affaires étaient en plein essor, si bien qu'elle venait même de refuser deux contrats, l'un à Los Angeles, l'autre à Londres, arguant de son manque de disponibilité pour voyager. Elle était heureuse à New York, sa vie lui plaisait, et cela se voyait. Elle avait non seulement réalisé ses ambitions professionnelles, mais aussi tenu la promesse faite à sa sœur, sans regretter aucun des sacrifices consentis. A quarante-deux ans,

Annie comptait parmi les architectes les plus réputés de New York, et elle aimait exercer son métier seule.

La veille de Thanksgiving, par un matin glacial, Annie visitait avec un couple qui avait fait appel à ses services deux mois plus tôt une maison de ville dont il ne restait plus que les quatre murs, dans la 69ᵉ Rue. Le projet représentait un énorme investissement pour ses propriétaires : ils voulaient qu'Annie en fasse quelque chose d'exceptionnel. Mais, à cet instant, tandis qu'ils contournaient les gravats que les ouvriers avaient laissés en abattant les cloisons, ils peinaient à imaginer le résultat. Annie leur montra les proportions du salon et de la salle à manger une fois agrandis, et l'endroit où serait installé le grand escalier. Elle avait un don unique pour combiner l'ancien et le contemporain, et donner à l'ensemble un style à la fois avant-gardiste et chaleureux.

Tandis que le mari l'assaillait de questions sur les coûts, sa femme affichait une expression inquiète devant le chaos qui régnait. Annie leur avait promis que les travaux seraient terminés dans un an.

— Vous pensez vraiment qu'on pourra emménager à l'automne prochain ? demanda nerveusement Alicia Ebersohl.

— L'entrepreneur est très compétent. Il ne m'a jamais fait défaut, répondit Annie avec un sourire aimable.

Elle enjamba plusieurs solives, imperturbable. Vêtue d'un pantalon gris, d'élégantes bottes en cuir noir et d'un lourd manteau à capuche bordée de fourrure, elle faisait beaucoup plus jeune que son âge.

— Ça va sans doute coûter deux fois plus cher que prévu. Je ne pensais pas que les ouvriers feraient autant de dégâts dans la maison, commenta Harry Ebersohl, consterné.

— Nous faisons juste de la place. Vous aurez besoin de ces murs pour vos œuvres d'art.

Annie avait travaillé en étroite collaboration avec leur décorateur, et maîtrisait le déroulement des opérations.

— Dans trois mois, vous commencerez à voir se dessiner toute la beauté de votre intérieur.

— Je l'espère, murmura Alicia, qui ne semblait plus très sûre d'elle.

Séduits par le travail d'Annie chez un de leurs couples d'amis, les Ebersohl l'avaient priée d'accepter ce contrat. En découvrant la maison, Annie n'avait pas pu résister, malgré son emploi du temps déjà surchargé.

— J'espère que nous n'avons pas fait une erreur avec cet achat, ajouta Alicia.

— C'est un peu tard pour se poser la question, grommela son mari.

Ils redescendirent l'escalier et sortirent dans l'air glacial. Annie releva sa capuche à fourrure sur ses cheveux blonds. Les Ebersohl s'étaient déjà fait la remarque qu'elle était très jolie et, quant à sa compétence, ils n'en avaient eu que des échos favorables.

— Qu'avez-vous prévu pour Thanksgiving ? demanda Annie sur le ton de la conversation, tandis qu'elle les raccompagnait à leur voiture, les plans sous le bras.

— Nos enfants reviennent ce soir, répondit Alicia en souriant.

Annie savait que leur fils et leur fille faisaient des études supérieures, l'un à Princeton, l'autre à Dartmouth.

— Les miens aussi, dit-elle gaiement.

Elle avait hâte de les revoir. Tous trois lui avaient promis de fêter Thanksgiving avec elle, comme chaque année. Elle n'était jamais plus heureuse que lorsqu'ils rentraient au nid.

— Je ne savais pas que vous aviez des enfants.

Alicia semblait surprise. Annie ne parlait jamais de sa vie privée avec ses clients. C'était une vraie professionnelle à tout point de vue, et les Ebersohl l'avaient d'ailleurs choisie pour cela. Cette nouvelle les étonnait autant l'un que l'autre.

— J'en ai trois. En fait, ce sont mes nièces et mon neveu. Ma sœur est morte dans un accident il y a seize ans, et j'ai adopté ses enfants. Ils sont adultes, maintenant. L'aînée est rédactrice à *Vogue,* mon neveu est en deuxième année de droit, et la plus jeune à l'université. Ils me manquent énormément, et c'est une joie pour moi quand ils viennent me voir.

Annie rayonnait de bonheur. Les Ebersohl avaient l'air stupéfaits.

— C'est fantastique, ce que vous avez fait. Tout le monde n'aurait pas accepté une telle responsabilité. Vous deviez être très jeune.

Même si Annie faisait à peine trente ans, ils connaissaient son âge pour avoir lu ses références sur son site Internet.

— Oui, je l'étais, répondit Annie en souriant. Nous avons tous grandi ensemble... Une vraie bénédiction pour moi. Je suis très fière d'eux.

Ils discutèrent encore un moment, puis les Ebersohl montèrent dans leur voiture. Harry paraissait encore inquiet, bien qu'Annie lui eût promis que le coût des travaux ne dépasserait pas le montant du devis. Au moment où ils démarraient, Alicia parlait avec animation du grand escalier.

Annie jeta un coup d'œil à sa montre tandis qu'elle hélait un taxi. Elle avait cinq minutes pour se rendre à l'angle de la 79ᵉ Rue et de la Cinquième Avenue, où elle devait rencontrer un nouveau client. Divorcé depuis peu, Jim Watson venait d'acheter un appartement en copropriété et n'avait pas d'idée précise sur ce qu'il désirait, souhaitant seulement qu'Annie déploie toute sa magie pour en faire une fantastique garçonnière. Ils avaient donc pris rendez-vous afin qu'elle lui présente quelques projets. Dans le taxi, alors qu'elle passait en revue les moindres détails nécessaires pour cette entrevue, son portable se mit à sonner. C'était Liz. Elle semblait nerveuse et pressée, égale à elle-même. Nommée depuis peu responsable de la rubrique joaillerie de *Vogue*, elle venait de rentrer de Milan pour fêter Thanksgiving en famille. Une date sacrée pour eux quatre ; comme tous les ans, Annie cuisinerait la dinde.

— C'était comment, à Milan ? lui demanda-t-elle, heureuse d'entendre sa voix.

Elle se faisait du souci pour sa nièce. Travaillant beaucoup, toujours stressée, Liz n'avait jamais le temps de manger. Annie la trouvait bien trop maigre depuis trois ans. Chez *Vogue*, tout le monde rêvait sûrement d'avoir sa silhouette.

— Dingue, mais marrant. Je n'ai pas arrêté de courir pendant quatre jours. On a passé le week-end à Venise. Cette ville est lugubre en hiver. Je me suis arrêtée une journée à Paris en revenant : il fallait que je récupère des bijoux pour la prise de vue de la semaine prochaine.

Liz travaillait autant, sinon plus, qu'Annie.

— Je peux amener Jean-Louis, demain ?

Elle savait qu'Annie serait d'accord, mais posait la question par principe, par respect. Sa tante avait toujours accueilli leurs amis et petits amis.

— Je ne pensais pas qu'il serait là, reprit-elle. Il est arrivé aujourd'hui. Il a une séance photo demain.

Jean-Louis, que Liz avait rencontré à Paris dans le cadre de son travail, possédait un loft à New York où il venait régulièrement. Photographe de renom, il ressemblait à tous les autres hommes que Liz avait fréquentés. Issus du monde de la photo ou du mannequinat, toujours très beaux, toujours superficiels, Liz ne s'attachait jamais à eux. Souvent, Annie se demandait si sa nièce avait peur de se lancer dans une relation sérieuse parce qu'elle avait perdu ses parents. Avec elle, les histoires d'amour ne duraient jamais longtemps. Curieusement, cela faisait déjà six mois qu'elle sortait avec Jean-Louis.

— Bien sûr que tu peux l'amener.

Annie ne l'avait vu qu'une seule fois. S'il ne lui avait pas laissé une impression inoubliable, il lui avait semblé plutôt gentil.

— A quelle heure veux-tu qu'on arrive ?

— Comme d'habitude. Rendez-vous à midi, déjeuner à une heure. Tu peux venir dès ce soir si tu veux. Ted et Katie sont là pour le week-end.

— J'ai promis à Jean-Louis de dormir chez lui, s'excusa Liz. Je lui donne un coup de main pour son shooting, à titre officieux : je vais m'occuper des bijoux dont il a besoin, aujourd'hui.

— Il a de la chance, observa Annie.

Elle le pensait vraiment, et pas seulement parce que Liz aidait Jean-Louis dans son travail. Sa nièce donnait toujours plus qu'elle ne recevait. Elle ne sortait qu'avec des enfants gâtés, des égoïstes, et Annie craignait qu'ils ne profitent d'elle. Liz était une belle jeune femme, talentueuse et intelligente. Parfois, cela lui faisait un choc de penser qu'à vingt-huit ans Liz avait deux ans de plus qu'elle lorsqu'elle s'était retrouvée avec trois enfants. Par certains côtés, sa nièce lui semblait tellement jeune... Et elle n'avait pas l'air de songer à se marier ou à se poser. Annie s'aperçut qu'elle ne leur avait pas donné l'exemple à cet égard, n'ayant fait que travailler et s'occuper d'eux lorsqu'ils étaient petits. Ils l'avaient rarement vue, sinon jamais, avec quelqu'un. Elle avait tenu à l'écart les rares hommes qu'elle avait fréquentés – aucun n'avait réellement compté pour elle. L'histoire avec Seth, la dernière personne dont elle eût été follement amoureuse, remontait à seize ans. Elle l'avait croisé par hasard quelques années auparavant : marié, il vivait dans le Connecticut et il était père de quatre enfants. Il avait commencé à lui expliquer qu'il regrettait de ne pas s'être montré à la hauteur après le décès de sa sœur. Elle avait ri et chassé ses excuses d'un geste de la main en répondant qu'elle

29

ne lui en voulait pas. Elle n'en avait pas moins ressenti un léger trouble en le voyant, toujours aussi beau, et en avait même parlé à Whitney. Mais tout cela appartenait au passé.

Liz prévint Annie que Jean-Louis n'avait pas emporté de tenue de ville, vu qu'il était en déplacement pour le travail. Annie lui assura que cela n'avait pas d'importance. Aucun des hommes avec qui Liz était sortie ne possédait de costume. Photographes réputés ou mannequins célèbres, ils se présentaient tous en haillons, mal rasés, les cheveux longs. Ce genre semblait plaire à Liz, à moins que ce ne soit le plus répandu dans son milieu. Annie s'y était habituée au fil des ans, même si, rien qu'une fois, elle rêvait de voir sa nièce avec un garçon propre sur lui et bien coiffé.

A l'inverse, Liz se montrait toujours incroyablement chic, et c'était chaque fois un plaisir de découvrir ce qu'elle avait choisi de porter. Elle donnait des conseils à sa tante en matière de mode et lui offrait parfois des vêtements. D'un style plus simple, plus pratique, Annie se sentait trop vieille pour s'habiller de manière extravagante, sans compter que son travail lui imposait des tenues dans lesquelles elle ne risquait pas de mourir de froid en inspectant ses chantiers, vacillante sur des stilettos. Aussi grande que sa mère et sa tante, Liz arborait néanmoins des chaussures à talons de quinze centimètres, que tout le monde semblait prendre pour des baskets dans les deux magazines pour lesquels elle avait travaillé.

— A demain, alors, dit Lizzie tandis qu'Annie arrivait devant l'immeuble de la Cinquième Avenue.

Annie prit l'ascenseur et monta jusqu'au dernier étage, où l'attendait Jim Watson, l'air un peu hébété. Il avait peur que l'appartement ne soit trop grand pour lui et n'avait aucune idée de la façon dont il allait le décorer sans l'aide de son ex-femme. Annie affirma qu'elle s'occuperait de tout. Elle sortit des croquis de son porte-documents, et, à mesure qu'il les découvrait, un sourire se dessinait sur ses lèvres. Annie avait imaginé la parfaite garçonnière, avant même qu'il sache vraiment ce qu'il voulait lui-même. Il fut enchanté. Elle le conduisit ensuite à travers chacune des pièces pour lui décrire le projet, donnant vie à ses idées.

— Vous êtes étonnante ! s'exclama-t-il gaiement.

Contrairement à Harry Ebersohl, il ne s'inquiétait pas du prix. Il voulait simplement que le résultat impressionne ses amis et les femmes qu'il comptait séduire. Annie, non contente de répondre à son attente, avait fait en sorte qu'il se sente chez lui dans cet appartement. Elle lui promit une livraison neuf mois plus tard, depuis la terrasse où ils contemplaient Central Park. La neige se mit à tomber.

Jim Watson, qui, à quarante-cinq ans, faisait partie des hommes les plus riches de New York, observait Annie avec intérêt pendant qu'elle lui parlait des rénovations. Elle n'avait aucunement conscience de l'attention qu'il lui portait. N'importe quelle autre femme célibataire de son âge aurait tout fait pour lui plaire, mais Annie restait très professionnelle avec ses clients, sans exception. A ses yeux, Jim Watson n'était qu'une relation de travail. Cela ne changeait strictement rien pour elle qu'il possède un yacht à Saint-Barth et un avion privé, car elle s'intéressait à l'appartement et non à l'homme. Devant son attitude aimable et distante, Jim supposa qu'elle était mariée ou en couple, mais il n'osa pas le lui demander.

Annie le quitta une heure après être arrivée, sachant exactement ce qu'il attendait d'elle et ce qu'elle ferait pour lui. Elle s'engagea à lui envoyer les plans d'ici à deux semaines et lui souhaita une bonne fête de Thanksgiving – il partait pour Aspen ce soir-là, ayant prévu de passer le week-end avec des amis. Lorsqu'elle s'en alla, il resta à la fenêtre à regarder la neige tomber.

Comme tous les soirs, l'appartement était vide et silencieux quand Annie rentra chez elle. Cela changeait tellement de l'époque où les enfants y vivaient encore... Pas de vêtements de Kate éparpillés partout dans le séjour, aucun bruit de télévision en provenance de la chambre de Ted, aucun signe de Liz arpentant la maison au pas de course, un fer à friser brandi, toujours en retard, n'ayant jamais le temps de manger. Le réfrigérateur n'était pas rempli. L'évier ne regorgeait pas de restes des repas végétariens de Kate. Il n'y avait pas de musique, pas d'amis en visite. Le téléphone ne sonnait plus. Annie ne s'habituait toujours pas à cet appartement désert, propre et bien rangé, alors que Kate était partie depuis trois ans déjà. Elle craignait de ne jamais pouvoir combler ce vide. Sa sœur lui avait offert le plus beau cadeau qui soit, et le temps le lui avait lentement repris. Il fallait que les enfants grandissent, qu'ils prennent leur envol, c'était dans l'ordre des choses et elle le savait, mais elle détestait cette idée et ne se sentait tout à fait heureuse que lorsqu'ils revenaient à la maison.

Elle se rendit à la cuisine pour commencer à organiser son repas du lendemain. Elle venait d'empiler le beau service de vaisselle sur le plan de travail afin de dresser la table, lorsque la porte claqua, et ce qui ressemblait à un chargement de briques tomba dans l'entrée avec un bruit à faire trembler les murs. En passant la tête par la porte de la cuisine, elle vit Kate jeter son sac à dos près des livres qu'elle venait de lâcher par terre. Sa nièce, arborant un grand sourire, un immense carton à dessin coincé sous le bras, était vêtue d'une minijupe noire, d'un sweat à capuche de la même couleur orné d'une tête de mort rose fluo et chaussée de rangers argentés qu'elle avait dégotés dans un vide-greniers. Elle portait des collants à rayures blanches et noires qui lui donnaient l'air d'une poupée de chiffon punk, et ses cheveux courts d'un noir corbeau étaient dressés en pointes sur sa tête. Seul son visage, d'une beauté exquise, sauvait l'ensemble. Elle traversa le séjour en bondissant et se jeta au cou d'Annie, qui la serra dans ses bras, rayonnante de bonheur. C'était cela, sa raison de vivre depuis seize ans.

— Salut, Annie, lança Kate gaiement avant de lui planter un baiser sur la joue et de se ruer sur le réfrigérateur.

Une joie éloquente se lisait sur les traits de sa tante.

— Que je suis heureuse de te voir ! Tu es végétalienne, cette semaine ? la taquina-t-elle.

— Non, j'ai laissé tomber. La viande me manquait trop.

Elle prit une banane, s'assit sur une chaise et sourit tendrement à Annie.

— Où sont les autres ? demanda-t-elle en épluchant le fruit, avant d'en croquer un morceau.

A la voir manger, on eût cru qu'elle avait cinq ans.

— Ted devrait arriver d'un instant à l'autre. Lizzie viendra demain avec Jean-Louis.

Cette nouvelle parut laisser Katie complètement indifférente. Elle alla chercher un CD dans son sac et le glissa dans la chaîne, qui n'avait pas servi depuis sa dernière visite. C'était un album des Killers, un groupe qui, pour Annie, ressemblait à tous les autres que sa nièce écoutait.

— J'ai un nouveau tatouage, tu veux voir ? annonça fièrement Kate.

Annie poussa un grognement.

— Est-ce que je peux encore te punir à vingt et un ans ? demanda-t-elle, tandis que sa nièce relevait sa manche pour lui montrer un Titi coloré sur son avant-bras.

Kate, qui savait que sa tante détestait les tatouages, plaisanta :

— Tu devrais t'en faire faire un, toi aussi. C'est moi qui l'ai dessiné. J'ai créé quelques modèles pour le salon de tatouage, et ils m'ont offert celui-ci.

— Je t'aurais payée le double pour que tu t'abstiennes. Qu'est-ce que tu feras avec un Titi sur le bras quand tu auras cinquante ans ?

— Je verrai bien à ce moment-là, répondit Kate en laissant errer son regard sur la cuisine, visiblement contente d'être à la maison. Je vais mettre la table, proposa-t-elle.

En allant chercher la nappe dans un tiroir de la salle à manger, Annie tomba sur les affaires de Kate éparpillées dans l'entrée. Cela lui donna le sourire. La maison était bien trop impeccable sans les enfants. Elle aimait le désordre, le bruit, la musique, les cheveux bizarres, les rangers argentés. Tout cela lui manquait.

Ted les rejoignit une demi-heure plus tard. Vêtu d'une grosse parka et d'un pull gris ras du cou, en jean et baskets, il arrivait directement de la faculté. C'était un beau garçon, grand, aux yeux gris clair, aux cheveux bruns coupés court et aux joues rasées de près. Bon chic bon genre, il n'avait rien en commun avec sa sœur et ses vêtements de rebelle, ses rangées de piercings sur les oreilles et son tatouage de Titi tout neuf. Lorsqu'elle le lui montra, il fit la grimace. Les filles que Ted fréquentait avaient toujours les cheveux blonds et les yeux bleus, comme sa mère et sa tante. Il était difficile de croire que lui et Katie aient pu grandir sous le même toit.

Après avoir embrassé Annie avec affection, il alluma le téléviseur pour regarder un match de hockey dont il ne voulait pas rater la fin. Puis ils commandèrent une pizza et la mangèrent dans la cuisine tout en bavardant gaiement à bâtons rompus. Ted leur parla de ses études de droit et Kate montra quelques œuvres qu'elle avait rapportées dans son carton à dessin ; elle avait beaucoup de talent. La chaîne et le téléviseur allumés, la table prête pour le repas de Thanksgiving... En observant les deux jeunes gens assis dans la cuisine, Annie songea que tout était parfait. A minuit, les affaires de Katie se trouvaient toujours en tas dans l'entrée. Annie finit par les ramasser et les emporter dans la chambre de sa nièce. Il fut un temps où elle aurait grondé Kate pour avoir laissé tout ce fouillis. A présent, cela lui réchauffait le cœur. Elle était simplement heureuse de les avoir à la maison.

3

Le lendemain matin, Annie se leva avant l'aube. Sans faire de bruit, elle se rendit à la cuisine pour préparer la farce, garnir l'énorme dinde et la mettre au four. Puis elle jeta un coup d'œil à la salle à manger : la table qu'elle avait dressée avec Katie était ravissante. A sept heures, elle retourna se coucher dans l'idée de dormir encore un peu avant que les autres se lèvent. Elle savait que Ted et Katie feraient la grasse matinée.

Ce fut la sonnerie du téléphone qui la réveilla à neuf heures.

— Tu dormais ? lui demanda Whitney. Quelle chance ! Ça fait deux heures que les garçons me font tourner en bourrique. Ils ont déjà pris deux petits déjeuners, celui que je leur ai préparé et celui qu'ils ont fait eux-mêmes.

Annie sourit en entendant la voix de son amie. Elle s'étira dans son lit, songeant qu'elle dormait mieux quand les enfants se trouvaient à la maison. Elle n'arrivait pas à imaginer à quoi aurait ressemblé son existence sans eux. Whitney disait toujours que si elle n'avait pas eu à s'occuper de son neveu et de ses nièces, elle se serait sûrement mariée et aurait eu des enfants. Annie en doutait. Peut-être se serait-elle simplement consacrée à sa carrière. Depuis Seth, aucun prince charmant ne s'était présenté. Juste une poignée d'hommes qu'elle avait fréquentés un temps sans jamais tomber amoureuse. Ces histoires n'avaient pas duré : Annie avait bien trop à faire pour se consacrer à un homme, dont la présence interférait avec son engagement premier, celui de prendre soin des enfants de sa sœur. Il n'y avait pas eu assez de place dans sa vie pour une relation supplémentaire.

— Tu les as tous les trois chez toi ? demanda Whitney.

— Non, seulement Ted et Katie. Liz dort chez son petit copain.

— C'est sérieux, avec celui-ci ?

Whitney, qui aurait adoré avoir une fille à câliner, enviait Annie. Ses garçons ne s'intéressaient qu'au sport. Malgré tout, elle n'avait pas voulu prendre le risque d'en avoir un quatrième. Autant de testostérone sous son toit aurait fini par l'achever, disait-elle. Ses trois fils et son mari lui suffisaient amplement.

— Jean-Louis ressemble à tous les autres, répondit Annie. Sans cesse à faire la navette entre New York et Paris, et Liz travaille tellement qu'elle le voit peu. Elle pense surtout à sa carrière.

— On se demande de qui elle tient, la taquina Whitney. Tu es un piètre exemple pour ces gamins. Il serait temps de leur proposer un modèle plus sain en te trouvant quelqu'un.

— Je n'arrête pas d'écrire mon nom et mon numéro de téléphone dans les toilettes publiques, mais personne ne m'a encore appelée.

— C'est navrant. Fred a un ami que je voudrais te présenter. Un type bien, il est chirurgien. Tu veux venir pour le nouvel an ? Il sera là.

— Ce n'est pas la soirée idéale pour faire connaissance. En plus, je n'ai pas envie d'abandonner les enfants.

Cette excuse avait été son cri de guerre des années durant.

— Tu plaisantes ? Ils vont tous sortir avec leurs copains. Ils ne voudront pas fêter le réveillon avec toi. Enfin, j'espère.

— Je ne sais pas ce qu'ils ont prévu, répondit évasivement Annie.

Elle n'avait aucune envie de rencontrer un inconnu le soir de la Saint-Sylvestre. Bien trop déprimant. Trop de rendez-vous arrangés au fil des ans, dont pas un n'avait marché. Ses amis ne lui présentaient que des ratés.

— Bon, penses-y quand même, parce qu'ils vont te laisser tomber pour aller voir leurs copains, je t'assure. Le contraire m'étonnerait. Tu pourras dormir à la maison.

Whitney et Fred organisaient chaque année le réveillon du jour de l'an, mais Annie ne s'y amusait jamais. Tout le monde était marié, en dehors des types répugnants avec lesquels ils voulaient la caser. Elle avait beau aimer Whitney depuis très longtemps, elle ne considérait pas qu'être femme de médecin dans le New Jersey signifiait nécessairement avoir une vie sociale palpitante. Dans les soirées de son amie, Annie finissait toujours par se sentir de trop, ou considérée comme un cas : encore célibataire à quarante-deux ans ! Les gens ne pouvaient comprendre combien elle avait été accaparée toutes ces années. Et maintenant que les enfants étaient grands, son travail occupait tout son temps. Elle n'avait pas le loisir de se chercher un mari, et cela ne l'inquiétait même plus vraiment.

— Tu as tenu ta promesse envers ta sœur. Pense un peu à toi, maintenant. Viens chez nous pour le réveillon.

— Je vais y réfléchir, esquiva Annie.

Quelque chose lui disait que son amie n'en resterait pas là. Ce n'était pas dans ses habitudes.

— Alors, qui as-tu invité pour Thanksgiving ? demanda-t-elle pour détourner l'attention de Whitney de sa vie personnelle inexistante.

— La clique habituelle. La sœur de Fred avec son mari et ses enfants, et mes beaux-parents. Les jumeaux de ma belle-sœur mettent la maison sens dessus dessous. Tu as de la chance que ton neveu et tes nièces soient adultes et civilisés.

— Crois-moi, je regrette l'époque où ils avaient l'âge de tes enfants, répliqua Annie avec nostalgie.

— C'est que tu ne te souviens pas de ce que c'était. Dieu me protège des garçons adolescents !

Whitney s'était exprimée avec tant d'emphase que les deux amies se mirent à rire.

— Je viendrai déjeuner la semaine prochaine, ajouta-t-elle. Je veux que tu réfléchisses à ma proposition. C'est vraiment quelqu'un de bien.

— Je n'en doute pas. C'est juste que je n'ai pas le temps.

Et pas plus l'envie de rencontrer un nouveau spécimen des amis ennuyeux de Fred. Ils n'étaient pas amusants, et il n'y avait aucune raison pour que celui-ci sorte du lot. Si elle devait tomber amoureuse, autant que ce soit d'un type formidable. Sinon, à quoi bon ? Elle avait décidé depuis longtemps de rester seule chez elle plutôt que de fréquenter quelqu'un d'inintéressant. Sans compter que personne n'agissait avec naturel pendant la soirée du nouvel an : tout le monde buvait trop, y compris Fred. Whitney le prenait pour le Messie et tant mieux. Mais, en matière de relations amoureuses, Annie préférait le modèle de sa sœur et de son beau-frère, follement épris jusqu'à la fin. Elle n'en attendait pas moins pour elle-même et pour leurs enfants, à qui elle avait beaucoup parlé d'eux au fil des ans. Elle avait aussi accroché des photos de Bill et Jane partout dans l'appartement, soucieuse d'entretenir leur souvenir.

Annie se leva pour aller surveiller la dinde, qui commençait à prendre une belle couleur dorée. Quelques minutes plus tard, Ted la rejoignit. Avec son tee-shirt et son bas de pyjama, il ressemblait à un petit garçon qui aurait grandi trop vite. A vingt-quatre ans, il était aussi bel homme que son père.

— Tu as besoin d'aide ? demanda-t-il.

Il se servit un verre de jus d'orange et en tendit un autre à sa tante.

— Je crois que ça ira. Tu pourras découper la dinde, si tu veux bien.

— Ça me va. Tu sais, je suis content d'être là. Je commence à en avoir marre de partager mon appartement avec trois autres gars. Ils mettent du bazar partout.

— Comme ta sœur, observa Annie avec un sourire contrit tandis qu'ils s'asseyaient à la table de la cuisine.

— Ils sont pires que Kate.

— Je n'ose pas imaginer, alors, répondit Annie au moment où sa nièce entrait dans la pièce, les cheveux en pétard, vêtue d'une chemise de nuit en flanelle imprimée de têtes de mort.

Annie leur prépara des œufs brouillés, puis elle arrosa la dinde pendant que les deux jeunes gens la remerciaient et dévoraient leur petit déjeuner.

— C'est bon d'être à la maison, commenta Kate.

Annie lui sourit et l'embrassa.

— Ça me fait plaisir à moi aussi, murmura-t-elle. Cette maison est un tombeau, sans vous.

— Il te faut un mec, déclara Katie.

Annie leva les yeux au ciel.

— On croirait entendre Whitney. Elle vous passe le bonjour, au fait.

— Tu le lui rendras, répondit Kate avec décontraction.

C'est à ce moment-là qu'Annie remarqua la fée Clochette tatouée sur son autre avant-bras.

— Qu'est-ce que c'est que *ça* ? demanda Ted avec un air désapprobateur que sa sœur connaissait bien. Un hommage à Disney ?

— Tu es jaloux, c'est tout, rétorqua Kate en déposant son assiette dans le lave-vaisselle. A mon avis, Annie devrait se faire tatouer. Ça lui donnerait un look complètement nouveau.

— Qu'est-ce que tu as contre mon look actuel ? En plus, ça ferait fuir mes clients.

— Je suis sûre qu'ils adoreraient, au contraire, insista Kate. Il ne faut pas écouter M. Propre. Le style, il ne sait pas ce que c'est, même quand il l'a devant les yeux. Il est resté bloqué dans les années cinquante avec *Lassie, chien fidèle.*

— Je préfère ça à l'étalage de personnages de dessins animés sur tes bras. C'est quoi, le prochain ? Cendrillon ? Blanche-Neige ?

— Je crois que je devrais me faire tatouer un aigle sur la poitrine, dit Annie, pensive.

— Je te le dessinerai, si tu veux, proposa Katie avec un grand sourire. Que dirais-tu d'un papillon dans le dos ? J'en ai dessiné un très beau pour le salon la semaine dernière. Ils l'ont déjà reproduit sur deux personnes.

— Quel bel objectif de carrière, commenta Ted, pince-sans-rire. Tatoueuse. Je suis certain que papa et maman auraient apprécié.

— Qu'est-ce que tu en sais ? répliqua Kate, visiblement blessée par la remarque de son frère. Peut-être auraient-ils trouvé que la fac de droit manque d'originalité. Ils étaient plus fun, eux.

— Allons, ils auraient été fiers de vous deux, intervint Annie tout en arrosant de nouveau la dinde. On devrait peut-être aller s'habiller. Il est déjà onze heures.

— Il n'y a rien qui presse, marmonna Katie. Liz va arriver avec une heure de retard et fera l'étonnée. Comme d'habitude.

— Elle est très occupée, répliqua Annie, prenant la défense de sa nièce.

41

— C'est juste qu'elle n'a pas la notion du temps. Elle vient avec qui ? demanda Ted avec intérêt.

— Son photographe, Jean-Louis.

— Oh, un Frenchie ! Il pourra regarder le foot avec moi.

— Le veinard ! le taquina Kate. Un vrai sport de ploucs.

Ted lui lança un regard meurtrier, avant d'éclater de rire. Sa sœur avait su comment le rendre chèvre dès qu'elle avait été capable de parler, et cela n'avait pas changé.

Quelques instants plus tard, chacun disparut dans sa chambre et n'en ressortit qu'à midi. Avec son pantalon gris, son blazer et sa cravate, Ted était le portrait craché de son père, à tel point qu'Annie en eut le cœur serré. Katie, qui ressemblait à une version un peu plus habillée d'elle-même, avait opté pour une minijupe en cuir noir, un pull noir bordé de fourrure offert par sa tante, des collants noirs et des chaussures à talons ; elle s'était maquillée, ce qu'elle faisait rarement, et avait mis du gel dans ses cheveux pour les hérisser encore plus. Très belle, elle restait toutefois fidèle à son style particulier. De son côté, Annie avait enfilé une robe-pull en cachemire marron clair et des talons hauts.

Il était presque treize heures lorsque Liz arriva, vêtue d'un pantalon en cuir noir et d'une veste Chanel blanche, perchée sur d'immenses talons aiguilles. Ses cheveux blonds, lisses et brillants, étaient tirés en chignon, et à ses oreilles étincelaient deux petits diamants empruntés pour les photos. L'homme qui entra derrière elle ressemblait à un SDF, avec ses baskets trouées, son jean déchiré et son sweat à capuche miteux. Sa chevelure emmêlée était attachée en queue-de-cheval et il n'avait pas pris le soin de se raser. Souriant, décontracté, il offrit un bouquet de fleurs à Annie. Bien que ses manières fussent impeccables, son apparence contrastait vivement avec celle de Liz : on l'aurait prise

42

pour un des mannequins qui posaient dans son magazine, alors que lui semblait tout droit échappé d'une île déserte où il aurait fait naufrage un an plus tôt. Son accent français lui donnait néanmoins un certain charme. Après avoir embrassé Annie et Katie sur les deux joues et serré la main de Ted, il se montra tellement aimable et engageant qu'ils en oublièrent son allure au bout de quelques minutes. Jeune photographe renommé à Paris, il était très demandé à New York. S'il semblait n'attacher aucune importance à sa façon de s'habiller, Liz n'avait pas l'air de s'en soucier non plus. Elle paraissait heureuse, et Annie regretta intérieurement que sa nièce eût un faible pour ce genre d'hommes. Ils restèrent dans la cuisine pendant que Ted découpait la dinde, puis passèrent à la salle à manger, où Kate alluma les bougies tandis que Liz et Annie apportaient les plats. Ce fut un vrai festin. Lorsqu'ils se levèrent de table, ils pouvaient à peine se déplacer.

— Je crois que c'est le meilleur repas de Thanksgiving que tu aies jamais préparé, la félicita Ted.

Annie était aux anges. La dinde avait été délicieuse. Ses talents culinaires s'étaient améliorés au fil du temps.

Après le dessert, Ted proposa à Jean-Louis de regarder le match de football. Le jeune photographe était à peine plus âgé que Ted, mais il possédait beaucoup plus d'expérience. Au cours du déjeuner, il leur avait parlé de son fils de cinq ans. Il avait vécu deux ans en concubinage avec la maman, avec laquelle il était resté en bons termes. Il essayait de voir le petit garçon aussi souvent que possible et prévoyait de fêter Noël avec lui. Liz le rejoindrait à Paris le lendemain, profitant d'un important shooting organisé là-bas tout début janvier pour rester une semaine dans la capitale entre Noël et le nouvel an. Etonnée d'apprendre qu'il était papa, Annie se demanda ce que Liz en pensait, mais cela n'avait pas l'air de la préoccuper. Cela paraissait tellement adulte, venant de Liz, de fréquenter un homme

43

qui avait un enfant... Après tout, elle était assez grande pour assumer ce genre de responsabilités si elle en avait envie. Pourtant, Annie en doutait. Liz ne semblait pas plus attachée à Jean-Louis qu'elle ne l'avait été à tous les clones qui l'avaient précédé. Et de son côté, Jean-Louis n'avait pas l'air fou amoureux, même s'il se montrait très tendre – Annie les avait surpris en train de s'embrasser passionnément dans la cuisine. Elle avait le sentiment que leur relation était surtout fondée sur le sexe et le plaisir d'être ensemble. A les voir ainsi, elle avait soudain pris conscience de son âge, et s'était demandé un instant si Whitney n'avait pas raison. N'avait-elle pas remisé cet aspect-là de sa vie, ne s'était-elle pas oubliée ? Mais pourquoi se donner la peine de s'en souvenir ? Ces jeux-là appartenaient aux jeunes. Face à Liz et Jean-Louis, elle avait eu l'impression de vieillir de dix ans. Ayant troqué sa propre jeunesse contre une maternité de substitution, Annie estimait néanmoins cet échange juste et équitable, encore aujourd'hui ; elle ne regrettait rien.

Ted et Jean-Louis s'éclipsèrent pour regarder la télévision. Même s'il prônait les vertus du football européen, Jean-Louis paraissait aussi apprécier la version américaine du jeu, comme en témoignèrent les hourras, les sifflets et les cris provenant du salon. Pendant ce temps, tout en débarrassant la table avec sa sœur et sa tante, Liz leur chanta les louanges de son petit ami. Kate trouvait Jean-Louis plutôt séduisant, mais Annie avoua qu'il était un peu trop débraillé à son goût, même si elle savait que c'était le style du moment. Elle avait vu suffisamment d'amis de Liz pour savoir à quoi s'en tenir, et si ce genre d'accoutrement ne la choquait plus, il ne l'attirait pas non plus. Elle préférait l'allure soignée de Ted.

Les trois femmes investirent la cuisine et, tout en bavardant, rangèrent et nettoyèrent à fond. Quand elles eurent fini, le match de football était terminé. Jean-Louis répéta que le repas avait été excellent, qu'il n'avait jamais aussi bien mangé, et il conquit Kate en admirant ses tatouages. Il semblait prendre grand plaisir à la chaude ambiance familiale, et tous convinrent que cette fête de Thanksgiving était une réussite. Annie fut touchée lorsqu'il lui confia que Liz était une femme merveilleuse : de toute évidence, elle lui plaisait beaucoup. De son côté, il avait charmé tout le monde. Lorsqu'il repartit avec Liz, Ted, Annie et Kate regardèrent un DVD, et il était minuit quand ils décidèrent d'aller se coucher.

Quelques minutes plus tard, alors qu'Annie s'apprêtait à souhaiter une bonne nuit à Kate, elle fut surprise de la trouver allongée sur son lit, encore habillée, en train de parler avec animation au téléphone. Elle avait l'air heureuse. Annie quitta discrètement la chambre et alla voir Ted, qui l'embrassa et la remercia pour cette fabuleuse journée. Il paraissait content d'être à la maison. Lorsqu'elle revint voir Kate, celle-ci avait raccroché et affichait une expression mystérieuse, arborant un sourire digne du chat du Cheshire dans *Alice au pays des merveilles*.

— Tu es amoureuse ? lui demanda Annie.

Elle n'aimait pas s'immiscer dans les affaires des enfants, mais essayait quand même de se tenir au courant. Kate acquiesça vaguement sans croiser son regard.

— Peut-être, répondit-elle.

— Je le connais ?

— Non. C'est quelqu'un que j'ai rencontré à l'école. Rien d'important.

Ses yeux disaient pourtant le contraire. Kate avait toujours été très réservée, voire un peu secrète, et plus attirée par les histoires durables que par les flirts sans lendemain. Elle était sortie avec le même garçon pendant toutes ses années de lycée, et avait rompu lorsqu'il était parti à l'université sur la côte Ouest. Depuis trois ans, elle n'avait pas eu de relation sérieuse, mais Annie avait le sentiment que celle-ci pouvait l'être. Katie avait l'air rêveur en l'embrassant pour lui souhaiter bonne nuit.

— Heureux Thanksgiving, dit Annie en serrant dans ses bras sa nièce, qui se contenta de sourire.

4

Comme chaque fois depuis quelques années, Annie dut se réhabituer à la solitude lorsque les enfants partirent après Thanksgiving. Le dimanche soir, Ted regagna son appartement et Kate sa chambre d'étudiante. La maison était lugubre. Seule la pensée qu'ils reviendraient à Noël, dans un mois à peine, la réconfortait. Après avoir passé toutes ces années avec eux au cœur de son existence et pour toute vie privée, elle se languissait des moments où ils se retrouvaient. Elle ne l'avait avoué à personne, pas même à Whitney, mais c'était la vérité.

Le lundi matin, Annie fut soulagée de retourner travailler. Elle rencontra quatre clients dans la même journée et inspecta deux chantiers à l'heure du déjeuner. Elle rentra chez elle à huit heures du soir, tellement fatiguée qu'elle se contenta de survoler les plans et les notes griffonnés durant ses rendez-vous, avant de prendre un bain et d'aller se coucher. Presque trop épuisée pour que les enfants lui manquent, elle ne songea même pas à dîner et remarqua à peine les pièces sombres et le silence de l'appartement. Telle était sa drogue pour faire face à la solitude et au chagrin : l'immersion totale dans le travail.

Ce lundi-là fut également bien chargé pour Liz, qui supervisait une importante séance photo en prévision du

47

numéro de mars ; elle avait fait venir des bijoux du monde entier. Le thème étant le printemps, toutes les pièces présentaient des motifs de fleurs, de feuilles et de racines. Elles avaient été fournies par les principaux annonceurs du magazine ainsi que par quelques nouveaux créateurs que Liz avait dénichés elle-même. Trois agents de sécurité armés encadraient la séance, à laquelle participaient quatre des mannequins les plus célèbres de la planète. L'une d'elles avait accepté de poser complètement nue, recouverte de bijoux. Le photographe choisi était lui aussi réputé. Tout le monde s'amusait bien sur le plateau, essayant les bijoux durant les pauses.

Après avoir fini son propre shooting, Jean-Louis rejoignit Liz, qui devait terminer plus tard avec son équipe.

— Belle prise de vue, commenta-t-il, admiratif, tandis qu'il se tenait en retrait du plateau avec Liz.

Celle-ci ne s'était pas maquillée et portait ses longs cheveux blonds attachés en queue-de-cheval. Vêtue de leggings noires, d'un tee-shirt et de sandales Givenchy à talons hauts créées spécialement pour elle, elle avait l'air fatiguée et stressée. Ils travaillaient depuis huit heures du matin, mais elle était arrivée dès six heures au studio pour préparer la séance. Si d'habitude elle confiait ce rôle à une assistante, les pièces qu'ils utilisaient avaient tellement de valeur qu'elle avait préféré être présente.

Jean-Louis mit un bras autour de ses épaules et l'embrassa. Leur histoire durait depuis plusieurs mois, avec des interruptions fréquentes dues à l'éloignement géographique et à leurs nombreux déplacements professionnels. Ils essayaient de se voir à Paris ou à New York une ou deux fois par mois, et cela leur convenait. Etoiles montantes chacun dans leur domaine, ils n'avaient pas le temps de s'engager davantage.

Liz rêvait en secret de devenir rédactrice en chef de *Vogue*, tout en sachant qu'il lui faudrait sans doute attendre des années avant d'y parvenir. Elle devait d'abord faire ses preuves, et les articles qu'elle rédigeait en ce moment étaient cruciaux. Bien que célèbre, Jean-Louis montrait plus de décontraction dans son travail. Il lui disait souvent qu'elle prenait la vie trop au sérieux, mais Liz ne savait pas faire autrement. C'est la vie qui était devenue très sérieuse pour elle un dimanche de septembre, l'année de ses douze ans. Depuis, elle n'avait plus rien fait avec légèreté. Elle ne connaissait pas le mot « détente ». Elle ne considérait jamais rien comme acquis et ne s'attachait jamais trop. Les seules personnes sans qui elle se sentait incapable de vivre étaient son frère, sa sœur et sa tante. Quant aux hommes, ils ne faisaient que passer. Jean-Louis l'avait accusée plusieurs fois d'être froide et indifférente. « La Princesse de Glace », l'appelait-il. Liz n'était pas insensible, mais elle gardait ses distances avec les hommes, et cela pouvait se comprendre. Elle lui avait confié qu'elle avait perdu ses parents étant enfant, sans jamais entrer dans les détails. Les terreurs nocturnes, les cauchemars qu'elle faisait encore parfois, les années de thérapie pour surmonter cette perte, rien de tout cela ne le regardait. Ce qu'elle recherchait chez Jean-Louis, c'était un divertissement. Elle appréciait aussi qu'ils travaillent dans la même branche. Les hommes qu'elle fréquentait venaient tous du milieu de la mode, car les autres ne comprenaient pas la folie du monde dans lequel elle vivait, ni sa passion pour son métier. Elle avait pris sa tante pour modèle dans la façon d'appréhender son travail. Annie lui avait seriné de suivre son rêve et de faire tout ce qu'il fallait pour l'accomplir. Liz, qui avait toujours essayé de respecter ces règles, était très estimée dans l'univers de la mode, qui trouvait ses idées innovantes, fraîches et audacieuses.

Il était près de minuit lorsqu'ils terminèrent la séance. Jean-Louis avait regagné son loft depuis longtemps – Lizzie lui avait promis de le rejoindre dès que possible.

Tout le monde applaudit dans le studio quand le photographe poussa un cri de triomphe en faisant la dernière prise. Les photos allaient être superbes.

Il fallut encore une heure à Liz et deux de ses assistantes pour remballer les bijoux et marquer les boîtes. Les trois agents armés la raccompagnèrent à son bureau, où elle rangea tous les écrins dans le coffre-fort. Elle arriva à deux heures du matin chez Jean-Louis, qui l'attendait en écoutant de la musique, un verre de vin à la main, complètement nu. Son corps long et fin était splendide. Il se tenait debout au milieu du salon lorsque Liz entra, utilisant la clé qu'il laissait toujours derrière un extincteur à côté de sa porte. Il la cachait là parce qu'il la perdait sans arrêt, et la moitié des mannequins de la ville étaient au courant. Pour l'heure, cette clé ne servait qu'à Liz : cela ne la gênait pas qu'ils aient si peu de temps ensemble, tout ce qu'elle voulait, c'est que leur relation reste exclusive, qu'ils ne couchent avec personne d'autre, et Jean-Louis était d'accord. Il ne désirait pas s'engager sur le long terme ; d'habitude, s'il voulait changer de femme, il n'avait aucune difficulté à en trouver une autre. Cependant, ni l'un ni l'autre ne ressentait l'envie d'aller voir ailleurs pour l'instant. Lizzie était satisfaite, même si Annie y trouvait à redire. Jean-Louis s'intégrait parfaitement dans son monde glamour et extravagant où tout allait à cent à l'heure, et elle lui convenait tout autant.

Lorsqu'elle entra, il lui sourit en lui tendant un verre de vin, sans dire un mot. Le désir de Jean-Louis ne tarda pas à s'éveiller à mesure qu'elle s'approchait de lui et qu'il lui ôtait le peu de vêtements qu'elle portait. Avec douceur, il l'entraîna sur le canapé, où ils firent l'amour jusqu'à ce qu'ils soient tous deux à bout de souffle et comblés.

— Tu me rends fou, soupira-t-il en rejetant la tête en arrière tandis qu'elle dessinait lentement, de son index gracieux, une ligne imaginaire allant de sa barbe à son cou puis de plus en plus bas.

Il lui saisit la main, un sourire aux lèvres.

— Arrête... Si on recommence, je vais mourir.

— Oh, que non, murmura-t-elle avant de l'embrasser là où cela comptait le plus.

Ils travaillaient dur, sortaient beaucoup et avaient une vie sexuelle fabuleuse. D'autant plus fabuleuse qu'ils ne se voyaient pas souvent. L'excitation, le mystère et le désir étaient encore vifs entre eux, attisant le feu de leur passion. Jean-Louis ne lui avait jamais dit qu'il l'aimait, et elle n'avait pas cherché à le savoir. Elle ne se sentait pas prête à franchir le cap – elle ne l'avait jamais été –, avec personne. Bien sûr, elle tenait à lui et aimait sa compagnie, mais, à vingt-huit ans, elle n'était jamais tombée amoureuse. Quelque chose la retenait toujours : la peur de perdre l'autre. Ainsi, s'il la quittait, elle n'aurait rien à regretter, sauf peut-être leurs ébats. Il lui manquerait sans doute, mais cela serait sans commune mesure avec la douleur déchirante d'une vraie perte, qu'elle voulait à tout prix éviter. Elle recherchait ce qu'elle appelait « l'intimité sans la souffrance », un concept qui, pour sa psy, n'existait pas. Il n'y avait pas de réelle intimité sans amour, disait-elle. Et pas d'amour sans risques. Voilà pourquoi Liz n'avait jamais aimé aucun homme. Elle s'engageait, sans appartenir à personne. Et lorsqu'elle n'était plus satisfaite, ou que la relation devenait trop sérieuse, elle passait à autre chose. Son attitude distante représentait un défi pour la majorité de ses partenaires, Jean-Louis compris. Ils voulaient la posséder, ils voulaient qu'elle tombe amoureuse, mais cela ne s'était jamais produit. Du moins, pas pour l'instant. Parfois, elle se demandait si cela lui arriverait un jour, ou si cette partie d'elle-même, prête à se montrer vulnérable, prête à prendre des risques, s'était éteinte en même temps que l'avion de ses parents s'était écrasé, l'année de ses douze ans.

— Je suis fou de toi, Liz, souffla Jean-Louis tandis qu'ils faisaient de nouveau l'amour à la lumière des bougies.

— Moi aussi, murmura-t-elle.

Ses cheveux blonds formaient devant son visage un rideau, à travers lequel un œil bleu immense regardait Jean-Louis. A son grand soulagement, il ne lui avait pas dit qu'il l'aimait. Elle savait qu'il ressentait pour elle du désir et de l'affection, et elle n'en attendait pas plus. Ils s'embrassèrent longuement puis s'endormirent dans les bras l'un de l'autre sur le canapé, alors que les flammes des bougies vacillaient puis s'éteignaient ; lovée contre lui, Liz soupirait paisiblement dans son sommeil.

Pour Ted, le lundi qui suivit Thanksgiving fut placé sous le signe de la malchance. C'était un de ces jours où rien ne va. L'eau avait été coupée dans son immeuble pour une réparation urgente, si bien qu'il lui fut impossible de prendre une douche au réveil. Ses colocataires avaient fini le café, mais n'en avaient pas racheté. Il manqua deux bus et un métro en voulant se rendre à l'université, et arriva en retard à son cours. Là, la prof leur rendit un devoir qu'ils avaient fait la semaine précédente : Ted s'était trompé à plusieurs reprises dans ses réponses et se retrouvait avec une mauvaise note. Pour couronner le tout, le type assis à côté de lui dégageait une odeur infecte. A la fin de l'heure, il se sentait d'une humeur massacrante, tant à cause de cet examen raté malgré ses révisions que de sa place si mal choisie.

Il s'apprêtait à quitter la salle, la mine sombre, lorsque l'enseignante lui fit signe d'approcher. Maître de conférences, elle remplaçait le professeur habituel, qui avait pris un congé sabbatique d'un an pour écrire un livre. Pattie Sears, femme séduisante aux longs cheveux bouclés, avait l'habitude de porter des chaussettes dans ses sandales Birkenstock, des jeans et des tee-shirts qui mettaient sa poitrine en valeur. Ted avait remarqué ces détails pendant les moments où il s'ennuyait en cours. Agée d'une trentaine d'années, elle possédait un charme naturel.

— Je suis désolée pour la mauvaise note, dit-elle avec compassion. Le droit des contrats, c'est vraiment vache.

Son langage le fit sourire.

— Moi aussi, j'ai séché, la première fois que j'ai pris cette matière, poursuivit-elle. Certaines règles semblent n'avoir aucun sens.

— C'est ce que je finis par croire. J'avais révisé, pourtant. Il faudra que je relise ces chapitres, répondit Ted avec zèle.

Pendant tout son cursus scolaire, il n'avait eu que des bonnes notes. En deuxième année de droit à l'université de New York, il s'en sortait plutôt bien, sauf pour cette dernière interrogation.

— Tu as besoin d'aide ? Parfois, avec un guide, les révisions sont plus faciles. Je veux bien te donner un coup de main.

Elle les avait prévenus qu'ils auraient un devoir sur table la semaine suivante. Ted n'avait pas envie d'un autre échec.

— Je ne voudrais pas vous déranger, répondit-il, gêné.

Pendant qu'ils parlaient, elle avait enfilé une grosse veste et un bonnet de laine. Il y avait quelque chose de simple et d'amical chez elle : il l'imaginait très bien dans le Vermont, en train de couper du bois pour un feu de cheminée, ou de préparer une bonne soupe de légumes.

— Je vais relire les chapitres, et si je ne comprends toujours pas, je vous demanderai de l'aide au prochain cours.

— Tu ne veux pas venir ce soir ? proposa-t-elle.

Son regard était bon et chaleureux. Ted hésita. Il avait peur de se montrer grossier en refusant. Elle lui offrait tout de même son aide, et il ne souhaitait pas lui donner l'impression qu'il était insensible à son geste. Il lui semblait néanmoins étrange d'aller chez elle alors qu'ils ne s'étaient jamais parlé en dehors des cours.

— Mes enfants sont couchés à huit heures. Tu peux venir à neuf, si tu veux. En une heure, on devrait avoir le temps de préparer cette interro. Je te donnerai quelques conseils sur le droit des contrats et te montrerai ce qu'il est important de savoir.

— D'accord, répondit-il d'un ton incertain, embarrassé à l'idée de s'immiscer dans sa vie privée.

Mais elle lui tendait déjà un morceau de papier sur lequel elle avait griffonné son adresse : un immeuble dans un quartier délabré d'East Village, non loin de l'université.

— Vous êtes sûre que ça ne vous dérange pas ? insista-t-il. Je ne resterai pas longtemps.

Il avait l'impression d'être un petit garçon, tant elle se montrait maternelle avec lui. Pourtant, elle ne devait pas être beaucoup plus âgée.

— Ne sois pas stupide. Une fois les enfants couchés, j'ai toute la soirée devant moi.

Il acquiesça et la remercia encore. Sa journée se déroula bien mieux par la suite. Il était soulagé qu'elle lui ait proposé son aide, sachant qu'il en avait besoin dans cette matière. Après les cours, il se rendit à la bibliothèque pour étudier, puis alla dîner dans un petit restaurant en attendant l'heure de son rendez-vous. Il avait cinq minutes d'avance en arrivant devant l'immeuble, mais le froid glacial le décida à sonner. Le hall d'entrée empestait tellement le chou, l'urine et le chat qu'il monta les marches quatre à quatre jusqu'au deuxième étage. A en juger par l'état du bâtiment, Pattie ne devait pas gagner beaucoup d'argent, et il se demanda s'il ne serait pas opportun de lui offrir une compensation pour le temps qu'elle lui accordait – mais il ne voulait pas non plus la blesser. Alors qu'il sonnait, il entendit des enfants rire à l'intérieur. De toute évidence, ceux-ci ne s'étaient pas couchés à l'heure prévue, et Pattie avait l'air agacée lorsqu'elle lui ouvrit. Vêtue d'un pull rose à col en V et d'un jean, elle était pieds nus et ses longs cheveux blonds et bouclés la faisaient paraître plus jeune que son âge. Derrière elle se tenait une fillette, sa parfaite réplique en miniature, avec des anglaises et de grands yeux bleus.

Pattie sourit à Ted et lui présenta sa fille d'un ton cérémonieux :

— Voici Jessica. Elle ne veut pas dormir. Elle a mangé des cupcakes au dessert, et tout ce sucre l'énerve.

Jessica, sept ans, était la petite fille la plus mignonne que Ted eût jamais vue. Tandis qu'il bavardait avec elle, son frère Justin fila comme une flèche devant eux en criant : « Plus rapide que le son ! » Il portait une cape de Superman par-dessus son pyjama. Jessica, elle, arborait une chemise de nuit rose en flanelle tout usée.

— C'est ma préférée, expliqua-t-elle.

Elle suivit sa mère et Ted au salon, où Justin vola par-dessus le canapé et atterrit par terre avec fracas.

— Bon, ça suffit, vous deux. Ted et moi, nous avons du travail, et peu importe le nombre de gâteaux que vous avez mangés, il est grand temps d'aller au lit.

Ils auraient déjà dû être couchés depuis une heure, et le salon, parsemé de jouets, ressemblait à un champ de bataille. L'appartement n'était pas grand : deux chambres, un séjour et une cuisine. Mais Pattie s'estimait heureuse que le bureau du logement, à l'université, lui ait trouvé cet endroit à loyer plafonné. Elle expliqua à Ted que sa baby-sitter habitait l'étage du dessous, et que cet arrangement lui convenait tout à fait depuis son divorce. Promettant de revenir cinq minutes plus tard, elle partit coucher ses enfants. En fin de compte, elle s'absenta une demi-heure, pendant laquelle Ted relut les chapitres sur le droit des contrats en préparant une liste de questions.

Il venait de terminer lorsqu'elle reparut. Ses boucles soyeuses retombaient librement autour de son visage, et elle avait les joues toutes roses d'avoir joué avec les enfants.

— Parfois, c'est l'enfer à l'heure du coucher. Ils étaient chez leur père pour Thanksgiving – on a choisi la garde alternée. Mais il n'impose aucune règle, alors c'est difficile de les reprendre en main quand ils reviennent. Et juste au moment où ils se sont enfin calmés, ils retournent chez lui. C'est dur, le divorce, pour les enfants, dit-elle en s'asseyant à côté de Ted pour jeter un coup d'œil sur sa liste.

Les questions qu'il avait notées étaient logiques et intelligentes, et Pattie fournit une réponse claire à chacune d'entre elles. Elle lui donna des exemples et lui montra dans son manuel ce qu'il devait étudier et apprendre par cœur. Au bout d'une heure, elle avait éclairci plusieurs notions importantes qu'il n'avait pas comprises jusque-là ; il se laissa aller en arrière contre le dossier du canapé, profondément soulagé.

— Avec vous, ça paraît tellement simple, dit-il d'une voix admirative.

Elle était non seulement bonne pédagogue, mais il appréciait aussi son style, décontracté et chaleureux, son intelligence, et ses qualités maternelles également, à ce qu'il avait pu constater. Les jambes repliées sous elle, le visage souriant, elle lui faisait penser à une allégorie de Mère Nature, avec ses formes généreuses, son corps souple et ses mouvements gracieux. Elle lui expliqua qu'elle pratiquait le yoga depuis des années et qu'elle l'enseignait parfois en cours individuels, cherchant par tous les moyens à joindre les deux bouts. Son ex-mari, un artiste, ne pouvait pas lui verser de pension alimentaire. Elle était donc obligée de se débrouiller seule. Ted admira sa franchise et son courage. Elle semblait accepter sa vie telle qu'elle était, sans ressentir le besoin de dénigrer son ex. De plus, elle avait fait preuve d'une grande générosité en proposant son aide à Ted. Celui-

56

ci aurait voulu la rétribuer, mais il ne savait pas comment et craignait de la vexer.

Il s'apprêtait à se lever pour partir, ne souhaitant pas s'imposer davantage, lorsqu'elle lui offrit un verre de vin. Il hésita un moment quant à la conduite à tenir. A côté d'elle, il se sentait puéril, maladroit, et cela le troublait. Finalement, il accepta sa proposition pour ne pas la froisser, et elle leur servit à tous les deux un vin rouge espagnol bon marché.

— Il n'est pas cher, mais il n'est pas mauvais, commenta-t-elle.

Il acquiesça. En effet, le vin était bon, et Pattie s'avérait d'une compagnie agréable. Alors qu'il étirait ses longues jambes, elle l'effleura en posant son verre sur la table basse.

— Tu es jeune pour être en fac de droit, dit-elle en souriant. Tu y es entré directement après ton premier cycle ?

Tous deux savaient qu'aux Etats-Unis la plupart des étudiants en droit commencent d'abord par travailler quelques années.

— Je ne suis pas si jeune que ça, répondit-il. J'ai vingt-quatre ans. J'ai été assistant juridique pendant deux ans. Ça m'a vraiment plu, et ça m'a convaincu d'étudier le droit.

— Moi, j'ai été greffière d'un juge aux affaires familiales pendant mes études de droit, et ça m'a incitée à choisir plutôt l'enseignement. Je n'aurais jamais voulu avoir ce genre de responsabilités – détruire la vie des gens et prendre des décisions à leur place.

— Quand je serai grand, j'aimerais être procureur fédéral, dit Ted en plaisantant à moitié.

— C'est un métier difficile. J'ai trente-six ans, et quand je serai grande, j'aimerais simplement être heureuse et arrêter de me demander comment je vais payer mon loyer. Ça, ce serait super, dit-elle avant de siroter une gorgée de vin.

Alors que leurs regards se croisaient, Ted vit quelque chose briller dans celui de Pattie. Il ignorait de quoi il s'agissait, mais c'était hypnotique, comme si elle détenait le secret de la vie éternelle et qu'elle eût envie de le partager avec lui. Tandis qu'il la dévisageait, leur différence d'âge se dissipa telle une brume légère.

Pendant un long moment, ils restèrent silencieux. Ted était sur le point de la remercier encore pour son aide, lorsque, sans un mot, elle se pencha vers lui, passa un bras autour de son cou et l'embrassa. A l'instant où ses lèvres rencontrèrent les siennes, Ted eut l'impression que sa bouche, son ventre et son âme s'enflammaient. Il n'avait jamais rien ressenti de si fort. Il voulut reculer, mais en fut incapable, comme sous l'emprise d'un stupéfiant. La drogue, c'était elle, et il en voulait encore. Lorsqu'ils s'écartèrent enfin l'un de l'autre, sa seule envie fut de recommencer ; il glissa une main sous le pull de Pattie pour lui caresser la poitrine. Loin de le repousser, elle posa la paume sur son entrejambe, qui réagit aussitôt à son contact. Ted avait le sentiment d'avoir perdu la raison. Pattie lui souriait, tout en se pressant contre lui pour l'embrasser encore.

— Et tes enfants ? demanda-t-il dans un sursaut de lucidité, plongeant une main avide dans son jean et dévorant sa bouche.

— Ils dorment, murmura-t-elle.

En effet, la seconde chambre était silencieuse. Les enfants avaient fini par sombrer, épuisés. A l'inverse, Ted et Pattie avaient pris vie, attirés l'un vers l'autre par un courant électrique. Il ne pouvait s'empêcher de la toucher, tandis qu'elle ouvrait la fermeture éclair de son pantalon et le prenait dans ses mains.

— Allons au lit, chuchota-t-elle.

Il la suivit dans sa chambre sans hésiter, c'était exactement là qu'il avait envie d'aller.

Pattie ferma la porte à clé et lui arracha ses vêtements pendant qu'il la déshabillait. Il ne souhaitait qu'une chose à présent : se glisser en elle, le plus vite possible. Mais, alors qu'ils tombaient sur le lit, Pattie le mit au supplice, le nargua et l'excita avant d'accepter qu'il la pénètre, puis se retourna pour le prendre tout entier dans sa bouche tandis qu'il s'occupait de lui donner du plaisir. Lui faisant face à nouveau, elle s'assit sur lui. Ted eut l'impression d'être aspiré dans un autre monde. Il n'avait jamais rien connu de tel en matière de sexe. La tête lui tournait quand ils eurent fini et se retrouvèrent, pantelants, sur le sol.

— Dieu du ciel ! murmura-t-il.

Son excitation avait été si intense qu'il en avait presque la nausée. Pourtant, il en voulait encore. Cette femme était une véritable drogue.

— Qu'est-ce qui s'est passé ? demanda-t-il d'une voix rauque, plissant les yeux dans l'obscurité pour regarder Pattie.

Ils remontèrent sur le lit. Son grand corps athlétique luisait de sueur, ainsi que celui de Pattie, dont les formes généreuses et toute la personne appelaient l'étreinte, tel un élixir magique et capiteux devenu vital pour lui.

— Je crois qu'on appelle ça l'amour, fit la voix douce de Pattie dans le noir.

Ils avaient essayé de ne pas faire trop de bruit, de peur de réveiller les enfants ; à présent, ils chuchotaient. Ted n'était pas certain d'approuver les mots qu'elle avait choisis. Il ne la connaissait pas assez pour l'aimer – il ne la connaissait même pas du tout. Cependant, jamais il n'avait eu, ni imaginé, de relations sexuelles aussi passionnées ; il ne risquait pas d'oublier cette soirée.

— Je ne crois pas que ce soit de l'amour, dit-il en toute honnêteté, mais c'est assurément la meilleure expérience sexuelle de ma vie.

Il glissa la main sur le ventre de Pattie, entre ses jambes, caressa l'endroit qui venait de l'accueillir si chaleureusement et de lui donner tant de plaisir.

— C'est tout ce que c'était pour toi ? Une expérience ? répondit-elle, déçue.

Il eut un petit rire.

— C'était une déflagration planétaire, tenta-t-il d'expliquer. Le Hiroshima de l'acte sexuel, ou le Vésuve, je ne sais pas.

Il n'avait jamais fait l'amour de cette façon auparavant. C'était sans doute ce que l'on devait ressentir sous l'effet de drogues psychédéliques.

— J'ai eu envie de toi dès le premier jour où je t'ai vu dans mon cours, chuchota Pattie.

Dans le rayon de lune qui entrait par la fenêtre de sa chambre, elle ressemblait soudain à une petite fille, avec ses épaisses boucles blondes et ses yeux immenses. Elle avait l'air douce et innocente, à l'opposé de la femme fatale qui avait exercé sur lui tous ses pouvoirs de séduction quelques instants plus tôt. Elle semblait posséder de multiples facettes, ce qui ne faisait qu'intriguer Ted davantage. Il fut surpris d'apprendre qu'elle l'avait remarqué en classe. Parmi les deux cents étudiants de la promotion, Ted se montrait toujours discret et s'asseyait souvent au fond de la salle.

— Je ne pensais pas que tu savais qui j'étais, dit-il.

— Je savais très bien qui tu étais, répondit-elle tout en l'embrassant dans le cou et en lui pinçant le téton en même temps.

L'effet fut plus rapide qu'il ne l'aurait cru. La petite fille se métamorphosait de nouveau en déesse de l'amour. Quelques instants plus tard, ils roulaient sur le lit, enchaînant toutes les positions que Pattie imposait, jusqu'à ce que Ted n'en puisse plus et qu'ils explosent violemment ensemble.

— Pattie... qu'est-ce que c'est ? balbutia-t-il d'une voix faible. Qu'est-ce que tu me fais ? Je crois que tu m'as ensorcelé.

Le rire de Pattie tinta comme de minuscules clochettes.

— Je te l'ai dit... C'est l'amour...

— Je crois que je vais mourir si on ne fait pas une pause.

Mais Pattie fut implacable. Elle l'excita, le provoqua, le tourmenta et le combla encore et encore, jusqu'à l'aube. Ted finit par s'endormir, la joue posée sur sa poitrine, tandis qu'elle lui caressait tendrement les cheveux, comme elle l'aurait fait avec un enfant. Elle remonta la couverture sur lui et l'embrassa doucement sur le haut de la tête. Ted venait de vivre la nuit la plus incroyable de sa vie.

5

Lorsque Ted se réveilla le lendemain à midi, Pattie était déjà partie. Elle lui avait laissé du café, quelques bagels et un petit mot : *Je te vois en amphi. Je t'aime. P.* Il s'aperçut, consterné, qu'il avait manqué deux cours ce matin-là, et c'est en chancelant qu'il se rendit à la cuisine, presque incapable de marcher. Il ne comprenait pas ce qui était arrivé la veille. Pattie l'avait envoûté. A première vue, elle avait l'air si maternelle, si naturelle, mais en un baiser elle était devenue une tigresse, avant de se transformer en petite fille. Cela ne devait plus se produire. C'était tellement banal de coucher avec son professeur... et, pourtant, alors qu'il buvait son café, il ne parvenait pas à chasser de son esprit les souvenirs de leurs acrobaties de la nuit. Le simple fait de penser à elle l'excitait. Il avait l'impression d'être devenu fou.

Il prit une douche, s'habilla, refit le lit, attrapa son manteau et descendit en courant les escaliers de l'immeuble, indifférent à l'odeur nauséabonde. Il arriva presque en retard au cours de Pattie. Dernier à entrer dans la salle, il se dépêcha d'aller s'asseoir et passa l'heure à la contempler en se remémorant leur nuit ensemble. Elle portait le même pull rose que la veille. A plusieurs reprises, elle se retourna pour poser sur lui ce regard qui semblait le traverser de part en part, lire en lui jusque dans son âme. Elle lui faisait un tel effet qu'à la fin de l'heure il dut attendre avant de se lever.

Pattie le rejoignit en souriant, et il sentit tout son corps se tendre lorsqu'elle se mit à parler. Il ne restait qu'eux dans la salle : l'espace d'un fol instant, il eut envie de lui faire l'amour là, tout de suite. Quand elle lui prit la main pour la presser entre ses jambes, il la saisit par les bras, levant sur elle un regard stupéfait. En une nuit, elle avait fait de lui quelqu'un qu'il ne reconnaissait pas. Il était devenu un étranger pour lui-même autant qu'il l'était pour elle.

— Tu dois être une sorcière, murmura-t-il.

Elle secoua la tête.

— Non, c'est juste que je suis à toi. Je t'appartiens, maintenant, Ted.

Elle avait dit cela avec une telle simplicité qu'il se serait senti touché si les mots eux-mêmes n'avaient pas été aussi étranges.

— Je n'ai envie de posséder personne, répondit-il avec franchise, luttant pour garder le peu de raison qu'il lui restait. Mais j'ai envie d'être avec toi, encore.

Auprès d'elle, il avait eu l'impression d'être un gamin, jusqu'au moment où il l'avait pénétrée. Alors, il était devenu l'homme que, même en rêve, il n'aurait jamais pensé pouvoir être. Cette expérience dépassait de loin celles, beaucoup plus ordinaires, qu'il avait eues jusque-là. Six mois plus tôt, il avait rompu avec sa petite amie parce qu'il ne voulait pas d'une relation sérieuse. Et voilà qu'il se retrouvait plongé dans un monde complètement inconnu, avec une femme bien plus expérimentée que lui. Sensation grisante, songea-t-il, tandis qu'elle se penchait pour masser doucement le renflement de son jean. Elle l'obligea à se lever et il la prit dans ses bras, s'accrochant à elle tel un enfant perdu dans une tempête.

— Je t'aime, Ted.

L'intensité de sa voix le troubla. Etait-ce cela, l'amour ? Peut-être le savait-elle mieux que lui.

Il tenta de la raisonner :

— Ne dis pas ça. Tu ne me connais même pas. Essayons plutôt de faire connaissance pour découvrir ce qu'il y a entre nous.

— C'est l'amour, lui chuchota-t-elle à l'oreille.

Il était prêt à la croire, tant qu'elle l'acceptait de nouveau dans son lit.

— Viens chez moi, dit-elle alors qu'ils sortaient de la salle de cours.

— Et tes enfants ?

Ted craignait qu'ils ne découvrent la relation qu'il entretenait avec leur mère. Il était gêné de les savoir à côté. Même s'il avait fini par les oublier la nuit précédente, il ne tenait pas à recommencer : cela ne lui semblait pas correct.

— Ils sont chez leur père ce soir, répondit Pattie avec un petit air mutin qui le fit sourire. Il est allé les chercher à l'école, il les garde deux jours.

C'est au pas de course qu'ils rentrèrent chez elle fêter cette bonne nouvelle. Pattie n'avait pas encore ouvert que Ted la plaquait déjà contre la porte. Après avoir refermé celle-ci d'un coup de pied, ils se précipitèrent au salon et s'affalèrent sur le canapé. Cette nuit-là fut encore plus folle que la précédente. Le lendemain, prétextant qu'ils étaient souffrants, ils ne retournèrent pas à l'université et firent l'amour non-stop. Pattie prétendait qu'il fallait avoir l'âge de Ted pour tenir une telle forme mais, en réalité, elle se montrait tout aussi insatiable que lui. Tandis que leurs corps se contorsionnaient, s'imbriquaient et fusionnaient, ni l'un ni l'autre ne songeait à leur différence d'âge. Désormais, elle incarnait tout ce que Ted désirait.

Lorsque les enfants de Pattie revinrent de chez leur père, Ted regagna son appartement pour la première fois en trois jours. Il avait l'impression d'être passé sous un rouleau compresseur et la tête de quelqu'un qui n'aurait pas dessoûlé pendant trois semaines. Heureusement, aucun de ses colocataires ne s'y trouvait. Il n'avait pas mis les pieds à la fac depuis trois jours. Pattie lui avait promis de lui attribuer une bonne note dans sa matière, quelle que soit la qualité de son travail, mais il ne trouvait pas cela honnête. Il fallait absolument qu'il retourne à l'université. Pattie, elle, avait repris les cours cet après-midi-là.

Une heure plus tard, alors qu'il était allongé sur son lit, les yeux fermés, elle l'appela.

— Je n'y arrive pas. Il faut que je te voie.

En entendant sa voix un peu éraillée, Ted sourit.

— On va finir par être obligés de se suivre partout comme des siamois, plaisanta-t-il.

En fait, la veille, il l'avait portée jusqu'à la cuisine, encore plongé en elle, l'avait nourrie de fraises et de raisins, avant de l'asseoir sur le plan de travail et de conclure ce qu'ils avaient commencé. Ces trois derniers jours, ils avaient tout essayé. Grâce à Pattie, l'éducation sexuelle de Ted était achevée... ou peut-être ne faisait-elle que débuter.

— Je peux venir ? demanda-t-elle sur un ton désespéré.

— Où sont les enfants ?

Toujours inquiet pour eux, il ne voulait pas qu'ils souffrent de leur liaison torride.

— Je peux les laisser une heure ou deux à Mme Pacheco, en bas. Qu'est-ce que tu fais ?

— Je suis allongé sur mon lit. Mes colocataires ne devraient pas tarder à rentrer, mais tu peux venir, si tu veux.

Ted avait sa propre chambre, bien que les cloisons fussent aussi minces que du papier. L'idée ne lui traversa même pas l'esprit que ses camarades puissent être surpris par l'âge de Pattie. Il avait cessé d'y penser dès la première nuit. Le sexe les avait mis sur un pied d'égalité.

Elle arriva une demi-heure plus tard, après avoir confié les enfants à la baby-sitter et sauté dans un taxi. Les colocataires de Ted n'étaient pas encore rentrés. Ils firent l'amour avec passion pendant deux heures, sans jamais quitter la chambre de Ted ni son lit. S'ils bavardaient rarement en dehors des moments où ils étaient trop épuisés pour s'aimer, Pattie affirmait qu'ils étaient des âmes sœurs, et il la croyait. Comment interpréter ce qu'ils vivaient, sinon ? Il ne voyait pas d'autre explication.

— A demain, dit-elle d'un air rêveur.

Et il l'embrassa.

Exténué, Ted s'endormit cinq minutes plus tard, sans avoir ouvert les cours qu'il avait prévu de réviser ce soir-là. Il serait obligé de s'y mettre le lendemain, s'il ne voulait pas accumuler encore plus de retard.

Les deux jours suivants, Ted rattrapa une partie des matières qu'il avait séchées, tandis que Pattie corrigeait ses copies. Ils furent tous deux bien malheureux. Elle voulut venir chez lui, mais il refusa, sachant qu'ils seraient incapables de se séparer. Il fallait absolument qu'il commence ses révisions, à deux semaines des examens de fin de semestre. Il avait promis à Pattie de l'inviter au Waverly Inn le vendredi, et ils attendaient ce jour avec impatience. Ted avait envie de passer une soirée normale avec elle, d'apprendre à la connaître autour d'une table de restaurant, au lieu de faire l'amour comme des sauvages sur toutes les surfaces de son appartement. Il voulait bâtir une relation avec elle, tenter de comprendre la nature de leur lien. S'agissait-il simplement d'un désir animal incontrôlable, ou bien d'amour, ce que Pattie ne cessait de répéter ? Pour le découvrir, Ted avait donc décidé de l'emmener dîner et de se comporter en adulte civilisé, et non en obsédé sexuel. Pattie fut touchée par son invitation. Jessica et

Justin passaient le week-end chez leur père ; selon leur système de garde alternée, les enfants allaient chez l'un puis chez l'autre tous les deux ou trois jours, ce qui permettait à Ted et Pattie à la fois de se retrouver et de se reposer.

Leur dîner au Waverly Inn commença de façon idyllique, avec une belle table et un bon repas. Ted commanda du vin, cherchant à éblouir Pattie, à lui montrer combien il était raffiné. Mais Pattie n'y fit pas attention. Elle ne le quitta pas des yeux de toute la soirée, et ils furent tous les deux pressés de rentrer bien avant le dessert.

— On n'est peut-être pas encore prêts à sortir ensemble, commenta Ted avec humour tandis qu'ils se précipitaient vers l'immeuble de Pattie.

Malgré leur bonne volonté, ils étaient incapables de garder leurs vêtements et de rester séparés l'un de l'autre assez longtemps pour partager un vrai repas et faire connaissance. Ted referma la porte à clé, mais ils ne purent faire un pas de plus. Il tourna Pattie face à lui, l'allongea doucement sur le tapis et lui remonta la jupe. Elle le suppliait de venir lorsqu'il la prit, à même le sol. Puis il la porta jusqu'à la chambre, laissant leurs vêtements éparpillés par terre. Une fois de plus, ils ne quittèrent pas l'appartement jusqu'au retour des enfants, deux jours plus tard. Ted partit cinq minutes avant que leur père les dépose ; quand il rentra chez lui, épuisé et heureux, Pattie lui manquait déjà.

Annie chercha à joindre Ted à plusieurs reprises au cours du week-end, mais elle tomba chaque fois sur sa boîte vocale. Finalement, elle se décida à appeler Liz et Kate, laquelle était de sortie avec des amis.

Elle posa à chacune la même question : « Tu as des nouvelles de ton frère ? »

D'habitude, Ted lui téléphonait tous les deux ou trois jours. Elle trouvait étrange qu'il ne l'ait pas fait cette semaine-là. Peut-être était-il malade... Même lorsqu'il avait beaucoup de travail, il prenait toujours le temps de lui donner un petit coup de fil. Là, elle n'avait pas entendu sa voix depuis le dimanche suivant Thanksgiving. Kate répondit qu'il ne l'avait pas appelée, tout comme Liz, qui lui expliqua qu'elle avait eu elle aussi une semaine bien remplie. Ils se trouvaient tous dans le même cas, et cela ne ferait qu'empirer jusqu'à la fin de l'année.

— J'espère qu'il va bien...

— Je suis certaine qu'il va bien, lui assura Liz. Il est sans doute débordé, avec ses cours. Il s'en plaignait l'autre jour. La fac de droit, c'est vraiment dur.

— Peut-être qu'il a une nouvelle copine, suggéra Annie, pensive.

Lizzie se mit à rire.

— Ça m'étonnerait. Depuis sa rupture avec Meg, il fuit les relations sérieuses. Je pense que c'est simplement la fac.

— Tu as sûrement raison.

Les deux femmes bavardèrent encore quelques instants. Jean-Louis repartait à Paris pour le week-end. Comme prévu, Liz irait le rejoindre le lendemain de Noël et passerait une semaine avec lui, avant la séance photo qu'elle avait prévue là-bas. Elle essayait d'ailleurs de le faire engager pour le shooting, pensant que ce serait amusant de travailler avec lui.

— C'est sérieux, entre vous ? lui demanda Annie.

Liz se mit à rire.

— Je ne sais pas comment définir notre relation. Elle est exclusive, puisqu'on ne sort avec personne d'autre, mais on ne fait pas non plus de projets d'avenir. On est trop jeunes pour ça.

Annie ne partageait pas forcément son avis. A vingt-huit ans, certaines femmes se sentaient prêtes à s'installer, d'autres non. Lizzie faisait partie de ces dernières. Jean-Louis ne semblait pas pressé de se poser, lui non plus. Sans doute voulaient-ils profiter de la vie le plus longtemps possible... Pourtant, il ne s'était pas estimé trop jeune pour faire un enfant, puisque, à vingt-neuf ans, il avait déjà un fils de cinq ans. Annie fut troublée lorsqu'elle s'aperçut qu'il était devenu papa à l'âge que Ted avait actuellement. Elle avait du mal à le concevoir. Son neveu lui semblait encore tellement gamin... de même que Kate, avec ses vingt et un ans. Quoi qu'il en soit, Annie n'imaginait pas Liz s'installant durablement avec Jean-Louis : sa nièce méritait mieux, même s'il n'était pas pire que les autres garçons qu'elle avait fréquentés. Lizzie choisissait toujours des gens qui, comme elle, ne voulaient pas s'engager. Annie rêvait pourtant de la voir avec un homme sérieux qui prendrait soin d'elle, plutôt qu'avec ce Jean-Louis qu'elle ne voyait ni en père ni en mari. A vingt-huit ans, il lui semblait tout de même justifié que l'on pense à son avenir. Elle ne voulait pas que sa nièce finisse seule elle aussi – bien que cette situation lui convînt tout à fait, elle espérait mieux pour Liz que le célibat. De leur côté, Ted et Kate avaient tout le temps de se soucier de trouver un partenaire à long terme, n'étant encore que des enfants et n'ayant pas fini leurs études. Liz, elle, était adulte.

Annie réussit finalement à joindre Ted le dimanche soir, alors qu'il venait de rentrer chez lui. Elle fut soulagée de l'entendre, quoique sa voix lui parût un peu fatiguée.

— Comment vas-tu ? Tu es enrhumé ?

— Non, ça va.

L'inquiétude de sa tante le fit sourire. Il était curieux de voir sa réaction lorsqu'elle apprendrait l'existence de Pattie, mais il ne se sentait pas prêt à lui annoncer la nouvelle. Il préférait garder son secret encore un peu.

— Je suis juste crevé, expliqua-t-il. J'ai beaucoup travaillé cette semaine.

Assurément, il s'était démené... mais pas dans le sens où Annie l'imaginait.

— Tu pourras te reposer pendant les vacances de fin d'année, lui rétorqua-t-elle gentiment.

Ted se souvint alors qu'il avait proposé à Pattie d'aller faire du ski après Noël. Elle devait demander à son ex-mari s'il pouvait prendre les enfants. Il se réjouissait de partir en vacances avec elle, mais encore fallait-il qu'ils soient capables de quitter leur chambre suffisamment longtemps pour monter sur des skis !

Annie lui rappela qu'il était toujours le bienvenu à la maison. Elle lui proposa de venir dîner le week-end suivant, mais il répondit de manière très évasive. Sans se l'expliquer, Annie eut la très nette impression qu'il lui cachait quelque chose, et elle se demanda une fois de plus s'il avait quelqu'un dans sa vie. Cette pensée la fit sourire. Etait-ce une fille de sa promotion ?

Ted ne savait que trop bien qu'Annie était à mille lieues de se douter qu'il fréquentait une enseignante en droit de trente-six ans, mère de deux enfants. Et il lui faudrait du temps avant de pouvoir l'annoncer à sa tante. Il devait d'abord s'habituer lui-même à l'idée.

6

Comme chaque année, les journées précédant Noël s'avérèrent tout bonnement démentes. Annie avait cinq chantiers en cours, dont deux censés être terminés au début du mois de janvier. Elle inspectait chaque site quotidiennement, malgré les routes rendues quasi impraticables par la neige, abondante en cette période. Deux nouveaux clients avaient insisté pour la rencontrer, et l'un d'eux lui avait demandé un avant-projet. Bien sûr, Annie devait aussi trouver des cadeaux pour son neveu, ses nièces et ses collaborateurs, ainsi que pour Whitney et sa famille. C'était le chaos caractéristique des fêtes ; et, comme d'habitude, elle craignait de ne pas en venir à bout. Pour couronner le tout, ses clients favoris, les Ebersohl, venaient de lui annoncer qu'ils allaient se séparer et vendre la maison. Alicia l'avait appelée, en larmes, pour l'informer que Harry demandait le divorce. Annie avait déjà connu ce genre de situation. Rénover ou construire fait ressortir le pire en chacun de nous, c'est une entreprise douloureuse, un cadre parfait pour d'interminables disputes. Elle se sentait déçue, d'autant plus que la maison de la 69e Rue serait difficile à vendre avec l'intérieur complètement démoli. Mais elle était surtout désolée pour eux.

Liz avait, elle aussi, beaucoup de travail au magazine. Avant Noël, elle devait boucler le numéro de mars et commencer celui d'avril – elle essayait de se mettre à jour avant son départ pour Paris. Jean-Louis lui manquait. Depuis son dernier passage à New York, il se montrait particulièrement tendre et l'appelait très souvent. Il était très impatient de la revoir, de même qu'il tardait à Liz de le rejoindre. Elle projetait de fêter Noël en famille et de prendre un vol le jour suivant. Jean-Louis lui avait promis qu'il l'attendrait avec son fils. Elle avait acheté pour l'enfant un magnifique train ancien qui pouvait fonctionner à piles. Au père, elle prévoyait d'offrir une très belle montre.

Avant les fêtes, Ted passa autant de temps que possible avec Pattie. Ils avaient dû tirer un trait sur leur séjour au ski et se résigner à rester à New York, son ex-mari ayant déjà organisé ses vacances sans les enfants. Ted voulait bien voir Pattie chez elle, mais il avait de forts scrupules à y dormir en présence des petits. Elle partageait cet avis, même si cela leur demandait un grand sacrifice.

Malgré des notes sensiblement inférieures à celles qu'il obtenait d'habitude, Ted eut la moyenne à tous ses examens de fin de semestre. Il fut gêné en découvrant que Pattie lui avait attribué un A dans sa matière. Il n'avait pas l'impression de le mériter.

— J'ai fait un bon devoir, ou c'est parce qu'on a une liaison ? lui demanda-t-il franchement.

— On n'a pas une liaison, répondit-elle tranquillement. Je suis amoureuse de toi. Et, oui, tu méritais cette note.

— Je n'en suis pas si sûr, murmura-t-il tout en sachant qu'il ne connaîtrait jamais la vérité.

Pattie le corrigeait systématiquement lorsqu'il évoquait leur « liaison » ou leur aventure sexuelle : pour elle, ils s'aimaient. Ted n'avait pas encore prononcé le mot, et ne comptait pas le faire avant d'avoir trouvé la femme de sa vie. En attendant, ce qu'il partageait avec Pattie n'était pour lui qu'une liaison. Ces derniers temps, elle se mettait à pleurer chaque fois qu'il lui expliquait sa vision des choses, blessée par ses paroles. Mais il n'avait pas envie de lui donner de faux espoirs. Il ignorait si ce qu'il ressentait pour elle était de l'amour ou simplement du désir.

Depuis Thanksgiving, Ted n'avait presque pas parlé à Annie ou à ses sœurs. Il n'avait plus une minute à lui, passant son temps chez Pattie dès lors qu'il ne se trouvait pas en cours ou dans son lit, à dormir. Elle lui avait demandé s'il comptait la présenter un jour à sa famille : Ted lui avait répondu, gentiment mais fermement, que c'était trop tôt. Il tenait à elle, mais il ne savait toujours pas exactement quelle était la nature de leur lien. En revanche, il ne doutait pas un seul instant que l'âge de Pattie et le fait qu'elle ait des enfants choqueraient sa tante et ses sœurs. Il ne se sentait pas encore prêt à affronter leurs réactions, ce dont Pattie se plaignait également, arguant qu'elle n'avait pas envie d'être un secret dans sa vie. Peu avant Noël, elle lui fit remarquer qu'il manquait d'honnêteté. Elle voulait être au premier plan et au centre de sa vie, et non cachée dans un placard. Elle méritait mieux que ça. De même, elle avait très mal pris qu'il ne soit pas en mesure de fêter Noël avec elle. Ayant prévu de rester avec les siens, Ted ne voyait pas comment il aurait pu inviter Pattie et ses enfants. Il ne souhaitait pas encore franchir cette étape. Sans compter qu'Annie risquait d'avoir une attaque : une femme d'âge mûr avec deux enfants !

— Alors, je suis censée faire quoi ? demanda Pattie d'une voix plaintive lorsqu'il fit un saut chez elle, la veille de Noël.

Elle sanglotait depuis une heure et ne voulait pas qu'il parte.

— Qu'est-ce que tu veux que je fasse ? répéta-t-elle. Que je reste ici toute seule avec mes gamins ?

— Que ferais-tu, normalement, si on ne s'était pas rencontrés ? Qu'as-tu fait l'an dernier ?

73

— Hank avait les enfants et j'ai pleuré jusqu'à ce que je m'endorme.

Ted en fut troublé, mais pas question de passer Noël avec elle. Et Pattie ne serait pas seule, étant donné que son ex lui laissait les enfants cette année.

— J'essaierai de venir le soir de Noël ou le lendemain.

— Et pourquoi pas ce soir, même tard ? demanda Pattie en se tamponnant les yeux.

— Je ne peux pas. Je t'ai déjà dit qu'on dînait à la maison et qu'on allait à la messe de minuit.

— Que c'est touchant. Et tu trouves ça très chrétien de laisser la femme que tu aimes toute seule chez elle ?

— Tu seras avec Jessica et Justin, répondit-il avec douceur. Je n'y peux rien. Ma tante ne comprendrait pas que je sorte ce soir. Noël est une tradition, chez nous.

Il se faisait l'impression d'être Scrooge, le vieil avare égoïste du *Conte de Noël*.

— On croirait que tu as douze ans, se plaignit Pattie.

Elle sembla déçue par son cadeau, un magnifique pull blanc en cachemire qui lui avait coûté une fortune. Sans qu'elle l'exprime, il comprit qu'elle avait espéré autre chose, une bague de fiançailles par exemple. Depuis plusieurs jours, elle y faisait des allusions à peine voilées, mais Ted trouvait que c'était trop tôt. Ils ne sortaient ensemble que depuis quatre semaines. Pattie avait beau répéter qu'ils s'aimaient, leur histoire lui semblait encore très récente. Il aurait tout le temps de lui offrir une bague plus tard. Après tout, si elle avait trente-six ans, il n'en avait que vingt-quatre, et il s'agissait seulement de sa deuxième relation sérieuse.

Pattie accepta finalement qu'il vienne la voir le soir de Noël. Ted la prévint qu'il ne pourrait pas rester dormir chez elle, que les enfants soient là ou non : Pattie avait proposé de laisser Jessica et Justin chez Mme Pacheco, mais Ted préférait rentrer, sachant

74

qu'Annie ne manquerait pas de se poser des questions s'il s'absentait toute la nuit.

— Il serait peut-être temps que tu grandisses, répliqua Pattie sur un ton peu aimable. Tu baises comme un homme, alors agis en homme.

Ces mots le blessèrent. Lorsqu'il l'embrassa avant de partir, elle avait l'air irritée, et elle lui annonça d'une voix tendue qu'elle lui donnerait son cadeau le soir de Noël. Ted se rendit en taxi chez Annie, où Kate était déjà arrivée. En voyant son frère entrer, elle le considéra avec attention.

— Eh bien, qu'est-ce qui te rend aussi furax ? lui demanda-t-elle. Tu n'as pas l'air vraiment dans l'esprit de Noël. Qu'est-ce que tu as acheté pour Annie ?

— Un châle en cachemire et un casque de chantier personnalisé. Il est super-mignon, je crois qu'il lui plaira.

Ted n'avait pas répondu à la première question de sa sœur sur l'origine de sa colère. Il ne digérait pas la réaction de Pattie devant son refus de passer le réveillon de Noël avec elle. Elle ne voulait pas comprendre qu'il n'avait pas le choix. Il aurait préféré ne pas la quitter sur une note amère, mais elle avait continué à bouder et à lui battre froid jusqu'au bout. Tout cela l'avait particulièrement contrarié, surtout lorsqu'elle lui avait demandé d'agir en homme.

— Je ne suis pas furax, si tu veux savoir. Je me suis juste disputé avec un de mes colocataires avant de venir. Un connard.

Kate n'insista pas, mais elle avait la curieuse impression qu'autre chose préoccupait son frère.

— Annie va adorer le casque, et je suis sûre que le châle lui plaira aussi, dit-elle en lui souriant avec tendresse.

— Et toi, tu lui as acheté quoi ? demanda Ted.

L'espace d'un instant, ils crurent replonger en enfance, au temps où ils emballaient ensemble leurs cadeaux pour Annie.

— Je n'ai rien acheté, répondit Kate.

— C'est vrai ?

Ted était stupéfait. Cela ne ressemblait pas à Kate, qui se montrait toujours généreuse. Elle avait des moyens limités, mais elle savait les employer de façon créative.

— J'ai fabriqué quelque chose, précisa-t-elle.

Ted sourit en repensant au bon vieux temps, quand il construisait une table en bois pour Annie en cours de techno, ou quand Lizzie lui tricotait un pull avec des manches immenses. Annie l'avait mis le jour de Noël, de même qu'elle avait porté leurs colliers de nouilles et tout ce qu'ils lui avaient offert au fil des ans.

Kate alla chercher son carton à dessin, d'où elle retira délicatement trois grandes aquarelles. Tandis qu'elle les montrait à Ted une par une, il retint son souffle, ébahi. Parfois, il oubliait à quel point sa sœur avait du talent, comme leur mère. Kate avait peint pour sa tante des portraits de chacun d'eux, parfaitement ressemblants, même celui où elle s'était représentée elle-même.

— Ils sont splendides, Kate, murmura Ted en les étudiant de près.

Non seulement les portraits n'avaient aucun défaut, mais ils possédaient aussi la douceur caractéristique de l'aquarelle. De toute évidence, Kate les avait peints de mémoire, sans s'aider de photos. Ted savait que leur tante attacherait une grande valeur à chacun de ces tableaux.

— Sublimes !

— J'espère qu'ils lui plairont, répondit Kate modestement avant de les ranger soigneusement dans le carton à dessin.

Elle prévoyait de les emballer dans la soirée, et proposerait à Annie de les encadrer.

— Alors, qu'est-ce que tu fais de beau en ce moment ? demanda-t-elle avec désinvolture pendant qu'ils se laissaient tomber sur le canapé.

Annie avait préparé le sapin en l'ornant de leurs décorations préférées. Elle y avait consacré une journée et une nuit entières le week-end précédent.

— Pas grand-chose. Des exposés et des examens, surtout.

En l'observant, Kate sut que son frère mentait : il y avait du nouveau dans sa vie, mais il ne voulait pas dire quoi. Et son intuition féminine lui soufflait qu'il s'agissait d'une femme. Kate était impatiente d'en parler à Liz et Annie, qui s'étonnaient, elles aussi, de l'absence quasi totale de coups de fil depuis Thanksgiving.

— Et toi ? demanda Ted, tentant de changer de sujet. Tu as un nouveau piercing, un nouveau tatouage, un nouveau mec ?

— Peut-être, répondit mystérieusement Kate, qui elle aussi avait ses secrets.

— Ah ? fit Ted, intrigué. Lequel des trois ?

— Peut-être les trois, dit-elle.

Puis elle se mit à rire tandis que Ted allumait le téléviseur.

Ils regardaient *Le Miracle de la 34ᵉ Rue* lorsque Annie arriva, chargée de son porte-documents et de deux sacs remplis de provisions qu'elle avait oublié de commander le matin. Ils dînaient toujours simplement le 24 au soir. Le jour de Noël, Annie préparait une dinde, comme pour Thanksgiving. Une année, elle avait tenté de cuisiner une oie, mais le résultat avait été tellement catastrophique qu'ils préféraient s'en tenir à la bonne vieille dinde.

Ted alla porter les sacs à la cuisine et Katie se leva pour embrasser sa tante. Annie avait l'air épuisée, à bout de souffle. Une heure plus tôt, elle s'était rendue sur un chantier pour régler un problème entre l'entrepreneur et ses clients – elle avait encore les plans roulés sous le bras. Elle les posa sur son bureau, se débarrassa de son manteau et mit un disque de chants de Noël.

— Joyeux Noël, tout le monde ! lança-t-elle à la cantonade.

Katie la félicita pour la décoration du sapin pendant que Ted leur servait un lait de poule, autre tradition familiale. Annie avait l'habitude d'ajouter une goutte de bourbon dans le sien, alors que Ted et Katie le préféraient nature, comme lorsqu'ils étaient petits. Tous trois discutaient avec animation lorsque Liz entra, trois sacs remplis de paquets dans les bras – elle dépensait une fortune en cadeaux et ceux-ci plaisaient toujours. Elle semblait d'excellente humeur tandis qu'ils se souhaitaient un joyeux Noël. Après avoir admiré le sapin et chanté en chœur sur la musique, ils préparèrent le dîner ensemble. Ce fut un excellent réveillon. Liz avait promis de rester jusqu'à son départ pour Paris, à la grande joie d'Annie.

Ils bavardèrent dans la cuisine jusqu'à près de onze heures, avant de s'apprêter à partir pour la messe de minuit. En passant devant la chambre de son frère, Kate l'entendit laisser un message au téléphone, d'une voix contrariée. Il semblait préoccupé lorsqu'il rejoignit ses sœurs et sa tante dans l'entrée. Kate, elle aussi, avait appelé quelqu'un en allant chercher son manteau. La conversation avait été brève et chaleureuse, et elle devait rappeler le lendemain. Cette soirée en famille comptait beaucoup pour eux tous.

Ils prirent un taxi jusqu'à la cathédrale Saint Patrick, où ils assistaient tous les ans à la messe de minuit. Seule Annie recevait la communion. Comme chaque année, ils la regardèrent allumer deux cierges, puis s'agenouiller devant l'un des petits autels pour prier, la tête baissée. Lorsqu'elle se releva, des larmes roulaient sur ses joues. Kate avait toujours envie de pleurer en la voyant. Même si elle n'avait jamais posé la question, elle savait pour qui brûlaient ces cierges ; le souvenir de ses parents était encore vivace. Annie avait été formidable avec eux trois depuis leur disparition. Lorsqu'elle les rejoignit sur le banc, Ted la serra dans ses bras et Kate lui saisit la main avec douceur. Suivant son habitude, Liz était extrêmement chic avec son énorme toque en fourrure de renard blanc, son élégant manteau noir et ses bottes montantes en cuir noir. Annie trouvait qu'elle ressemblait beaucoup à Jane au même âge. Bien que Liz eût encore plus de classe que sa mère, leurs visages étaient presque identiques, au point qu'Annie en avait parfois le cœur serré. Sa sœur lui manquait toujours terriblement.

Après avoir chanté *Douce Nuit* à la fin de la messe, ils ressortirent dans la Cinquième Avenue et prirent un taxi pour rentrer. Annie leur prépara un chocolat chaud avec des marshmallows, puis tout le monde alla se coucher. Une fois seule, Annie remplit leurs chaussettes de petits cadeaux et leur écrivit des lettres amusantes signées du père Noël, leur rappelant de ranger leurs chambres et de bien se laver derrière les oreilles. Sur celle de Kate, elle ajouta qu'elle risquait de trouver du charbon dans sa chaussette l'année suivante si elle continuait à se faire tatouer. Un peu plus tard, Annie s'assoupit dans l'appartement paisible, heureuse d'avoir auprès d'elle les personnes qu'elle aimait le plus au monde, dormant profondément dans leurs chambres. C'était la soirée qu'elle préférait dans l'année. Elle ne pouvait rêver mieux.

7

Le matin de Noël, Annie se leva tôt pour mettre la dinde au four et appeler son amie Whitney, comme elle le faisait depuis tant d'années. Elles se souhaitèrent un joyeux Noël et bavardèrent un moment. Whitney lui demanda à nouveau de venir fêter le nouvel an avec eux, mais Annie répéta qu'elle ne voulait pas se rendre dans le New Jersey si l'un des enfants restait seul à la maison. Cela ne la dérangeait pas d'être chez elle pour le réveillon, cette soirée n'ayant jamais eu d'importance à ses yeux. Elle détestait se retrouver au milieu de gens ivres et n'avoir personne à embrasser à minuit, ce qui lui procurait un sentiment de solitude plus grand que lorsqu'elle passait la soirée chez elle.

— Je verrai, promit-elle à Whitney. Je veux d'abord savoir ce que les enfants ont prévu. Lizzie part à Paris demain, mais les deux autres seront dans le coin. Autant que je sache, ils n'ont pas de projets pour l'instant.

— Bon, essaie de venir, si tu peux, répondit Whitney avec enthousiasme. Ça nous ferait vraiment plaisir de te voir... Joyeux Noël, Annie. Embrasse les enfants pour moi.

— Et toi, Fred et les garçons.

Après avoir raccroché, Annie illumina le sapin pour que les enfants trouvent une ambiance gaie et festive en se levant. Quelques instants plus tard, Kate émergea de sa chambre en tee-shirt imprimé à l'effigie d'une rock star, l'air endormie et les cheveux tout hérissés. Annie remarqua un petit diamant sur sa narine qu'elle n'avait jamais vu auparavant, mais elle ne fit aucun commentaire. Elle ne s'habituerait jamais aux piercings et aux tatouages de sa nièce.

— Le père Noël m'a laissé un mot sympa, commenta Kate en bâillant.

Annie feignit l'innocence, elle l'avait toujours fait – surtout à l'époque où les enfants croyaient encore au père Noël. Elle s'était donné beaucoup de mal pour préserver le mythe, soucieuse de leur offrir toute la joie et la magie qu'ils méritaient.

— C'est vrai ? Qu'est-ce qu'il t'a écrit ?

— Qu'il adore mon nouveau tatouage de la fée Clochette, et qu'il vient de s'en faire faire un lui aussi. Il s'est fait tatouer Rudolph, son renne, en énorme, sur les fesses. Il m'a promis de m'apporter une photo l'an prochain, ajouta Kate avec un large sourire.

— Ce n'est pas ce que dit la lettre du père Noël ! s'exclama Annie d'un ton désapprobateur. Je l'ai lue quand je me suis levée !

— Si, si ! insista Kate, qui courut chercher le mot.

Elle l'avait récrit et décoré d'un dessin amusant du père Noël exhibant un tatouage de Rudolph sur le derrière. Annie éclata de rire. Tandis qu'elle le scotchait sur la cheminée, Liz apparut, très sexy dans un haut de pyjama pour homme qui mettait en valeur ses longues jambes. Annie portait une vieille chemise de nuit en flanelle sous une robe de chambre en cachemire rose. Quelques minutes plus tard, Ted sortit de sa chambre en caleçon et tee-shirt. Le matin de Noël, le confort, et non l'élégance, était de mise. Lorsqu'ils furent tous réunis, ils s'échangèrent leurs cadeaux devant le sapin qui brillait de mille feux.

Les peintures de Kate eurent un franc succès – outre les trois tableaux destinés à sa tante, elle avait réalisé un portrait d'Annie pour sa sœur et son frère. Elle avait également peint ceux de ses parents à partir de photos, mais les avait laissés punaisés aux murs de sa chambre d'étudiante, afin de ne faire de peine à personne en les apportant à la maison. Annie fut séduite par les magnifiques aquarelles, et Katie promit de les lui faire encadrer. Annie déclara qu'elle décrocherait un cadre dans le salon pour leur faire de la place. Elle avait les larmes aux yeux en serrant sa nièce dans ses bras. Ted et Liz étaient tout autant conquis par le portrait qu'elle avait fait de leur tante.

Les cadeaux de Ted eurent eux aussi un succès fou : Annie mit immédiatement son casque de chantier. Quant à Liz, elle avait acheté de magnifiques bracelets manchettes en or pour sa tante et sa sœur, ainsi qu'une élégante montre Cartier pour Ted, munie d'un bracelet sport en caoutchouc.

Ensuite, ils prirent tous le petit déjeuner à la cuisine. Liz, plus mince que jamais, se contenta d'un demi-pamplemousse. Katie mangea du muesli, tandis que Ted préparait des œufs au plat pour Annie et lui. Une délicieuse odeur de bacon envahit la pièce alors que, dans le four, la dinde commençait à dorer. En les voyant rire et bavarder, Annie songea que leur vie était faite de ces petits miracles. D'une manière ou d'une autre, elle avait réussi à élever trois enfants qui n'étaient pas les siens, sans avoir la moindre idée de la façon dont il fallait s'y prendre. Ils s'en étaient admirablement sortis, s'aimaient les uns les autres et enrichissaient son existence bien au-delà de ses rêves. Elle trouvait qu'elle avait de la chance ; et tout en rangeant assiettes et couverts dans le lave-vaisselle, elle remercia silencieusement sa sœur pour ces trois enfants fantastiques qu'elle avait hérités d'elle, et qui l'avaient comblée d'amour et de joie.

Après le petit déjeuner, chacun retourna dans sa chambre pour donner quelques coups de fil. Ted ferma sa porte et appela Pattie, qui se décida enfin à décrocher, même si elle semblait encore très contrariée. Il lui souhaita un joyeux Noël.

— Tu devrais être là avec moi et les enfants, dit-elle plaintivement avant de se mettre une fois de plus à pleurer.

— Je dois rester en famille aujourd'hui, expliqua-t-il de nouveau.

Décidément, elle n'avait pas l'air de saisir. Ou bien elle n'en avait pas envie. Il était hors de question que Ted passe cette journée ailleurs que dans l'appartement d'Annie. Au bout de quatre semaines à peine, il ne trouvait pas juste que Pattie lui demande de laisser tomber ses proches pour elle. Malgré son agacement devant tant d'histoires, il lui proposa de venir la voir plus tard dans l'après-midi. Il avait des cadeaux pour ses enfants. Il lui promit de la rappeler dès qu'il jugerait possible de s'absenter.

— Bonne journée, lança Pattie.

Bien qu'elle semblât toujours aussi vexée et déçue, cette fois-ci il ne s'excusa pas. Il fallait qu'elle comprenne l'importance qu'il accordait à ses sœurs et à sa tante.

— Je t'aime, Ted, ajouta-t-elle tristement comme si elle venait de perdre son meilleur ami.

— On se voit tout à l'heure, conclut-il.

Il n'était toujours pas prêt à lui dire qu'il l'aimait, et certainement pas à s'excuser de passer Noël en famille. Il ne se sentait pas coupable, seulement désolé, ennuyé que Pattie se montre aussi possessive.

Ted avait l'air plus détendu lorsqu'il ressortit de sa chambre. Au moins, Pattie avait accepté de lui parler.

— Des problèmes de cœur ? s'enquit Liz, un sourcil levé.

Il secoua la tête, surpris qu'elle ait deviné juste. Mais il n'avait pas vraiment envie de se confier à sa grande sœur.

— Qu'est-ce qui te fait dire ça ? lui demanda-t-il.

— Tu ne fermes jamais la porte de ta chambre quand tu es au téléphone, sauf quand tu te disputes avec une fille. Tu as une nouvelle copine ?

— Non, simplement quelqu'un avec qui je suis sorti quelques fois.

Il imaginait sans peine la tête que ferait Liz si elle savait que Pattie avait trente-six ans et deux enfants.

— Je vais peut-être aller la voir cet après-midi, ajouta-t-il spontanément.

Sa sœur acquiesça. L'idée ne la choquait pas ; elle aussi devait rentrer chez elle récupérer des affaires avant de partir pour Paris.

Pendant qu'ils discutaient, Annie s'était dirigée vers la chambre de Katie afin de la remercier encore pour les magnifiques portraits. Sur le bureau de sa nièce, elle remarqua un livre sur la culture et les coutumes musulmanes. Katie ne lisait pas ce genre d'ouvrage, d'habitude. N'ayant jamais été une grande lectrice, ses goûts la portaient plutôt vers les biographies de rock stars et d'artistes contemporains. Elle n'avait jamais montré de curiosité pour les religions, pas même pour la sienne.

— Ça a l'air intéressant, observa Annie en prenant le livre. Tu suis un cours sur les religions orientales ? Ça pourrait nous aider à mieux comprendre certains conflits dans le monde.

— Je l'ai emprunté à un ami, répondit Katie sans la regarder.

Annie rejoignit les autres dans le séjour. Ils s'étaient tous changés pour le déjeuner – quand ils étaient enfants, elle avait toujours tenu à ce qu'ils soient bien habillés lors de fêtes comme Noël. Ted portait une veste et une cravate, ainsi qu'à chaque réunion de famille, et Liz une robe toute simple en laine noire mais qui lui arrivait à peine aux cuisses. Annie avait enfilé sa tenue préférée, une robe rouge. Katie apparut quelques instants plus tard vêtue d'une jupe en cuir rouge, de collants à rayures, de rangers rouges et d'un pull blanc pelucheux.

Elle arborait des boules de Noël en guise de boucles d'oreilles. Elle restait fidèle à elle-même, sans aucun doute, toutefois elle leur avait prouvé un peu plus tôt l'étendue de son talent artistique. Et Annie était impressionnée par le livre qu'elle avait vu dans sa chambre. Cela lui faisait plaisir que Kate s'intéresse à d'autres cultures. Libre-penseuse, résolument indépendante, sa nièce n'empruntait jamais les idées des autres sans les avoir examinées d'abord elle-même. Annie avait essayé de leur ouvrir le plus de portes possible. Elle n'aurait pas aimé qu'ils vivent dans un monde étriqué, confiné. Elle se réjouissait également de leurs différences. Des trois enfants, Ted était le plus attaché aux traditions, Katie la plus originale. Jane et Bill auraient été fiers d'eux.

Au cours du repas, la conversation fut animée. Annie leur servit du champagne. Ils étaient tous en âge de consommer de l'alcool mais en abusaient rarement, même si Ted avait connu quelques fêtes bien arrosées lors de ses deux premières années de faculté. A présent, ils buvaient en adultes raisonnables.

Liz leur confia son impatience de rejoindre Jean-Louis à Paris. Pour l'importante séance photo qu'elle devait superviser début janvier, *Vogue* avait engagé un célèbre photographe parisien et fait venir de superbes bijoux de toute l'Europe. Elle parlait de ses projets avec animation. Seul Ted se montrait un peu plus réservé que d'habitude. Annie devinait qu'il avait des soucis, mais il ne semblait pas vouloir les partager.

Le repas terminé, Ted regarda quelques minutes un match de football à la télévision, puis il se leva et annonça évasivement qu'il sortait voir des amis. Personne n'émettant d'objections, il alla dans sa chambre chercher ses cadeaux pour Justin et Jessica. Il leur avait acheté un jeu à chacun, sans vraiment savoir ce que les enfants aiment à ces âges-là.

L'air grave, il enfila son manteau et se pencha pour embrasser Annie, qui bavardait avec Kate et Liz. Il avait laissé les paquets dans l'entrée afin de ne pas attirer leur attention.

— Je reviens dans une heure ou deux, promit-il.

Il ramassa ses clés sur la table de l'entrée, prit les cadeaux et partit.

— C'est quoi, son problème ? demanda Liz.

Katie répondit qu'elle n'en avait aucune idée. Ted ne lui avait rien dit, mais elle l'avait entendu se disputer avec quelqu'un au téléphone, dans sa chambre.

— A mon avis, c'est une fille, suggéra calmement Annie. Il reste très discret à son propos, en tout cas.

— Comme toujours, répliqua Liz.

Elles tombèrent toutes trois d'accord pour dire qu'il l'était encore plus cette fois-ci.

— S'il continue à la fréquenter, on finira bien par la rencontrer, affirma Kate. Peut-être qu'elle a une drôle de tête, ou qu'elle est bizarre.

— Oui, avec plein de piercings et de tatouages partout, par exemple, la taquina Liz.

Et elles se mirent à rire.

Quel que soit son problème, elles savaient toutes que Ted se confierait à elles lorsqu'il se sentirait prêt. Pour l'instant, il préférait garder son secret. Quant à Annie, elle respectait trop son neveu pour chercher à le faire parler.

Ted grimpa quatre à quatre les escaliers de l'immeuble de Pattie. Il était presque dix-huit heures et, bien qu'il eût promis de passer à dix-sept heures, il n'avait pas voulu, en partant plus tôt, donner l'impression à sa tante et ses sœurs qu'il s'enfuyait le jour de Noël. Elles tenaient tout autant que lui à leurs traditions.

Ted appuya sur la sonnette. Vu le temps que Pattie mettait à répondre, il commençait à croire qu'elle avait décidé de ne pas lui ouvrir. Elle lui avait pourtant assuré qu'elle serait là. Il se faisait soudain l'effet d'un petit garçon pris en défaut, sensation inhabituelle pour lui. Ted avait toujours été un enfant responsable et bien élevé. Les rares fois où Annie avait dû se mettre en colère contre lui, la réprimande avait été vive, claire et directe, et surtout, très brève. Annie n'avait jamais laissé traîner les choses, ne s'était jamais montrée rancunière ou lunatique avec eux. Pattie semblait vouloir le punir d'avoir fêté Noël en famille. Lorsqu'elle finit par ouvrir la porte, elle avait l'air peinée – de toute évidence, elle avait pleuré – et elle éclata en sanglots en se jetant dans ses bras. Ted était stupéfait.

— Comment as-tu pu me laisser toute seule un jour comme aujourd'hui ? lui reprocha-t-elle.

Il jeta un regard autour de lui, surpris de ne pas voir les enfants.

— Où sont Jessica et Justin ?

— Je les ai envoyés au cinéma avec Mme Pacheco. Je voulais être seule avec toi.

— J'ai apporté des petits cadeaux pour eux, dit-il en posant les paquets emballés sur la table. Et je ne t'ai pas laissée seule, Pattie. Tu étais avec tes enfants, et j'étais avec ma famille. Je ne pouvais pas les laisser tomber.

Bien qu'il s'efforçât de se montrer calme et compréhensif, le comportement de Pattie l'inquiétait. Ils se fréquentaient depuis trop peu de temps pour qu'elle montre de telles exigences.

— Tu as donc préféré me laisser tomber, répliqua-t-elle doucement.

— Je ne t'ai pas laissée tomber, corrigea-t-il avec fermeté. Ça fait seulement un mois qu'on sort ensemble.

— Je suis amoureuse de toi, Ted.

Il aurait eu moins de mal à la croire si elle ne lui avait pas déclaré sa flamme dès la première nuit. A ses yeux, l'amour se construisait lentement, au fil du temps, il ne fleurissait pas d'un seul coup. Il se sentait de plus en plus attaché à elle, mais il voulait être sûr qu'il s'agissait bien d'amour, et pas seulement d'une fabuleuse relation charnelle.

Il fut heureux de la voir dans le pull qu'il lui avait offert, bien qu'elle n'eût pas semblé trouver son cadeau à son goût. Elle oubliait qu'il n'avait que vingt-quatre ans, qu'il était encore étudiant et qu'un pull en cachemire représentait une somme importante pour lui. Annie avait beaucoup aimé le châle qu'il lui avait acheté dans le même magasin, alors que Pattie lui avait fait comprendre qu'elle attendait une bague de fiançailles. Il trouvait cette idée choquante et déplacée. Elle allait bien trop vite, cela le mettait mal à l'aise. D'ailleurs, un homme de l'âge de Pattie n'aurait pas été prêt non plus à brûler ainsi les étapes.

Tandis qu'il la regardait avec tendresse, elle lui tendit son cadeau. Il fut gêné de découvrir en le déballant qu'il s'agissait d'un écrin de bijoutier, et lorsqu'il l'ouvrit, il resta bouche bée devant la magnifique montre ancienne en or qu'il renfermait. Cela ne correspondait pas du tout à son style – la montre de plongée Cartier que sa sœur lui avait offerte était bien plus adaptée à son âge. Il fut d'autant plus mal à l'aise qu'il s'agissait d'un cadeau très coûteux.

— Elle te plaît ? demanda-t-elle avec espoir. Elle appartenait à mon père.

— Elle est très belle, répondit-il doucement en refermant la boîte sans avoir essayé la montre. Mais je ne peux pas l'accepter. C'est un trop gros cadeau, et elle fait partie de ta famille. Tu ne peux pas l'offrir à quelqu'un comme moi.

— Pourquoi ? Qu'est-ce que tu veux dire ? lança Pattie, blessée.

— Tu me connais à peine. Et si on se séparait ? Tu n'aurais pas envie que je m'en aille avec la montre de ton père. Tu devrais la garder pour la donner à Justin, un jour.

De même que Ted recevrait la montre de son père le moment venu. Pour l'instant, il ne l'avait jamais portée : Annie la conservait dans un coffre en attendant qu'il soit prêt.

— Alors, ne me quitte pas, répondit Pattie sur un ton pathétique. Je veux que tu la prennes, Ted.

— Pas maintenant, dit-il gentiment.

Et il la fit taire en l'embrassant.

Ce qui arriva ensuite était prévisible : leurs vêtements se retrouvèrent en tas par terre, et les tensions des deux derniers jours furent libérées. La passion les submergea tous les deux, les laissant hors d'haleine sur le canapé puis dans le lit de Pattie, où ils s'agrippèrent l'un à l'autre insatiablement. Ted ne se lassait pas de lui faire l'amour. De son côté, Pattie se donnait à lui d'une manière désespérée, comme si elle voulait l'avaler tout entier ou se fondre en lui.

A dix heures du soir, Mme Pacheco appela pour demander si elle pouvait ramener les enfants, car elle avait envie de se coucher. Ils n'avaient pas vu l'heure passer et eurent à peine le temps de s'habiller avant l'arrivée de Jessica et Justin. Sans attendre, Ted leur offrit les jeux, qui leur plurent beaucoup. Pattie semblait de nouveau heureuse et détendue. Les dernières heures l'avaient convaincue que Ted était toujours accro. Elle avait eu peur de le perdre et lui avait donc mené la vie dure, pour le punir d'être retourné chez lui.

— Il faut que j'y aille, lui chuchota-t-il.

Elle secoua la tête.

Elle avait envie qu'il reste, mais il ne voulait pas se livrer à des ébats passionnés en présence des enfants. Il leur souhaita donc un joyeux Noël, embrassa Pattie, enfila son manteau et dévala les escaliers. Il avait hâte de rentrer. Sans savoir pourquoi, cette soirée l'avait attristé. Pattie avait eu l'air tellement désespérée... Et la montre de son père... un cadeau disproportionné. Au lieu de le toucher, ce geste l'avait effrayé, si bien qu'il avait laissé la montre en or sur la commode, dans la chambre de Pattie. Ils n'étaient ni mariés ni fiancés, il ne savait même pas s'il l'aimait. Certes, il l'appréciait beaucoup, se plaisait en sa compagnie et trouvait leurs rapports sexuels extraordinaires, mais il ne souhaitait pas devenir son prisonnier, et il en avait parfois l'impression. Il inspira une grande bouffée d'air et héla un taxi. Pattie avait été plus sexy que jamais. Cependant, pour la première fois depuis qu'il lui faisait l'amour, la quitter le soulageait. Il avait soudain la sensation qu'elle l'étouffait.

Tout le monde dormait lorsqu'il arriva à la maison. La journée avait été longue. Après son départ, sa tante et ses sœurs avaient regardé un film, puis Kate et Annie avaient joué au Scrabble pendant que Liz bouclait ses valises. Elles n'avaient pas veillé tard.

Ted pénétra dans le salon sur la pointe des pieds. Il s'assit sur le canapé et regarda le sapin qu'Annie avait laissé allumé pour lui, en pensant à la femme qu'il venait de quitter. Sa relation avec Pattie, intense et excitante, s'accompagnait d'une passion qui le brûlait parfois au fer rouge. Il était content d'être chez lui, dans l'appartement qui l'avait vu grandir, avec les gens qu'il aimait. Si Pattie s'apparentait à un fantasme insensé dont il ne se sentait jamais rassasié, ce qui l'entourait à cet instant n'avait rien d'irréel. Il resta assis à sourire devant l'arbre de Noël, comme un petit garçon, heureux d'être à la maison.

8

Le lendemain, Ted dormit jusqu'à près de midi. Lizzie partit à dix heures du matin pour attraper son vol à destination de Paris. Annie, à son bureau, étudiait les plans de l'appartement de Jim Watson lorsque Kate vint lui demander si elle pouvait inviter un ami autour d'une pizza ce soir-là.

— Bien sûr, répondit-elle. Tu n'as pas besoin de me demander la permission, mais c'est gentil. Serait-ce un nouvel amoureux dont tu ne m'as pas parlé ? ajouta-t-elle avec un sourire.

— Non, c'est juste un copain.

Annie, forte de son expérience maternelle, n'était pas dupe : on présentait toujours les nouveaux petits amis et petites amies comme de simples copains.

— On ira peut-être au cinéma, ou on restera ici, continua Kate.

— Faites ce que vous voulez. J'ai du travail, de toute façon. Je peux rester dans ma chambre.

— Tu n'as pas besoin de te cacher, répliqua Kate gentiment. Je n'ai plus quinze ans. Je n'ai pas honte de toi.

— Voilà qui fait plaisir à entendre ! Pendant un temps, je me suis un peu sentie de trop, dans cette maison.

— Tu t'es améliorée, répondit Kate, magnanime, un large sourire aux lèvres.

— Comment s'appelle-t-il ?

— Paul. Il est à l'école avec moi. Il souhaite devenir graphiste, mais il est vraiment doué pour les beaux-arts. Ses parents veulent qu'il étudie quelque chose de concret, le design par exemple.

— Quel âge a-t-il ?

— Vingt-trois ans.

Ne trouvant rien à redire, Annie acquiesça.

— Je serai heureuse de le rencontrer. Ça me fait plaisir quand tu ramènes tes amis à la maison.

Katie s'éclipsa pour appeler Paul, qui lui proposa d'arriver vers dix-sept heures. A peine avait-elle raccroché que Ted émergeait de sa chambre, l'air fatigué. Ses aventures sexuelles avec Pattie commençaient à l'épuiser. Elle venait de téléphoner pour l'inviter à déjeuner avec elle et les enfants. Il y avait encore de la neige à Central Park, et elle suggérait une bataille de boules de neige ou du patin à glace dans l'après-midi. L'idée lui avait plu et il avait accepté.

Une heure plus tard, il quitta l'appartement sans préciser où il allait, se contentant de dire qu'il sortait voir des amis et qu'il ne savait pas quand il rentrerait. Annie n'était ni surprise ni fâchée : elle ne surveillait pas ses moindres faits et gestes et considérait qu'à vingt-quatre ans il devait se sentir libre d'aller et venir lorsqu'il séjournait chez elle.

Katie partit faire les soldes dans ses magasins préférés. Lorsqu'elle revint, peu avant dix-sept heures, Annie travaillait encore à son bureau, où elle était restée tout l'après-midi. Quelques minutes plus tard, la sonnette retentit et Katie alla ouvrir. Annie l'entendit discuter et rire avec son invité, dans le salon. Katie avait mis de la musique – Annie reconnut les Clash, un groupe qu'elle aimait bien.

Ils étaient là depuis une heure quand elle traversa le séjour pour aller se préparer un thé, pensant les saluer au passage. Elle sourit au jeune homme, qui se leva pour lui serrer la main. Bien plus poli et posé que les amis habituels de Katie, il se présenta de manière irréprochable. Visiblement très mûr pour son âge, avec son blazer et sa cravate il ne ressemblait en rien aux amis adeptes de tatouages et de piercings que Kate fréquentait à l'école des beaux-arts, toujours vêtus de jeans tombants et de tee-shirts déchirés, jamais coiffés. Il avait un beau visage, des cheveux noir de jais, une peau ambrée et des yeux d'onyx. Annie pensa qu'il venait probablement du Moyen-Orient, ou peut-être d'Inde. Elle se souvint soudain du livre sur la culture musulmane qu'elle avait vu dans la chambre de Katie : de toute évidence, elle le lui avait emprunté. Sa nièce n'avait pas évoqué les origines de Paul lorsqu'elle avait parlé de lui à Annie.

Afin de le mettre à l'aise, Annie lui offrit un verre de vin, mais il répondit en souriant qu'il préférait une tasse de thé. Voilà qui la changeait agréablement des litres de bière que les copains de Katie ingurgitaient lorsqu'ils venaient à la maison.

Les deux jeunes gens suivirent Annie à la cuisine, où elle prépara le thé. Katie se servit un Coca pendant que Paul bavardait tranquillement avec Annie, lui expliquant que ses parents étaient originaires de Téhéran, mais qu'ils étaient tous arrivés aux Etats-Unis quand il avait quatorze ans. Il avait toujours de la famille en Iran mais n'y était pas retourné depuis. Il ajouta qu'ils avaient tous les trois la citoyenneté américaine. Il parlait sans le moindre accent, semblait très raffiné et parfaitement adulte, et s'adressait à Annie avec beaucoup de respect. Les yeux de Katie brillaient chaque fois qu'elle le regardait. Annie sentit son cœur palpiter en les observant tous les deux.

Ils étaient jeunes et adorables, et Paul avait l'air formidable, mais ils venaient de cultures si différentes. Cela préoccupait Annie. Bien que Katie ait tout le temps devant elle pour s'engager, elle semblait amoureuse, et, dans ce cas, Annie redoutait ce que les parents du jeune homme pouvaient bien penser d'elle, avec ses piercings dans les oreilles, ses tatouages, et ses manières très émancipées. Katie paraissait beaucoup plus extravagante qu'elle ne l'était vraiment. Habituée à l'allure de sa nièce, Annie savait que c'était une jeune fille bien, mais pour des gens qui ne la connaissaient pas, comme les parents d'un garçon aussi poli et classique que Paul, son style pouvait choquer.

Le mieux qu'Annie pouvait leur souhaiter de vivre, c'était une belle histoire d'amour, mais non une relation durable qui les mettrait trop à l'épreuve. Pourtant, la lueur qui brillait dans les yeux de sa nièce disait tout autre chose. Annie ne l'avait jamais vue regarder un garçon de cette façon. Et Paul n'était plus un garçon, mais un homme. Annie devinait sans peine ce que Katie lui trouvait, cependant cela ne garantissait pas qu'à leur âge une relation sérieuse se révélerait facile. Les histoires d'amour étaient déjà suffisamment compliquées alors même qu'on avait grandi dans le même environnement.

Annie y réfléchissait encore lorsqu'elle retourna dans sa chambre et s'assit devant ses plans, le regard dans le vague. Elle ne savait que penser – Kate tombait amoureuse pour la première fois et cela l'inquiétait. Elle n'avait pas envie de voir souffrir deux jeunes gens aussi bien.

Paul et Katie regardèrent un DVD dans le salon avant de commander une pizza. Annie ne revit pas l'ami de sa nièce, ayant fermé sa porte pour leur laisser un peu d'intimité. Cela ne l'empêcha pas de continuer à se faire du souci, au point d'appeler Whitney pour se confier.

— Qu'est-ce qui te fiche la trouille ? Elle n'a pas l'intention de l'épouser, que je sache, la sermonna Whitney.

Parler des enfants avec son amie la ramenait toujours à la réalité. Whitney savait faire preuve de bon sens et de pragmatisme.

— Et si elle l'épouse quand même ? Il est musulman. Katie est une jeune Américaine rebelle et totalement libérée. Je suis sûre que s'ils ont rencontré Katie, les parents de Paul s'inquiètent aussi. Le mariage est assez difficile comme ça, sans le compliquer de différences culturelles et religieuses.

— Oh, pour l'amour du ciel, ne sois pas si vieux jeu ! la taquina Whitney, tentant de relativiser les choses. Des gens de cultures différentes se marient tous les jours. Et qui te dit qu'ils comptent se marier ? D'abord, il semble totalement intégré. Et elle n'a pas dit qu'elle allait l'épouser. Ce ne sont que des gamins, ils vont à l'école ensemble : ils veulent s'amuser, pas se marier. Kate n'a que vingt et un ans et Paul a l'air d'être intelligent. D'après toi, il est beau, propre sur lui, très bien élevé, bref, c'est un type bien. A cheval donné on ne regarde point la bouche. Il a l'air vraiment super. D'ailleurs, si tu as envie de rigoler, pense à la syncope de ses parents quand ils verront Titi et la fée Clochette sur les bras de Katie, sans parler de ses dix piercings aux oreilles. Cela m'étonnerait qu'ils t'appellent demain pour parler mariage. Alors, détends-toi un peu !

— Ça aussi, ça me tracasse. Ses parents, je veux dire. Et s'ils ne se rendaient pas compte que c'est une gamine adorable, s'ils ne la jugeaient que sur ses apparences, qui, je dois l'admettre, m'effraient aussi parfois ? Et elle est vraiment attachée à ce Paul, je le sens. Je la connais. Elle lit des livres sur sa culture, ajouta-t-elle à voix basse. Ça ne me pose pas de problème, sauf si elle le fait en pensant au mariage.

Annie s'emballait. Elle ne pensait plus qu'à l'avenir et aux difficultés qui pourraient naître de la rencontre de leurs deux mondes.

— D'accord, fit calmement Whitney. A quatorze ans, je voulais être bonne sœur, et mon frère voulait se convertir au judaïsme pour la bar-mitsva et la grosse fête qui va avec. Rien de tout cela n'est arrivé. Je ne crois pas que Katie va partir en Iran. En plus, son copain est américain. Il n'a probablement aucune envie d'y vivre, pour des tas de raisons. Il est ici chez lui, maintenant.

— Il dit qu'il a encore de la famille là-bas. Un oncle et une tante, et de nombreux cousins. Et s'il décide d'y retourner et que Katie le suive ?

Annie ne voulait pas la perdre, pour qui que ce soit, quelque pays que ce soit. Katie restait son bébé.

— J'ai un cousin en Islande, répliqua Whitney, mais je n'ai pas l'intention de m'y installer. Annie, il faut que tu lâches prise. Tu as fait de l'excellent boulot avec les enfants, ils sont merveilleux et ta sœur serait fière de toi. Mais ils sont adultes. Ils doivent vivre leur vie et commettre leurs propres erreurs. Peut-être que l'un d'eux épousera un jour quelqu'un que tu détesteras. Cela dit, je ne pense pas qu'ils soient prêts à se marier pour l'instant, même pas Lizzie, qui pourtant serait en âge de le faire. Et s'ils se plantent vraiment, s'ils font une erreur colossale – ce qui peut arriver à n'importe qui, quelle que soit sa culture –, tu devras quand même rester en retrait et regarder tout cela du banc de touche. C'est leur affaire. Ce qu'il te faut, c'est une existence à toi. Tu ne peux pas t'accrocher éternellement à eux et vivre la leur, ni les empêcher de se tromper. C'est la règle du jeu. Une fois grands, ils n'appartiennent qu'à eux-mêmes, plus à nous. C'est affreux, et je sais que ça ne va pas me plaire si l'un de mes garçons me ramène une petite garce canon, mais ce sera leur vie, leur tour, pas le mien. Annie, il faut que tu vives un peu. Tu leur as donné seize ans de ton existence, tu t'es acquittée de ton devoir envers Jane et bien plus encore. Il est temps que tu reviennes dans la partie. Je veux que tu te trouves un mec.

— Je n'ai pas envie d'un mec. Je suis très bien comme ça. Je veux que les enfants soient heureux, et je n'ai pas l'intention de rester là sans rien dire s'ils fichent leur vie en l'air ou s'ils font des erreurs stupides.

— Tu ne peux pas les en empêcher, répliqua Whitney avec fermeté.

Annie n'aimait pas se l'entendre dire, d'autant plus qu'elle savait que son amie avait raison.

— Et pourquoi ?

— Parce que tu n'en as pas le droit. Ce n'est bon ni pour toi ni pour eux. Ils sont adultes, que ça te plaise ou non. Tu as fait tes erreurs, laisse-les commettre les leurs.

— Qu'est-ce que j'ai fait comme erreurs ? demanda Annie, surprise.

— Tu as renoncé à ta vie pour eux, dit Whitney doucement.

Annie ne répondit pas, car c'était la vérité. A l'époque, elle n'avait pas hésité une seule seconde, et elle ne regrettait rien. Ces seize dernières années avaient été les plus belles de sa vie. A présent, le plus dur pour elle consistait à accepter que ce soit fini. Elle avait accompli sa mission. Il était temps d'ouvrir la cage et de les laisser s'envoler, même si Katie partait vivre loin d'ici, au sein d'une culture différente. Personne ne pouvait la retenir, ni n'en avait le droit. Pas même elle.

— Je ne sais pas si je suis capable de me contenter d'observer, dit-elle en toute honnêteté.

— Tu n'as pas le choix. Ton boulot est terminé. Quoi que tu fasses, ils mèneront leur vie.

La pilule était dure à avaler. Déjà, Annie supportait mal leur départ, comment pourrait-elle rester là sans réagir pendant que les enfants prenaient des décisions susceptibles de les rendre malheureux plus tard ?

— Jusque-là, tu as eu de la chance, continua Whitney. Tu as fait du bon travail. Je ne crois pas qu'ils vont tout fiche en l'air maintenant – de toute façon, tu ne pourras pas les arrêter. Tout ce que tu peux faire, c'est les aider à recoller les morceaux après, s'ils te le permettent. Cela dit, Katie pourrait être tout aussi malheureuse en épousant un Parisien, un Londonien ou un type du New Jersey.

— Je déteste cette période, geignit Annie. Tout ce qu'ils font maintenant influence leur avenir. Les enjeux sont tellement plus importants à mesure qu'ils grandissent. C'était bien plus facile quand ils étaient petits.

— Oh, que non ! Tu avais une trouille bleue de ne pas savoir t'y prendre avec les enfants d'une autre. Tu as oublié, c'est tout.

— Peut-être, concéda Annie tristement. Paul est un garçon bien, je l'apprécie. Mais je n'ai pas envie que Katie se retrouve à l'autre bout du monde, à Téhéran. Je ne veux pas la perdre.

— Fais-lui un peu confiance. Elle n'en a pas envie non plus. Elle est très proche de vous tous, elle finira sans doute par s'installer à New York. En plus, Paul y vit aussi, avec ses parents. Arrête de penser qu'elle va se marier et partir au bout du monde. Tu te fais du mal pour rien.

Whitney essayait de la rassurer et Annie savait qu'elle avait raison. Si douloureux que ce soit, il faudrait bien qu'elle apprenne un jour à laisser ses enfants voler de leurs propres ailes. Peut-être ce jour était-il venu, que cela lui plaise ou non.

Assise sur son lit, elle y songeait encore lorsque Katie entra dans la chambre, l'air rêveur, et lui sourit timidement. Paul venait de partir. Annie sentit son cœur se serrer : elle n'avait jamais vu personne amoureux à ce point. Katie risquait fort de tomber de haut si les choses ne se passaient pas selon ses désirs. A vingt et un ans, on trouvait rarement l'amour de sa vie. Annie ne voulait pas qu'elle souffre, ni même qu'elle soit déçue. Si seulement elle avait pu la garder dans un cocon et la protéger jusqu'à la fin de ses jours !

— Paul est un garçon sympathique, commença-t-elle prudemment, ne sachant pas trop quoi dire à quelqu'un qui semblait flotter sur un nuage. Il a de bonnes manières, il est intelligent et séduisant. C'est un jeune homme très bien, apparemment.

— Il est fantastique, rétorqua Katie comme si elle se sentait obligée de prendre la défense de Paul.

— Je n'en doute pas, répondit Annie calmement, consciente de s'aventurer en terrain dangereux. Mais il vient d'une culture très différente. Il faut que tu gardes ça en tête.

Katie lui décocha un regard hostile, prête à partir en guerre, ce qu'Annie redoutait. Elle n'avait pas l'intention de se brouiller avec elle à cause de ce garçon, ni d'aucun autre. Cela n'en valait pas la peine.

— Et alors ? rétorqua Kate. Il est américain. Il vit à New York et il ne retournera pas en Iran, sauf pour rendre visite à sa famille. Sa vie est ici, et la mienne aussi.

— Très bien. Mais il n'a peut-être pas les mêmes idées que toi. Ses parents ne sont pas américains, sa famille en Iran non plus. Contrairement à ce que tu peux penser, ce n'est pas anodin. Si vous vous mariez, comment allez-vous élever vos enfants ? Qu'est-ce qu'il attendra de toi ? Et sa famille ? Tu auras toujours l'impression d'être une étrangère, de ne pas être à ta place. Katie, si tu es vraiment attachée à lui, il faut que tu penses à ça. Vous ne venez pas du même milieu. Ça m'inquiète pour toi.

Annie se montrait aussi honnête que possible en confiant ses préoccupations.

— C'est dingue ce que tu es intolérante ! C'est quoi, ce qui te dérange ? Que sa peau soit plus foncée que la mienne ? Franchement, tout le monde s'en fout !

— Ce n'est pas ça, bien sûr. Je crains seulement que ses idées ne soient différentes des nôtres, peut-être trop.

D'ailleurs, il est possible que ses parents pensent la même chose à ton égard.

— Tu es ridicule, répliqua Kate avec un regard méprisant typique des jeunes filles de son âge. Tu n'as même pas d'homme dans ta vie. Tu n'en as jamais eu. Tu vis comme une nonne, bon sang ! Qu'est-ce que tu connais à l'amour et à la vie de couple ?

— Pas grand-chose, admit Annie, les larmes aux yeux.

Katie avait frappé fort, et juste.

— Je veux seulement que tu comprennes ce qui t'attend, reprit-elle. Ça vaut pour toutes les relations. Le milieu, les coutumes familiales et les traditions ont une réelle importance entre deux personnes, même si elles s'aiment. Je ne désire que ton bonheur.

Annie ne prit pas la peine de réagir aux autres remarques de Katie. Elle ne lui répondit pas qu'elle vivait comme une nonne parce qu'elle s'était retrouvée avec trois enfants à charge à vingt-six ans, et que l'homme qu'elle aimait à l'époque l'avait quittée pour cette raison. Elle ne lui expliqua pas non plus qu'elle n'avait pas eu le temps, depuis, de s'investir dans une relation stable, parce qu'elle avait été trop occupée à faire le taxi pour les uns et les autres, à les emmener chez l'orthodontiste ou aux matchs de football.

— Je ferai ce qui me semblera juste, décréta Katie avec un regard furieux.

Annie acquiesça d'un signe de tête, ayant à l'esprit les mises en garde de Whitney une heure plus tôt : c'était sa vie, Katie avait le droit de commettre ses propres erreurs, il fallait que sa tante lâche prise. Elle essayait, mais c'était dur. Après tout, qui savait si Katie se trompait en fréquentant Paul ?

— Je t'aime, Katie, dit doucement Annie tandis que sa nièce tournait les talons et claquait la porte de la chambre.

Cette nuit-là, Annie resta allongée dans son lit à ressasser leur conversation. Elle commençait à douter

100

d'avoir eu raison. Peut-être n'avait-elle pas le droit d'intervenir. Peut-être suffisait-il que Paul soit sympathique et avait-elle tort d'accorder une telle importance aux différences culturelles. De quel droit se permettait-elle de dicter à Katie qui aimer et comment vivre ? Sa nièce serait peut-être heureuse avec Paul. Qui était-elle pour en juger ? Et Katie avait raison sur un point : elle vivait effectivement comme une nonne. A vingt-six ans, elle avait pour ainsi dire cessé d'être une femme, et à quarante-deux ans, il était un peu tard pour recommencer. Elle ne regrettait pas d'avoir choisi d'élever les enfants de sa sœur plutôt que de partager sa vie avec un homme, même si, du coup, elle n'avait pas beaucoup d'expérience en la matière. Par ailleurs, elle ne connaissait la culture iranienne qu'à travers ses lectures. Elle ne souhaitait pas cette vie-là pour Katie, mais celle-ci avait le droit de choisir.

Annie songea également à Ted et à la mystérieuse inconnue qui lui occupait l'esprit. Il avait passé Noël dans un état second, avant de disparaître le 25 au soir. Elle ne l'avait jamais vu comme ça. Quant à Liz, Annie était convaincue qu'elle perdait son temps avec des hommes tels que Jean-Louis. Certes, elle s'amusait beaucoup et adorait son métier, mais les types dans son genre n'étaient pas très attentionnés – ils étaient bien trop préoccupés par leur petite personne. Décidément, pas facile de regarder ses trois enfants grandir...

Le lendemain matin, Annie se réveilla avec la migraine. Ted et Katie étaient déjà partis sans laisser de mots. Elle savait qu'à cet âge-là ils ne lui devaient aucune explication sur leur emploi du temps. Tout en pensant à eux, Annie se prépara du thé, avant de sortir prendre l'air. Lorsque Whitney l'appela sur son téléphone portable, elle lui parla de la discussion avec Katie.

— Elle est obligée de se défendre, quoi qu'elle pense vraiment, répondit Whitney. Elle ne va pas reconnaître que tu as raison ou qu'elle se pose elle-même des questions. On n'a jamais envie d'admettre qu'on a des doutes. C'est plus facile pour elle de t'attaquer. Et ce n'est pas une mauvaise chose que tu lui aies dit ce que tu penses. Elle sait que tu as bon cœur. Tu n'as plus qu'à la laisser tranquille et voir ce qu'elle va faire. Et amuse-toi un peu, aussi, pour une fois. Tu viens pour le nouvel an ? Ça pourrait te faire du bien de sortir de chez toi le temps d'une nuit.

— Je ne veux pas les laisser tomber ce soir-là.

— Attends, tu plaisantes ? On en a déjà parlé. C'est eux qui vont te laisser tomber. Ils sont grands, ils ont certainement prévu quelque chose. Et j'aimerais vraiment te présenter l'ami de Fred, c'est un type génial.

Tout en écoutant Whitney, Annie repensait au commentaire de Katie à propos de sa vie de nonne. Elle avait quarante-deux ans, pas quatre-vingt-quinze. Whitney et Katie avaient peut-être raison. Il fallait au moins qu'elle essaye. Elle n'avait pas envie de finir seule : s'il lui restait encore quarante ou cinquante ans à vivre, autant avoir un peu de compagnie.

— D'accord, je viens, répondit Annie comme si on la conduisait à l'abattoir.

— Super ! s'exclama Whitney. Tu peux dormir chez nous, si tu veux. C'est mieux de ne pas rentrer seule en voiture. Imagine, ce sera peut-être le début d'une grande passion, d'une vie complètement nouvelle. Tu vas adorer ce type.

Cela faisait des années qu'Annie n'avait pas accepté de rendez-vous arrangé. Au moins, elle ne resterait pas toute seule le soir du réveillon. Et Whitney avait raison : les enfants avaient sans doute déjà des projets.

Le lendemain, lorsque Annie revit Ted et Katie, elle leur annonça qu'elle fêterait le nouvel an chez Whitney et Fred. S'ils avaient protesté, elle aurait annulé ; mais, comme il fallait s'y attendre, ils avaient tous les deux prévu de sortir avec des amis. Annie ne reparla pas de Paul à Katie : elle lui avait dit tout ce qu'elle avait à dire. Et Katie lui en voulait toujours quand sa tante partit pour le New Jersey, l'après-midi du 31 décembre.

9

Annie arriva à Far Hills chez Whitney et Fred dès dix-huit heures, n'ayant presque pas eu de circulation sur la route. Elle avait emporté une robe de soirée noire toute simple qu'elle avait suspendue à l'arrière. En se garant, elle vit les fils de son amie qui jouaient au basket dans la cour. Agés de quatorze, seize et dix-sept ans, avec leurs taches de rousseur et leurs cheveux roux, ils ressemblaient tous trois à Fred, et ils étaient aussi fous de sport que lui. L'aîné s'était inscrit à Duke pour préparer médecine, comme son père. Lorsqu'elle descendit de voiture, les garçons la saluèrent de la main.

Fred, chirurgien orthopédiste, avait bien réussi. Il ne correspondait pas aux goûts d'Annie, mais Whitney semblait heureuse avec lui. Doté d'un ego surdimensionné et toujours très imbu de lui-même, il s'avérait pourtant bon père et bon mari, subvenait parfaitement aux besoins de sa famille et avait le sens des responsabilités, autant de qualités qu'Annie respectait.

Elle entra dans la maison après avoir embrassé Whitney et remarqua la table, admirablement dressée, toute en argenterie et cristal étincelants. Des fleurs blanches et des serpentins d'argent décoraient la pièce. Elle ne s'attendait pas à une soirée aussi formelle.

— Vous avez invité combien de personnes ? s'informat-elle, nerveuse.

La plupart de leurs amis étaient mariés et appartenaient à un cercle restreint d'habitants de Far Hills. Nombre d'entre eux, comme Fred, exerçaient la médecine. Annie se sentait toujours un peu mal à l'aise en leur compagnie. Elle s'efforça de ne pas trop y penser.

— On sera vingt-quatre.

Whitney l'aida à transporter ses bagages jusqu'à la chambre d'amis, magnifique : elle avait pensé à tous les détails.

— Comment allait Katie, quand tu es partie ? lui demanda-t-elle.

— Toujours furieuse. Je l'ai à peine vue ces derniers jours. Elle m'a dit qu'elle sortait avec des copains, mais j'imagine qu'elle sera avec Paul.

— Ne t'inquiète pas pour elle, conseilla Whitney. Mets-toi en congé, et amuse-toi ce soir. Les autres arrivent à sept heures, et le dîner est prévu entre huit heures et huit heures et demie.

Cela ne laissait pas beaucoup de temps à Annie pour se préparer. Quelques minutes après le départ de Whitney, elle se fit couler un bain. Elle s'était promis de faire un effort pour se conformer à l'esprit de la soirée.

Elle se sécha les cheveux, les releva en chignon, se maquilla soigneusement, puis enfila sa robe noire et les sandales à talons hauts décorées de plumes que Lizzie lui avait achetées à Paris. Après avoir mis les boucles d'oreilles en diamant qu'elle s'était offertes, elle se regarda dans la glace. Sa nièce passionnée de mode aurait approuvé. Pour compléter sa tenue, elle tenait à la main une pochette en satin noir. Elégante et raffinée, Annie sortit de sa chambre au moment où les premiers convives pénétraient dans le séjour. Il s'agissait d'un couple qu'elle avait déjà eu l'occasion de rencontrer : l'homme était chirurgien orthopédiste, comme Fred, et son épouse, une amie de Whitney, avait des enfants du même âge que les leurs. Annie se souvenait qu'ils avaient tendance à boire un peu trop.

Ils examinèrent Annie de la tête aux pieds. L'amie de Whitney affichait cette expression suffisante et condescendante, empreinte de pitié, que certaines femmes mariées prennent devant celles qui ne le sont pas. Pour rien au monde Annie n'aurait échangé sa vie contre la sienne, mais elle bavarda aimablement avec le couple tandis que les invités continuaient d'arriver. A vingt heures, tout le monde était là – dans les grandes villes, les gens sont toujours en retard, alors que dans ces banlieues résidentielles ils se montrent généralement ponctuels. Annie n'avait pas encore repéré l'homme que Whitney voulait lui présenter. Ils avaient tous du ventre et semblaient âgés d'une cinquantaine d'années ; quant aux femmes, la plupart étaient en surpoids. Whitney ne faisait pas exception, mais elle le portait bien car, comme Annie, elle était grande. Des kilos en trop probablement dus au vin : beaucoup d'amies de Whitney en buvaient plus qu'il n'aurait fallu. Annie, elle, se révélait bien plus mince que toutes les personnes réunies dans la pièce. Elle fut surprise de voir les femmes l'ignorer et les hommes discuter affaires ou médecine entre eux, sans se soucier de leurs épouses. Celles-ci ne semblaient pas y attacher d'importance : elles parlaient shopping, tennis et enfants.

— Alors, tu l'as vu ? demanda Whitney en passant à côté d'elle, avant de repartir s'occuper de ses hôtes.

Jusqu'à présent, son amie ne lui avait présenté que des couples. Annie et son cavalier étaient probablement les seuls célibataires invités, mais elle ne l'avait toujours pas repéré. Whitney avait juste indiqué : cinquante-deux ans, chirurgien divorcé, conduit une Porsche. Annie aurait eu du mal à l'identifier d'après cette description, à moins de l'avoir vu sortir seul de sa voiture.

Les femmes portaient des robes de cocktail ou de soirée et les hommes des smokings, mais personne n'était réellement chic ; ils semblaient tous un peu endimanchés. Cinq minutes avant de passer à table, Whitney lui présenta enfin l'homme qu'elle mourait de lui faire rencontrer, Bob Graham. Annie ressentit une pointe de découragement en le voyant. Il ressemblait à tous les ringards de ses précédentes rencontres arrangées et la toisait comme s'il examinait un bout de viande. Il déclina de but en blanc ses qualifications de chirurgien spécialisé dans les greffes cardio-pulmonaires, l'air d'attendre des applaudissements. En dépit de sa silhouette relativement athlétique, il avait du ventre et un double menton. Pour couronner le tout, vraisemblablement, il s'était fait poser des implants capillaires et le résultat était catastrophique. Annie l'aurait préféré chauve. Elle s'efforça néanmoins de se montrer tolérante et de donner sa chance au malheureux. Et s'il était le type le plus gentil du monde, malgré ses horribles implants ? Elle pouvait bien accepter ce défaut s'il s'avérait formidable – et pourquoi pas. Ou fascinant. Amusant. Ou très intelligent. Tout restait possible. Elle le vit jeter un coup d'œil aux diamants qu'elle portait aux oreilles.

— Vous êtes divorcée ? questionna-t-il sans ambages.

Il devait penser qu'il ne pouvait en aller autrement pour une femme seule de son âge.

— Non. Je n'ai jamais été mariée, répondit-elle en souriant, sans savoir si, à ses yeux, cela faisait d'elle une délurée ou bien une ratée.

— Beaux diamants. Votre ex devait être généreux.

Annie fut abasourdie par ce commentaire. Ses petits amis ne lui avaient jamais rien offert de plus onéreux qu'un dîner ou un foulard.

— Je les ai achetés moi-même, précisa-t-elle, toujours avec le sourire.

Un peu plus tard, Whitney les rassembla comme des moutons dans la salle à manger, où le chirurgien s'installa à côté d'Annie. Pendant la moitié du repas, il discuta de politique hospitalière et de sa dernière intervention avec les deux hommes qui lui faisaient face, ignorant complètement sa voisine de table. Quant au voisin de gauche d'Annie, il lui tournait le dos, en pleine conversation avec la femme placée de l'autre côté. Ils en étaient au dessert lorsque le médecin sembla se rappeler sa présence et s'intéressa de nouveau à elle. Elle l'avait écouté parler de son métier toute la soirée et s'attendait à ce qu'il s'enquière de sa profession.

— Je suis en train de faire construire une maison aux îles Caïmans, annonça-t-il, sans aucun à-propos. J'ai déjà un ranch dans le Montana, je voulais trouver un point de chute dans un paradis fiscal. Je laisse mon bateau là-bas, maintenant. Vous êtes déjà allée à Saint-Barth ?

— Non, répondit-elle aimablement. J'ai entendu dire que c'était charmant.

— Je viens de vendre une maison là-bas que j'avais achetée il y a deux ans. J'en ai obtenu le double du prix d'achat.

Annie ne savait pas vraiment quoi répondre. Elle était sidérée : il ne lui avait toujours pas posé de question sur elle. Tout tournait autour de lui.

— Je reviens d'un safari au Kenya avec mes gamins. On y était pour Noël. L'an dernier, on est allés au Zimbabwe. Je préfère de loin le Kenya. J'ai fait des photos fantastiques là-bas.

Avec Bob Graham la conversation était facile, puisqu'il n'y avait aucun échange. Il ne lui demandait rien, se moquait de son avis, de son expérience, de ses vacances ou de son travail. Il ne se souciait pas non plus de ce qui se passait dans le monde, seulement de ce qui se passait dans le sien. Annie l'écoutait avec stupéfaction.

A l'autre bout de la table, Whitney lui adressa un grand sourire. Elle semblait, comme les autres, avoir un peu trop bu. Personne n'avait l'air de s'intéresser au repas, pourtant excellent, fourni par le meilleur traiteur de Far Hills. Ils ne parlaient que de vin. Fred, passionné d'œnologie, avait sorti ses plus belles bouteilles. Bob s'y connaissait, lui aussi. Il lui décrivit ses caves remplies des meilleurs vins français. Puis il lui parla de son bateau, en insistant sur sa taille. Il en avait décoré l'intérieur avec de grandes œuvres d'art – il précisa qu'il en avait laissé quelques-unes à son ex-femme. Lorsqu'ils sortirent de table, Annie n'avait pas ouvert la bouche. Son voisin de gauche s'excusa de ne pas lui avoir adressé la parole, tandis que Bob s'éloignait sans un mot pour aller discuter avec Fred et d'autres collègues.

Elle avait l'impression d'être invisible. Les femmes la craignaient parce qu'elle était plus mince, mieux habillée et plus jolie qu'elles, et les hommes ne s'intéressaient pas à elle. Bob Graham aurait pu passer la soirée à parler devant un miroir, il se serait amusé tout autant. Il avait sans doute l'habitude de sortir avec des femmes plus jeunes, que son argent, son bateau et sa Porsche impressionnaient, mais avec Annie c'était peine perdue. Dire qu'elle était coincée ici pour la nuit, alors qu'elle rêvait de rentrer à la maison ! Combien elle regrettait d'être venue ! Elle aurait préféré rester seule à New York. Il fallait néanmoins qu'elle fasse contre mauvaise fortune bon cœur, au moins pour Whitney.

— Il est génial, non ? lui chuchota celle-ci, avant de rejoindre les femmes avec qui elle jouait au tennis tous les jours.

Annie adorait parler avec son amie de toujours, mais quand elle la voyait à Far Hills, elle se rendait compte qu'elles partageaient très peu de choses et que leurs existences étaient bien différentes. Depuis qu'elle avait épousé Fred, à sa sortie de l'université, vingt ans plus tôt, Whitney n'avait jamais travaillé. Déjà mère de deux enfants à l'époque où Annie avait recueilli ceux de Jane, elle lui avait été d'une aide et d'un soutien inestimables, mais elles n'avaient plus que des souvenirs en commun.

Annie détestait les amis de Whitney, et oubliait toujours à quel point, jusqu'à ce qu'elle lui rende visite dans le New Jersey – ce qui n'arrivait pas très souvent. La plupart du temps, elles se voyaient à New York, quand Whitney venait faire du shopping. Si Annie aimait ces moments en tête à tête, voir son amie dans son milieu, avec tous ces gens suffisants et orgueilleux, lui donnait envie de crier et de s'enfuir en courant. Jusque-là, ce qu'elle avait le plus apprécié au cours de la soirée, c'était la nourriture.

Les invités continuèrent à boire jusqu'à minuit. Fred fit le compte à rebours, puis tout le monde se mit à crier et à souffler dans les petites trompettes que Whitney venait de distribuer. Vingt minutes plus tard, après s'être embrassés et souhaité la bonne année, ils rentrèrent tous chez eux. Whitney était ivre et Fred monta se coucher sans leur dire bonsoir.

— Bob m'a dit que tu étais super, déclara Whitney d'une voix pâteuse.

Annie détestait la voir dans cet état. Elle aurait voulu que son amie soit mieux que ça, différente, mais elle était comme tous les autres. Quant au type fabuleux qu'elle lui avait présenté, ç'avait été une mauvaise plaisanterie de plus. Depuis la dernière fois, Annie avait oublié combien les rendez-vous arrangés pouvaient être désastreux. Elle jurait toujours qu'on ne l'y reprendrait plus, mais devant l'insistance de Whitney, et surtout après ce que Katie lui avait dit, elle avait accepté cette nouvelle tentative.

Quand Whitney partit à la cuisine payer le traiteur, Annie se retira discrètement dans la chambre d'amis, où elle se déshabilla et se démaquilla puis se glissa dans son lit et éteignit la lumière. Son vœu le plus cher n'était pas d'avoir un homme dans sa vie, mais de remonter le temps jusqu'à l'enfance de ses nièces et de son neveu. Ils avaient vécu de si bons moments, à boire du gingerale en attendant minuit le 31 décembre, avant de s'endormir tous les quatre dans son lit. C'étaient ces réveillons-là qui lui manquaient, pas les soirées avec des hommes à la Bob Graham. Tandis qu'elle sombrait dans le sommeil, elle regretta de ne pas se trouver chez elle, même seule.

Le réveillon de Ted et Pattie fut empreint de douceur et de tendresse. Elle avait déposé les enfants chez leur père, qui venait de rentrer de vacances. Ils préparèrent le dîner chez elle, trinquèrent au champagne et firent l'amour tantôt avec fougue, tantôt avec lenteur. A minuit, ils allumèrent le téléviseur pour regarder la boule à facettes descendre sur Times Square, puis ils retombèrent dans les bras l'un de l'autre. Ce fut une soirée folle et amusante, marquée au sceau de la passion que Ted avait découverte avec elle au cours du mois écoulé. Tout à coup, Pattie le prit au dépourvu en voulant savoir s'il envisageait de s'installer avec elle un jour.

— Que penseraient tes enfants ? répliqua-t-il, surpris.

Il avait toujours vécu avec sa tante et ses sœurs, ou avec ses colocataires, jamais avec une femme. Il n'était pas sûr d'être prêt à franchir ce cap, d'autant plus que la présence des enfants le mettait mal à l'aise.

— Ils penseraient qu'on s'aime, répondit-elle.

Ted avait bien conscience de l'énorme responsabilité qui pèserait alors sur lui. Et si leur relation se détériorait ? Comment réagiraient les enfants ? Ils avaient déjà vécu un divorce, il n'avait pas envie qu'ils souffrent davantage. Quand il évoqua ses craintes, Pattie refusa de l'écouter.

— Pourquoi cela ne marcherait-il pas ?

— On a besoin de temps, répondit-il avec sagesse.

Elle se contenta de sourire, d'un air de connaître tous les secrets du monde. Cette nuit-là, elle lui répéta un millier de fois qu'elle l'aimait, et il lui fit l'amour encore et encore. Ted n'avait jamais connu un réveillon aussi excitant. Ils se soûlèrent tous les deux au champagne et finirent par s'endormir l'un contre l'autre tandis que le soleil se levait sur une nouvelle année.

Paul et Katie passèrent la soirée dans l'appartement d'Annie. Il leur était déjà arrivé de dormir chez lui, car le colocataire de Paul s'absentait souvent – sa petite amie avait son propre studio. Mais cette fois-ci, ce fut Paul qui rejoignit Katie. Ils se préparèrent un repas dans l'agréable cuisine, regardèrent des films et s'embrassèrent à minuit, avant de faire l'amour dans le lit de la jeune femme. Paul était un garçon doux, aimant et respectueux ; Katie trouvait les craintes d'Annie sans objet. Quel que soit son pays d'origine, il était aussi américain qu'elle et l'homme le plus gentil au monde. Pour la première fois de sa vie, Katie se sentait profondément amoureuse.

Paul était terrifié à l'idée qu'Annie revienne en plein milieu de la nuit. Katie avait beau lui assurer que sa tante ne rentrerait que le lendemain, il voulut quand même qu'elle ferme la porte à clé. Il n'avait pas envie qu'on les surprenne. Katie resta paisiblement allongée dans ses bras tandis qu'ils discutaient, jusque tard dans la nuit, de tout ce qui leur tenait à cœur, de leurs espoirs, leurs appréhensions et leurs rêves. Paul voulait l'emmener à Téhéran pour lui présenter sa famille. Lui-même avait hâte de retourner dans cette ville où il avait tant de souvenirs et de gens qu'il aimait, même s'il n'avait aucune intention de vivre ailleurs qu'aux Etats-Unis. Il éprouvait seulement le désir de faire connaître son pays natal à Katie, qui, de son côté, avait très envie de découvrir où s'était déroulée son enfance, de tout savoir sur lui.

Paul l'avait déjà présentée à ses parents, qui s'étaient montrés très polis avec elle, bien qu'un peu froids au début. Il avait expliqué à Katie qu'ils espéraient toujours le voir épouser une Persane, mais qu'avec le temps ils finiraient par l'aimer. Katie avait dit la même chose à propos d'Annie : il fallait que celle-ci s'habitue à leur relation, et surtout au fait que Katie avait grandi.

Mais cette nuit-là, elle ne pensa pas du tout à sa tante. Son cœur et son esprit étaient tout entiers occupés par Paul et l'avenir qui se dessinait devant eux. Une nouvelle année commençait, un nouvel univers, une nouvelle vie avec lui. Les différences dont s'inquiétaient leurs familles n'existaient pas pour eux. Le seul monde qui leur tenait à cœur était le leur.

10

Le lendemain, Annie attendit avec impatience de pouvoir quitter Far Hills. Elle ne voulait pas se montrer impolie en partant avant que Whitney et Fred se réveillent. A neuf heures, elle était déjà debout et habillée, mais ses amis ne se levèrent qu'une heure plus tard. Lorsqu'elle les rejoignit à la cuisine pour prendre le petit déjeuner et faire le point sur la soirée, ils semblaient avoir une bonne gueule de bois. Annie, qui n'avait presque rien bu, se sentait fraîche et dispose.

— Alors, qu'est-ce que tu as pensé de Bob ?

Whitney était pleine d'espoir. Pendant ce temps, Fred lisait le journal, indifférent à l'issue de l'infortunée rencontre arrangée. C'était le domaine de Whitney, pas le sien.

— C'est un homme intéressant, répondit Annie, diplomate.

Elle n'avait pas envie de blesser Whitney en lui disant ce qu'elle pensait vraiment, à savoir que Bob Graham était un égocentrique, un idiot prétentieux et un raseur de première.

— Je sais tout sur son safari au Kenya à Noël, son ranch dans le Montana, son bateau, la maison qu'il fait construire aux Caïmans et celle qu'il vient de vendre à Saint-Barth. Il a plein de choses à raconter.

Mais sur lui seulement, s'abstint-elle de poursuivre.

Whitney avait compris le message. Elle regarda Annie avec circonspection, consciente que son amie ne disait pas tout, par politesse. En entendant leur conversation, Fred se leva et changea de pièce. Pour lui, c'était une discussion de bonnes femmes.

— C'est vrai qu'il est un peu imbu de sa personne, mais c'est vraiment un chic type, dit Whitney. Il a laissé une petite fortune à sa femme quand ils ont divorcé.

Annie n'était pas certaine que cela faisait de lui quelqu'un de si remarquable, à moins d'être uniquement intéressé par l'argent et le divorce. Si l'on désirait une bonne conversation avec une personne vraie, mieux valait chercher ailleurs.

— Tant mieux pour elle, répondit-elle vaguement tout en sirotant son café.

— Elle l'a quitté pour le prof de golf du country club. Un coup terrible pour l'ego de Bob. Depuis, il est sorti avec beaucoup de jeunes femmes, mais elles n'en veulent qu'à son argent. Ce qu'il lui faut, c'est une vraie compagne.

— C'est lui qui dit ça, ou bien c'est toi ? demanda Annie.

En réalité, elle s'en fichait.

— Ce sont toutes des croqueuses de diamants, je les ai rencontrées. Il mérite mieux que ça.

Annie faillit lui dire que ce n'était pas vrai. Il ne méritait que ce qu'il avait ; en étalant à ce point ses richesses, il attirait des femmes intéressées par l'argent. Peut-être avait-il envie de s'en acheter une, finalement. Toujours est-il qu'il ne lui plaisait pas du tout, et cela transparaissait clairement à travers tout ce qu'elle ne disait pas. Elle l'avait trouvé tout bonnement infect.

— Je suis désolée, dit Whitney, qui lisait les pensées d'Annie sur son visage. J'imagine que ce n'est pas ton genre, j'espérais juste que ça marcherait. C'est le seul célibataire que je connaisse. Tous les autres sont mariés.

115

Annie n'aurait pas voulu d'eux non plus, après la soirée de la veille. Elle n'avait jamais vu un groupe d'hommes aussi peu séduisants, et leurs femmes n'étaient guère mieux. Ils n'avaient parlé que d'argent.

— Tu lui as dit que tu étais architecte ? s'enquit Whitney.

Annie se mit à rire.

— Il ne m'a pas posé la question. Il s'est contenté de me décrire ses maisons et tous ses avoirs. Je l'ai laissé parler. Je ne l'intéressais pas, et il ne m'a pas intéressée non plus. Tu sais, c'est très difficile de faire se rencontrer deux personnes. Je crois que si ça doit m'arriver, ça me tombera dessus sans prévenir. Les rendez-vous arrangés, pour moi, ça ne marche pas, rappela-t-elle à Whitney avec un regard indulgent.

Son amie avait de bonnes intentions, certes, mais elle se trompait sur Bob.

— Tu devrais peut-être essayer les sites de rencontre sur Internet, suggéra Whitney en désespoir de cause.

Elle voulait vraiment aider Annie, car elle ne supportait pas de la voir seule, surtout depuis le départ des enfants. Elle savait combien c'était dur pour elle et quel vide ils avaient laissé.

— Je ne cherche ni un rendez-vous galant, ni un homme, ni un mari, lui assura Annie. Je me porte très bien comme ça. De toute façon, je n'ai pas le temps. J'ai dix gros projets sur les bras en ce moment. Honnêtement, Whit, je vais bien. Ce n'est pas une de mes priorités pour l'instant.

— Ça fait seize ans que ce n'est pas une priorité, répliqua Whitney. Tu devrais penser à ton avenir. Tu ne vas pas rester jeune et belle toute ta vie, il ne faudrait pas que tu finisses toute seule.

Cette perspective ne semblait pas si terrible aux yeux d'Annie, surtout si elle n'avait que Bob Graham dans l'alternative...

— Ce n'est pas si mal d'être seule, répondit-elle en souriant. Je ne suis pas malheureuse. C'est juste que les enfants me manquent. Ça va bientôt t'arriver à toi aussi. Un jour ou l'autre, ils grandiront et partiront.

— Je redoute ce moment, avoua Whitney.

— Pas moi, intervint joyeusement Fred, qui venait de revenir dans la cuisine. Dès que le dernier s'en ira, on pourra voyager et rattraper tout ce qu'on n'a pas pu faire pendant vingt ans. On pourra partir sans craindre qu'ils bousillent la voiture, s'empoisonnent à l'alcool en jouant à bière-pong ou mettent le feu à la maison. J'ai hâte que ça se termine.

— Je crois que les femmes ne voient pas les choses de la même manière, rétorqua Annie. C'est une grande perte pour nous quand ils quittent la maison. Pendant des années, je me suis consacrée aux enfants, et voilà que je me retrouve sur la touche. Heureusement que je n'ai pas laissé tomber mon boulot, parce que je me sentirais vraiment perdue, maintenant.

Whitney comprenait parfaitement. C'était d'ailleurs pour cette raison qu'elle essayait toujours de lui trouver un homme.

Annie se leva de table et alla chercher ses bagages. Après avoir dit au revoir à Fred et remercié Whitney pour l'invitation, elle monta dans sa voiture avec un soupir de soulagement. Elle était pressée de rentrer chez elle. Elle se sentait stupide d'avoir accepté de venir et se jura qu'on ne l'y reprendrait plus. Mais elle savait que, dans quelques années, elle aurait sans doute oublié et se laisserait imposer un autre rendez-vous galant. A moins que le fiasco de cette fin d'année ne l'ait vaccinée une fois pour toutes.

Tandis qu'Annie quittait le New Jersey, Katie et Paul prenaient le petit déjeuner dans la cuisine. Ils s'étaient levés et habillés tôt, car Paul voulait partir avant le retour de la tante de Katie, ne sachant pas comment elle réagirait si elle apprenait qu'il était resté dormir. Il avait perçu les réserves d'Annie à son égard, bien que Katie ait tenté d'en tempérer la portée. Les hésitations de leurs familles les décevaient tous les deux, sans pour autant les surprendre.

— Ta tante pense qu'on vient de deux mondes différents, dit-il tristement.

Il l'avait vu dans son regard, même si elle avait été gentille avec lui.

— Ça lui passera, répondit doucement Katie. Le vrai problème d'Annie, c'est qu'elle pense que je suis encore une enfant. Elle se fait beaucoup de souci pour moi, ajouta-t-elle, compréhensive. Elle était jeune quand mes parents sont morts, et elle a pris soin de nous comme une mère. Je crois que c'est dur pour elle de renoncer à cela maintenant, de se rendre compte qu'on a grandi.

— Ç'a l'air d'être quelqu'un de bien.

Paul se pencha pour l'embrasser.

— Je t'aime. Toi aussi, tu es quelqu'un de bien, ajouta-t-il en souriant.

Il était d'accord pour revenir dans l'après-midi. Le timing fut excellent : Paul quitta l'appartement dix minutes avant le retour d'Annie. Katie avait lavé la vaisselle et tout rangé, et elle faisait son lit quand sa tante entra.

— Alors, vous avez fait quoi, hier soir ? s'enquit Annie après lui avoir souhaité une bonne année.

Elle s'était demandé si Katie inviterait Paul à dormir, mais visiblement, elle ne l'avait pas fait. Dans la chambre de sa nièce, parfaitement en ordre, aucun signe ne trahissait la présence du jeune homme.

— Rien d'extraordinaire. On est sortis avec des amis et je suis rentrée assez tôt, répondit Katie en suivant Annie au salon. Et toi, tu t'es bien amusée ?

Katie semblait ne plus lui en vouloir. Annie se mit à rire puis lui raconta sa mauvaise expérience avec Bob Graham.

— Je crois qu'il remporte la palme du pire candidat. Je préfère encore rester une « nonne » toute ma vie plutôt que de sortir avec ce genre de type.

Katie eut l'air gênée.

— Je suis désolée d'avoir dit ça. J'étais énervée.

— Ce n'est rien, tu as raison. C'est vrai que je vis comme une nonne. Où est Paul, au fait ?

— Il viendra plus tard, répondit Katie avec désinvolture, l'air de trouver normal qu'il soit là tout le temps.

— Parfait. Il peut rester dîner, si tu veux.

Annie l'appréciait et avait envie de mieux le connaître, puisqu'il semblait si important pour Kate. Mais elle savait aussi que les traditions étaient bien ancrées, même chez les jeunes générations d'émigrés.

— Où est ton frère ? demanda-t-elle à Katie.

— Je ne sais pas, il a disparu. Probablement avec des copains depuis hier soir. Où qu'il soit, je suis sûre qu'il dort encore.

Sur ces mots, Katie retourna dans sa chambre et appela Paul pour lui dire qu'il pouvait venir quand il voulait, que sa tante l'invitait à dîner. Il eut l'air soulagé.

— Elle ne s'est pas rendu compte que j'ai passé la nuit chez toi ? l'interrogea-t-il nerveusement.

— Pas du tout. J'avais rangé toute la vaisselle. Elle est rentrée très peu de temps après ton départ.

— Je déjeune avec mes parents, et j'arrive, promit-il.

Kate s'allongea sur son lit et écouta de la musique en pensant à lui. Elle n'avait jamais été aussi heureuse de sa vie.

Ted et Pattie se réveillèrent à deux heures de l'après-midi, quand l'ex-mari de celle-ci appela pour prévenir qu'il ramenait les enfants. Ted avait prévu de partir, de toute façon. Il ne voulait pas que Jessica et Justin le voient trop souvent chez eux, ni qu'ils sachent qu'il avait dormi là. Il tenait à conserver un semblant de décence pour eux.

— Il faut que je rentre chez moi, dit-il en ouvrant le robinet de la douche.

Pattie le regardait avec admiration depuis la porte de la salle de bains.

— Pourquoi ? s'enquit-elle en le rejoignant sous l'eau. Pourquoi tu ne resterais pas avec nous ?

— J'ai envie de passer un peu de temps avec ma sœur et ma tante.

Parfois, il avait l'impression que Pattie essayait de contrôler sa vie. Elle le voulait chez elle en permanence.

— Tu ne préférerais pas rester ? insista-t-elle.

Tandis que l'eau coulait sur leurs visages, elle se serra contre lui et le prit dans ses mains. Elle produisait un effet instantané sur lui, comme si elle détenait un pouvoir magique.

— Parfois, je préfère être ici, dit-il en l'embrassant et en lui caressant la poitrine pendant qu'elle le guidait en elle. Parfois, j'aime être avec elles aussi, murmura-t-il, le visage enfoui dans ses cheveux.

Mais Annie et Kate s'effaçaient rapidement de ses pensées. Pattie avait le don d'occuper complètement son esprit, d'en chasser tout le reste. Alors qu'ils faisaient l'amour sous la douche, elle enroula ses jambes autour de lui. L'effet fut immédiat et explosif, et c'est à contrecœur que Ted se détacha d'elle lorsqu'ils eurent fini. Pattie le savonna avec une telle attention qu'il resta excité longtemps après.

— Je ne vais jamais sortir si tu continues, la prévint-il.

Et elle se mit à rire.

— C'est bien l'idée.

Il s'écarta d'elle pour la regarder dans les yeux.

— Qu'est-ce que tu fais avec un gamin comme moi ? lui demanda-t-il, verbalisant la question qu'il se posait souvent.

— Je suis folle de toi. Je n'ai jamais été aussi amoureuse de toute ma vie.

Elle eut soudain l'air jeune et vulnérable.

— Pourquoi ? Je ne suis pas assez vieux pour être un père pour tes enfants. Je ne suis pas prêt à être un mari, je n'ai pas fini mes études de droit. Même si j'ai l'impression d'avoir grandi depuis que je t'ai rencontrée, j'ai encore beaucoup de chemin à faire.

— Alors emmène-moi avec toi. On grandira ensemble.

— Tu es déjà grande, lui rappela-t-il. Tu es maman, et tu as été mariée... Moi, je ne suis qu'un gamin.

— Je m'en fiche, tant que tu es à moi.

Ce qu'elle ajouta le terrifia :

— Je ne te laisserai jamais partir.

— Ne dis pas ça, répondit-il calmement tout en s'essuyant et en s'habillant.

Il se sentait pris au piège lorsqu'elle tenait ce genre de discours. Il n'avait pas envie d'être son otage, si excitante fût-elle ; il voulait être avec elle par libre choix. Parfois, le désespoir qu'il percevait chez Pattie le troublait. Ils vivaient une relation tellement plus intense que celles qu'il avait connues jusque-là...

— C'est vrai, insista-t-elle en le regardant avec tristesse. Si tu me quittes, je mourrai.

— Bien sûr que non, répliqua-t-il sévèrement. Tu as des gamins, tu ne peux pas penser ce genre de chose.

— Dans ce cas, ne me quitte pas.

— Je n'ai pas l'intention de partir, mais ne prononce pas des mots comme ça, dit-il doucement. Ça me fait peur.

Elle acquiesça et l'embrassa très fort sur la bouche.

Il partit quelques minutes avant le retour des enfants et prit un taxi pour rentrer chez Annie. En se retournant, il fit signe à Pattie qui l'observait par la fenêtre.

Elle garda les yeux rivés sur la voiture jusqu'à ce que celle-ci disparaisse.

A Paris, Lizzie savourait son séjour : la veille, ils avaient dîné avec des amis de Jean-Louis. Ce dernier avait un ravissant petit appartement sur les quais, rive gauche, doté d'une terrasse avec vue sur la Seine. Liz adorait regarder les bateaux et la ville qui s'étendait à ses pieds. Habituellement, lorsqu'elle venait ici pour le travail, elle séjournait au Four Seasons ou au Bristol, mais c'était beaucoup plus amusant et romantique de dormir chez lui. Et il lui tardait de rencontrer son fils de cinq ans, Damien, qui devait passer vingt-quatre heures avec eux. Jean-Louis avait prévu de l'emmener faire un tour de manège au parc.

Lizzie se préparait dans la drôle de salle d'eau ancienne, éclairée par des œils-de-bœuf, lorsqu'elle eut la surprise de découvrir des sous-vêtements féminins et un soutien-gorge noir à dentelle en cherchant du papier toilette dans un tiroir. Rien de tout cela ne lui appartenait. Ne sachant pas s'il s'agissait de reliques du passé de Jean-Louis ou de preuves d'une liaison plus récente, elle les emporta et les jeta sur le lit, où il était en train de regarder un match de football entre l'OM et le PSG.

— J'ai trouvé ça dans la salle de bains, lança-t-elle sur un ton désinvolte.

Le PSG marqua un but à l'instant où Jean-Louis quittait l'écran des yeux. En entendant la foule hurler de joie, il reporta aussitôt son attention sur la télévision. Il avait eu le temps de voir les sous-vêtements sur le lit, et cela n'avait pas l'air de le perturber.

— Tu as découvert mon secret, répondit-il en souriant. Je les enfile quand tu n'es pas là.

— Très drôle.

122

Elle ressentit un léger tremblement au fond de son ventre. D'ordinaire peu jalouse, Liz voulait quand même s'assurer que leur relation restait exclusive, conformément à leur accord.

— Est-ce que tu sais à qui ça appartient ? demanda-t-elle, estimant peu probable qu'une inconnue soit venue chez lui cacher de la lingerie.

— Sûrement à Françoise. Elle a dû les oublier en partant, ils doivent traîner là depuis des années. Je n'ouvre jamais ces tiroirs. Tu n'as qu'à les jeter. S'ils ne lui ont pas manqué en quatre ans, ce n'est pas maintenant qu'elle en aura besoin.

Françoise, la mère de son fils. L'explication tenait debout, et Liz sourit à Jean-Louis tandis qu'elle jetait les sous-vêtements dans la corbeille, sous son bureau. Bien que ce fût difficile à croire, une femme de ménage venait chez lui une fois par semaine. Son appartement semblait aussi peu soigné que ses vêtements.

— Au fait, on n'a plus de papier toilette, annonça-t-elle en continuant à s'habiller.

Elle était soulagée par la réponse de Jean-Louis, simple et directe. Elle détestait les scènes de jalousie. Cela la rassurait de savoir qu'il ne la trompait pas, car même s'ils ne vivaient pas l'histoire d'amour du siècle, cet arrangement leur convenait bien.

— Il y a un rouleau dans mon bureau. Dans le tiroir du bas. Je sais que ça peut paraître loufoque, mais j'oublie où je les mets si je ne les range pas là.

Cela ressemblait bien à Jean-Louis de stocker son papier toilette dans un lieu aussi incongru ! Ses talents d'homme d'intérieur étaient décidément très limités.

Avec son jean, son pull et ses bottes sexy à talons hauts, Liz avait l'air maigre comme un clou. Elle enroula un pashmina framboise autour de son cou et enfila un manteau de renard noir acheté à Milan. Elle était très élégante pour une simple sortie au parc et au manège ; Jean-Louis, heureux de la victoire de son équipe, la

123

regarda avec un sourire admiratif tandis qu'il éteignait le téléviseur et se levait du lit. Il avait prévu d'emmener Liz déjeuner à la brasserie Lipp et ensuite d'aller chercher Damien. De son côté, elle était curieuse de découvrir le petit garçon et sa mère, célèbre top model, avec qui Jean-Louis avait vécu deux ans. Après leur rupture alors que Damien n'avait pas encore un an, ils étaient restés en bons termes. Françoise avait eu plusieurs petits amis depuis.

Dans la vieille brasserie réputée du boulevard Saint-Germain, Liz commanda une salade et Jean-Louis, une roborative choucroute. A quinze heures, ils se trouvaient devant l'immeuble de Françoise, rue Jacob. Bien qu'elle eût vingt-cinq ans, elle en paraissait quinze quand elle leur ouvrit la porte, pieds nus. Elle dépassait Liz en taille – elle mesurait un bon mètre quatre-vingts –, avait d'immenses yeux verts, une peau parfaite et une longue chevelure rousse dont Damien avait hérité. Pour tout le reste, le petit garçon était le portrait craché de Jean-Louis. Il accueillit son père avec un sourire ravi, puis leva les yeux vers Liz d'un air interrogateur. Jean-Louis la lui présenta comme son amie. Françoise, qui regardait Liz avec la même curiosité que son fils, lui serra la main avant de leur proposer d'entrer.

Son appartement était décoré dans le style marocain – poufs en cuir, tables basses et canapés ayant connu des jours meilleurs, recouverts de tissus colorés. Françoise avait l'air aussi douée que Jean-Louis pour le rangement : sur le sol traînaient des magazines, des photos, son book, des bouteilles de vin à moitié vides et des chaussures.

Damien semblait un enfant heureux et facile. Il se jeta dans les bras de son père et embrassa sa mère avant de partir.

Les deux femmes s'étaient observées avec intérêt, sans se parler beaucoup. Lizzie avait l'impression que Françoise n'était pas enchantée de la voir, pas vraiment contrariée non plus. D'après Jean-Louis, ils avaient eu une relation très libre et n'avaient pas toujours été fidèles l'un envers l'autre. Lizzie était la seule femme à qui il avait promis la monogamie, ce qui lui paraissait être une énorme concession et une grande preuve d'engagement. Jusque-là, il n'avait pas accordé d'importance à la fidélité – la sienne et celle de ses partenaires. Sa philosophie consistait à vivre l'instant présent et à saisir au vol les occasions qui se présentaient. Il la taquinait souvent sur son côté typiquement américain, et le puritanisme de ses compatriotes. Liz n'en restait pas moins inflexible. Elle ne voulait pas que son petit ami couche avec quelqu'un d'autre. Mais elle n'avait jamais eu de raison de douter de Jean-Louis – quand elle l'appelait la nuit depuis New York, il était toujours seul. Liz avait été curieuse de voir comment il se comportait avec la mère de Damien, mais ils semblaient amis, rien de plus, ainsi que Jean-Louis le lui avait dit dès le début. Elle lui faisait confiance. Pour l'instant, il ne lui avait jamais menti.

Il faisait froid au bois de Boulogne, mais ils coururent et jouèrent au ballon avec Damien pour se réchauffer. Liz s'efforçait de parler français à l'adorable petit garçon. Après être montés tous les trois sur un manège, ils allèrent déguster un chocolat chaud et des pâtisseries chez Ladurée, sur les Champs-Elysées, pour le plus grand plaisir de Damien. Même Lizzie succomba à la tentation et commanda des macarons et un thé. De retour à l'appartement, elle offrit à Damien le petit train qu'elle lui avait acheté. Il était ravi. Lorsqu'il se lassa de jouer, Jean-Louis l'installa dans la chambre devant un film de Disney en français. Les deux adultes discutèrent tranquillement au salon. Ils avaient passé une excellente journée. Voilà bien longtemps que Liz voulait rencontrer le fils de Jean-Louis, mais ils n'en avaient jamais trouvé l'occasion. D'habitude, entre les trajets en avion et l'organisation des séances photo, Liz n'avait pas une minute à elle quand elle venait à Paris.

— J'aimerais avoir Damien à la maison plus souvent, lui confia Jean-Louis avec mélancolie. C'est un gamin formidable, mais je ne suis jamais là, ou alors je ne reste pas assez longtemps. Françoise voyage beaucoup, elle aussi. Quand elle part, sa mère vient de Nice pour garder notre fils. Françoise pense l'envoyer vivre chez elle, maintenant qu'il va vraiment commencer l'école. C'est dur pour lui de faire la navette entre nous deux. En plus, sa grand-mère s'en occupe bien. Françoise était beaucoup trop jeune quand elle l'a eu. A l'époque où elle est tombée enceinte, on a trouvé l'idée géniale, mais on aurait peut-être mieux fait d'attendre.

Il eut un sourire et ajouta :

— Sauf qu'il ne serait jamais né. Je crois qu'après tout le destin fait bien les choses.

Liz trouvait cela étrange de laisser au « destin » une décision aussi importante que celle de faire un enfant. Jusque-là, elle-même ne s'était pas sentie prête à avoir un bébé et n'imaginait pas l'être avant plusieurs années. Sa carrière l'accaparait bien trop – il en allait de même pour Françoise et Jean-Louis, mais ils ne semblaient pas s'en soucier.

— Est-ce que vous n'allez pas lui manquer terriblement, tous les deux, si vous l'envoyez vivre chez sa grand-mère ?

Elle ressentait de la peine pour le petit garçon, ballotté sans arrêt entre deux personnes très indépendantes qui l'avaient eu trop jeunes, et une grand-mère qui habitait une autre ville.

— Ce serait mieux pour lui, il vivrait dans un environnement plus stable. En plus, Françoise a deux sœurs, à Aix et à Marseille : il verrait ses tantes, ses oncles, ses cousins et cousines. Nous, on n'a pas le temps de lui faire rencontrer d'autres enfants, à part à la maternelle ou à la garderie où Françoise l'emmène. Tu as bien été élevée par une autre personne que tes parents, et je n'ai pas l'impression que tu en aies pâti, dit-il avec pragmatisme.

Il ne voyait pas et n'avait jamais compris à quel point Lizzie avait été marquée par la mort de ses parents. Si formidable qu'eût été Annie, rien ne pouvait remplacer un papa et une maman. Ils avaient tous vécu cette disparition comme une perte terrible, et c'était peut-être encore pire si vos parents décidaient eux-mêmes de vous envoyer vivre ailleurs. Comment le comprendrait-il plus tard ?

— On n'avait pas le choix, fit-elle remarquer. Mes parents étaient morts. En revanche, Damien risque vraiment de se sentir abandonné par vous deux. Pendant toute mon adolescence, j'ai beaucoup souffert d'avoir perdu mes parents. Je crois que je leur en voulais d'être morts, même si j'aimais beaucoup ma tante et si elle a été super et très maternelle avec moi. Mais ce n'est pas ma mère, c'est ma tante.

— On lui expliquera les choses plus tard, répliqua Jean-Louis avec le sourire, en allumant une gitane. Françoise n'est pas prête à abandonner sa carrière. Dans quelques années, elle ne pourra plus faire ce qu'elle fait, en tout cas pas au même niveau. Ce serait dommage qu'elle arrête maintenant. Quant à moi, je ne peux pas arrêter non plus. Je suis sûr que Damien comprendra, conclut-il, confiant.

Pour sa part, Liz ne savait pas ce que le petit garçon penserait plus tard de ses parents, si peu disposés à modifier leur vie en fonction de sa venue, et qui n'avaient pensé qu'à eux. A certains égards, elle avait le sentiment qu'ils le traitaient comme un jouet. Liz était d'autant plus reconnaissante à Annie des sacrifices qu'elle avait consentis, et dont elle prenait conscience un peu plus chaque jour. Elle n'imaginait pas à quoi ressemblerait sa vie si elle avait dû élever trois enfants de l'âge qu'ils avaient lorsque sa tante les avait pris sous son aile. Elle ne s'en sentait pas capable, ni maintenant ni jamais, ce qui ne faisait que renforcer son admiration pour sa tante.

— Moi non plus, je ne pourrais pas, dit-elle honnêtement, mais je ne ferai pas d'enfant. Je n'ai pas envie de gâcher la vie de quelqu'un d'autre.

— On ne lui gâche pas la vie, assura Jean-Louis.

Il ne se rendait pas compte de tout ce qu'ils ne faisaient pas pour le petit garçon.

A cet instant, Damien entra dans la pièce. Le film était terminé et il avait faim. Jean-Louis lui prépara une assiette de fromage et de pâté et ouvrit la boîte de macarons achetée l'après-midi chez Ladurée. Damien sembla parfaitement se satisfaire de ce repas : il mangeait toujours mieux avec son père qu'avec sa mère, chez qui il se nourrissait de pizzas et de sandwichs. Il ne semblait ni malheureux, ni sous-alimenté ; facile à vivre, il avait appris très tôt à s'adapter à son entourage adulte. S'il causait la moindre difficulté, on le congédiait dans sa chambre. Liz le plaignait. Cette vie ne correspondait pas à ce qu'elle aurait souhaité pour un enfant, ni à ce qu'elle avait connu avec sa tante, qui s'était adaptée à eux et leur avait offert une enfance heureuse et sécurisante. Annie répétait sans cesse qu'elle avait beaucoup de chance de les avoir. Lizzie éprouvait encore plus de gratitude envers elle, maintenant qu'elle savait combien il est difficile de tout mener de front. Ce ne devait pas être facile non plus pour Françoise et Jean-Louis, mais c'était Damien qui en faisait les frais, contrairement à ce que Lizzie avait connu. Compte tenu des circonstances, elle avait eu une enfance idéale, et, malgré cela, elle fuyait toujours les engagements à long terme. Elle n'avait jamais dit à un homme qu'elle l'aimait, de peur qu'il ne meure ou disparaisse. De même, elle ne pensait pas avoir jamais été amoureuse – elle se posait toujours la question vis-à-vis de Jean-Louis. Si elle lui était attachée, s'il lui plaisait bien, l'amour était pour elle quelque

128

chose de beaucoup plus profond, de définitif. Elle n'avait jamais renoncé à la possibilité de mettre fin à une relation ou de partir et, pour l'instant, elle ne souhaitait pas s'engager plus. Liz n'imaginait pas avoir un enfant avec Jean-Louis. Il disait souvent qu'il aimerait un jour en avoir un autre, mais elle n'avait pas l'intention de se porter volontaire.

Lizzie joua aux cartes et au train avec Damien, puis Jean-Louis l'installa devant un autre DVD. L'irrésistible petit rouquin aux grands yeux verts finit par s'endormir sur le lit de son père. Jean-Louis le porta jusqu'au matelas étroit de la minuscule chambre où Damien dormait lorsqu'il venait chez lui.

Liz et Jean-Louis passèrent une soirée agréable à discuter devant un verre de vin. Leurs sujets de conversation tournaient principalement autour de la mode, des rédacteurs en chef et des photographes qu'ils connaissaient, des politiques internes de différents magazines, en particulier ceux où Liz avait travaillé, et de leurs carrières. Ils s'entendaient bien, avaient les mêmes intérêts, fréquentaient les mêmes gens, évoluaient dans les mêmes sphères. C'était l'idéal. Qu'espérer de mieux pour un jour de l'an ? Lorsqu'ils furent couchés, Liz se blottit contre lui : elle n'aspirait à rien de plus que d'être là avec lui, dans son drôle de petit appartement mansardé de Paris, ou à New York dans son loft. Ils ne firent pas l'amour, car Lizzie craignait que Damien ne les surprenne. Jean-Louis lui assura que son fils n'entendrait rien et qu'il ne se réveillait jamais la nuit, mais elle ne voulait pas risquer de le traumatiser. Pendant la durée de son séjour, elle se sentait responsable de lui.

Le lendemain, ils se levèrent tous à la même heure. Damien apparut sur le seuil de leur chambre, vêtu des mêmes habits que la veille – Jean-Louis n'avait pas voulu le réveiller en le déshabillant. Il sauta sur le lit et voulut savoir ce qu'ils faisaient ce jour-là. Jean-Louis lui expliqua qu'ils le raccompagneraient chez sa mère après le petit déjeuner, car Lizzie et lui devaient reprendre leur travail le lendemain matin, et qu'ils avaient encore beaucoup de choses à préparer.

— Mamie arrive ce soir, annonça Damien joyeusement. Maman part à Londres demain, pour son travail. Elle va y rester cinq jours.

Déjà au courant de l'emploi du temps de sa mère, il semblait heureux à la perspective de voir sa grand-mère.

— Quand Mamie est là, on mange de la glace tous les jours, précisa-t-il à Liz.

Elle le plaignit de tout son cœur. Il aurait fallu bien plus qu'une boule de glace pour compenser l'absence de ses parents et leur égocentrisme. Elle espérait que sa grand-mère faisait de son mieux pour combler ce manque.

Liz prépara des tartines de pain grillé à la confiture pour tout le monde et fit cuire un œuf pour Damien, pendant que Jean-Louis faisait du café au lait, y compris pour le petit garçon. Il le servit dans des bols à l'ancienne. C'était délicieux, et le breuvage odorant laissa à Damien une moustache laiteuse ; Liz but le sien jusqu'à la dernière goutte.

Ils arrivèrent dans le repaire marocain de Françoise, rue Jacob, aux alentours de onze heures. Damien, heureux de retrouver sa mère, avait l'air un peu triste de quitter son père. Jean-Louis lui expliqua qu'il allait rester deux semaines à Paris et qu'ils se reverraient bientôt, ce qui sembla satisfaire le petit garçon. De toute évidence, il adorait son père.

Françoise se trouvait en compagnie d'un jeune homme auquel Lizzie ne donnait pas plus de dix-neuf ans. Il lui fallut un moment pour le reconnaître : il s'agissait de Matthew Hamish, un mannequin anglais que l'on avait beaucoup vu dans *Vogue* ces derniers temps. Il se montra très gentil avec Damien, parlant avec lui comme avec un copain de son âge. Le garçonnet semblait le connaître. Quand ils quittèrent les lieux, Jean-Louis parut contrarié, à la grande surprise de Liz. Sa façon de parler du jeune Britannique, qu'il connaissait, aurait pu faire croire qu'il éprouvait de la jalousie.

— Tu es jaloux ? lui demanda-t-elle tandis qu'ils s'éloignaient de l'immeuble de Françoise.

— Bien sûr que non. Elle couche avec qui elle veut.

Jean-Louis ne connaissait pas précisément la nature des relations entre Françoise et Matthew, mais, en arrivant à l'appartement, ils l'avaient trouvé allongé sur le canapé, en jean, pieds et torse nus, l'air de sortir de la douche.

— Je trouve juste un peu stupide que Damien voie passer dans sa vie des gens qui n'ont aucune importance pour Françoise.

— Comment sais-tu qu'il n'est pas important pour elle ? s'enquit Lizzie, intéressée.

Il était jaloux, cela ne faisait aucun doute. Françoise s'avérait plus courtoise avec Liz que Jean-Louis avec Matthew. Il lui avait à peine adressé la parole, alors que Françoise, beaucoup plus chaleureuse que lors de leur première rencontre, avait remercié Liz de s'être occupée de Damien.

— Il n'est pas son genre, répondit Jean-Louis un peu brusquement avant de changer de sujet.

Liz sentait bien qu'il était irrité, et il ne se détendit que lorsqu'ils arrivèrent chez lui. Ils avaient tous les deux des coups de fil à donner pour leurs séances photo du lendemain – celle de Liz concernait un article qu'elle préparait depuis des mois pour les pages joaillerie du journal, tandis que Jean-Louis s'occupait de la couverture du numéro d'avril de *Vogue,* version française. Liz était déçue qu'ils ne travaillent pas ensemble.

Ils descendirent dîner d'une soupe et d'une salade dans un petit restaurant du coin, puis ils rentrèrent et firent l'amour. Jean-Louis ne semblait plus préoccupé par Françoise et son jeune Anglais. Lizzie comprit que c'était une question de territoire : ce n'est jamais agréable de se retrouver en face du nouveau flirt de quelqu'un qu'on a aimé, même si c'est de l'histoire ancienne. Elle se rendait compte aussi que l'ouverture d'esprit dont ils faisaient preuve, typiquement française, s'expliquait par la présence de Damien. Quoi qu'il en soit, Jean-Louis avait retrouvé sa bonne humeur quand ils se couchèrent ce soir-là, et ils s'endormirent, enlacés. Jean-Louis avait mis le réveil à cinq heures, car ils devaient tous deux se présenter sur leur plateau à six heures. Tandis qu'elle sombrait dans le sommeil, Liz songea au petit garçon ; sans qu'elle sache pourquoi, elle n'arrivait pas à se l'ôter de l'esprit. Elle avait de la peine pour lui. Il méritait tellement mieux que l'existence qu'on lui offrait. Parfois, elle espérait presque rester longtemps avec Jean-Louis... Et pourquoi pas ? Qui pouvait savoir. Jusque-là, leur séjour à Paris avait été idyllique.

11

Liz faisait partie de ces rédactrices pointilleuses qui essaient d'anticiper les contretemps éventuels. Elle détestait les surprises, surtout les mauvaises, et faisait son possible pour les éviter. Néanmoins, le lendemain, malgré des préparatifs minutieux, elle dut affronter une série de problèmes épineux. Pour commencer, il pleuvait, alors que la séance avait lieu en extérieur, place Vendôme. Ils élevèrent une grande tente au-dessus des mannequins et installèrent des lumières artificielles. Cela leur fit perdre du temps, mais la situation restait toutefois gérable. Cependant, bien qu'ils aient prévu des chauffages pour protéger les top models du froid glacial, l'une d'elles décréta qu'elle était en train de tomber malade et qu'elle ne voulait plus travailler.

Les vêtements étaient secondaires : Liz et la styliste avaient choisi plusieurs robes noires et blanches assez simples dessinées par un grand couturier américain. Mais deux d'entre elles étaient restées bloquées à la douane française, sans espoir de les récupérer. Il fallut donc se débrouiller avec les moyens du bord. La styliste remplaça une des robes par une belle chemise blanche qui fit très bien l'affaire. L'accent était mis sur les bijoux, et c'est là qu'ils se heurtèrent à la plus grosse difficulté. Tous les joailliers avec lesquels elle travaillait lui avaient envoyé les pièces qu'elle avait choisies, sauf l'un des plus importants, qui avait remplacé plusieurs bijoux par d'autres qu'elle n'aimait pas. Lorsqu'elle l'appela, il s'excusa de les avoir vendus, sans la prévenir ! Pour couronner le tout, ce créateur habitant Rome, elle ne pouvait pas retourner le voir pour trouver autre chose. Profitant d'une pause, elle courut chez deux bijoutiers avec qui elle avait l'habitude de travailler à Paris, mais elle ne vit rien qui lui plut. Il lui manquait quatre bijoux pour les photos. Elle détestait ce genre de stress et de contrariété, parfois inévitables, pourtant.

— Bon sang, j'aurais dû lire mon horoscope, aujourd'hui ! se plaignit-elle auprès de la chef styliste.

A court d'idées, Liz fit plusieurs prises en réorganisant les bijoux, mais elle avait beau tenter différentes dispositions, il lui en manquait toujours. Or, cet article était important. La rédactrice en chef, à New York, se ficherait de la maladie du mannequin, des deux robes restées à la douane et de la vente prématurée de quatre pièces majeures. Lizzie s'assit calmement sur une chaise à côté du plateau et ferma les yeux, tentant de trouver une solution. Elle était capable de faire des miracles, mais là, elle séchait. Quelques minutes plus tard, une styliste junior s'approcha. Lizzie la chassa d'un geste de la main. Elle n'avait pas envie d'être dérangée. Au même moment, Jean-Louis l'appela pendant sa pause déjeuner, et elle lui expliqua qu'elle était dans la merde jusqu'au cou et qu'elle le rappellerait. Il lui répondit que de son côté, tout marchait comme sur des roulettes, ce qui ne fit que l'irriter davantage. A cet instant, ses problèmes lui accaparaient l'esprit. Tandis qu'elle éteignait son portable, la jeune styliste s'approcha de nouveau.

— Je suis désolée, Liz, je sais que vous êtes occupée, mais Alessandro Di Giorgio est là et voudrait vous parler.

— Merde, marmonna Lizzie.

C'était l'un des grands créateurs qui lui avaient fourni des pièces. Liz avait tout sauf besoin d'un joaillier inquisiteur venant s'assurer que son travail était bien mis en valeur. Certains étaient de véritables mères poules avec leurs créations ; ce n'était pas le moment que l'un d'eux vienne lui dire ce qu'elle avait à faire ou tente de l'amadouer pour être mieux placé sur les photos.

— Tu peux lui dire que je ne suis pas sur le plateau ?

Elle ne l'avait jamais rencontré. Tous leurs échanges s'étaient faits par mail, et les pièces avaient été apportées de Rome par des agents de sécurité armés.

— Je crois qu'il sait que vous êtes là, répondit la jeune styliste d'un air contrit.

Tout juste sortie de l'école, elle paraissait terrifiée. C'était son premier travail important. Elle savait que Liz avait une réputation de perfectionniste, et au vu de tout ce qui était allé de travers depuis ce matin, elle avait une peur bleue que ça ne lui retombe dessus. La mode est un milieu survolté ; quand une séance photo tourne mal, la foudre frappe toujours du haut de l'échelle vers le bas. Et elle était tout en bas. Liz lui lança un regard agacé, mais resta polie.

— Je n'ai pas le temps de lui parler maintenant. J'essaie de trouver une solution pour ces trois foutues pièces qui me manquent ! Quatre, pour être précise.

— C'est justement ce dont il veut vous parler. Il dit qu'il lui fallait venir à Paris de toute façon pour rencontrer une cliente importante et qu'il a avec lui plusieurs bijoux que vous n'avez pas vus. Quand il s'est arrêté à côté du plateau, je lui ai expliqué la situation. Il veut savoir si vous seriez intéressée à les voir.

Lizzie la dévisagea, stupéfaite, puis se mit à sourire.

— Dieu existe ! Où est-il ?

La jeune fille désigna un homme grand et blond en cravate et costume bleu marine, flanqué de deux gardes du corps armés, qui portait une imposante mallette. Il regardait droit dans la direction de Liz, un sourire prudent aux lèvres. Il s'avança vers elle, identique aux photos qu'elle connaissait de lui, et impeccablement habillé.

— Mademoiselle Marshall ? s'enquit-il d'une voix douce tandis que les deux gardes restaient légèrement à l'écart, prêts à réagir en cas d'agression. J'ai cru comprendre que vous aviez un problème. J'ai rendez-vous avec une cliente cet après-midi, et j'ai vu que la séance photo avait lieu ici, alors j'ai pensé que je pouvais passer. Ma cliente sera contrariée si je lui apporte moins de pièces que prévu, mais elle ne pourra pas regretter ce qu'elle n'aura pas vu. Vous me les renverrez plus tard. Je lui dirai qu'il y a eu du retard à mon atelier, si jamais vous choisissez des bijoux sur lesquels elle avait jeté son dévolu.

— Il doit y avoir un saint patron des rédactrices joaillerie qui sont dans la panade, dit Liz avec gratitude.

Elle admirait beaucoup ses créations.

— Je préférerais éviter de vous montrer les pièces ici, expliqua-t-il dans un anglais parfait, teinté d'un léger accent italien. Je suis sûr que vous comprenez. Si vous avez quelques minutes, j'ai une suite au Ritz dans laquelle nous serions plus tranquilles.

Liz le dévisagea, les yeux écarquillés. L'hôtel se trouvait à vingt mètres de là.

En entrant au Ritz, elle eut l'impression d'être habillée comme une clocharde à côté d'Alessandro dans son costume taillé à la perfection. Elle portait des leggings, des baskets, un pull et un imperméable et, pour une fois, elle n'avait pas de talons aiguilles dans son sac. A cinq heures du matin, elle n'avait pas pris la peine de se brosser les cheveux et les avait seulement attachés avec une barrette avant de boire un café et de filer. Elle se rendait compte maintenant qu'elle n'était pas présentable.

Liz fut impressionnée par l'immense suite d'Alessandro Di Giorgio, donnant sur la place Vendôme. C'est là qu'il rencontrait sa clientèle privée. Sans hésiter, il ouvrit la mallette et en sortit une dizaine de bijoux d'une beauté à couper le souffle – diamants, rubis, émeraudes et saphirs. Encore plus gros et plus saisissants que ceux qui avaient fait défaut à Liz. La maison Di Giorgio serait mieux représentée que les autres, mais elle n'avait pas le choix. Elle n'avait jamais vu d'aussi belles créations.

— Oserais-je vous demander quelle cliente peut s'offrir de telles pièces ? murmura Liz, fascinée.

— L'épouse d'un émir, répondit-il sans préciser lequel, faisant preuve de discrétion. Cela vous aide-t-il ?

— Vous voulez rire ? C'est un miracle, oui ! s'exclama-t-elle en le regardant d'un air ébahi.

— Prenez tout ce que vous aimez, tout ce dont vous avez besoin. Je présenterai mes excuses à la femme de l'émir.

Il s'agissait d'une bonne publicité pour lui aussi. Di Giorgio, connu aux Etats-Unis, l'était beaucoup plus en Europe. Alessandro représentait la troisième génération de la maison fondée par son grand-père. A trente-huit ans, il créait des bijoux depuis quinze ans pour son père, encore en activité. En prévision de son article, Liz avait fait des recherches sur leur entreprise. Elle aimait le caractère unique de la plupart de leurs pièces. Très respectés en Europe, ils possédaient des boutiques à Rome, Londres et Milan, mais pas à Paris. Alessandro y rencontrait ses clients en personne. Une chance inouïe qu'il ait été là ce jour-là.

Tandis que Liz choisissait quatre pièces parmi les plus imposantes, Alessandro marqua son assentiment d'un signe de tête. Il comprenait où elle voulait en venir, le style recherché, et il lui suggéra une cinquième pièce. Elle acquiesça et l'ajouta aux autres. Il emballa les bijoux dans des écrins, dit à l'un des gardes du corps de la raccompagner sur le plateau et, dix minutes après leur arrivée, ils ressortirent de l'hôtel. Dans un sac du Ritz tout à fait neutre, Liz portait tout ce dont elle avait besoin, et même un bijou supplémentaire. De retour au plateau, elle leva les yeux vers Alessandro, à court de mots. Elle faillit lui dire qu'elle avait eu chaud aux fesses, mais parler de cette façon à un homme aussi bien élevé et raffiné aurait été grossier.

— Vous m'avez vraiment sauvé la vie, dit-elle, les larmes aux yeux. Je vous rapporte tout ce soir, ou demain au plus tard.

— Prenez votre temps, répondit-il avec un grand sourire. Je suis ici pour trois jours. Nous avons un certain nombre de clients à voir dans la capitale.

— Vous arrive-t-il d'aller à New York ? s'enquit-elle.

Elle se sentait redevable de l'aide généreuse qu'il lui avait apportée.

— Pas souvent. Nous travaillons surtout en Europe. Mais je m'y rends de temps en temps, j'aime beaucoup New York.

Il paraissait plus jeune lorsqu'on discutait avec lui. De fait, il était tellement sérieux et élégant qu'elle l'avait d'abord cru bien plus âgé, avant de se rappeler qu'il n'avait que dix ans de plus qu'elle.

— Eh bien, la prochaine fois que vous viendrez, je vous dois un déjeuner, ou un dîner, tout ce qui vous fera plaisir.

— J'ai eu plaisir à vous aider. J'espère que tout ira bien, mademoiselle Marshall, dit-il d'un ton cérémonieux.

— Ce sera le cas, grâce à vous.

Elle lui sourit, rayonnante, et il n'eut aucun mal à deviner, au-delà des cheveux emmêlés et des vêtements de travail, sa grande beauté.

— *Arrivederci,* lança-t-il avant de monter avec un garde du corps dans une Mercedes conduite par un chauffeur.

Le second garde du corps resta avec Liz, qui détenait à présent certaines de ses pièces les plus précieuses.

Une demi-heure plus tard, l'équipe se remit au travail. Sachant qu'il ne lui manquait plus rien, Liz avait retrouvé le moral. Le photographe afficha son enthousiasme en découvrant les bijoux, bien plus beaux que ceux promis par l'autre joaillier.

Quand Jean-Louis les rejoignit à dix-huit heures, ils n'avaient pas terminé. Liz avait l'air tendue ; elle ne s'était toujours pas remise des désagréments du matin, même si tout se passait bien.

— Bientôt fini ? murmura-t-il en s'approchant d'elle dans son dos, la faisant sursauter.

Elle se retourna et sourit en le voyant.

— Encore une heure environ.

Elle était gelée jusqu'aux os mais elle s'en fichait. Si le temps était exécrable, les photos étaient géniales.

— Comment tu as fait, pour les bijoux qui te manquaient ?

— Un ange est tombé du ciel avec une mallette et m'a donné des pièces encore plus belles, répondit-elle avec un grand sourire.

Elle n'en revenait toujours pas de la chance qu'elle avait eue.

— J'ai du mal à te suivre.

Jean-Louis avait l'air perplexe. Il savait que Liz était très douée pour résoudre toutes sortes de problèmes, mais celui-ci semblait tout de même excéder ses compétences.

— C'est vrai, je t'assure. L'un des joailliers avec qui on travaille se trouvait à Paris et est passé nous voir. Il avait une mallette remplie de bijoux incroyables qu'il devait montrer à une importante cliente du Golfe, et il m'en a prêté cinq pour la séance. Je n'ai jamais vu d'aussi belles pièces, elles sont encore mieux que celles qu'on attendait. Et plus grosses.

— Tu es une magicienne, dit-il en la serrant dans ses bras. Et tu es bénie des dieux.

C'était exactement le sentiment de Lizzie.

— Je dois retrouver un ami au Ritz pour boire un verre, reprit Jean-Louis. Rejoins-nous quand tu auras fini, et nous rentrerons à la maison.

Sur ces mots, il s'éloigna vers l'hôtel tandis que Liz se remettait au travail. Lorsqu'elle termina deux heures plus tard, ils avaient pris en photo toutes les pièces de la maison Di Giorgio. Liz les rendit au garde du corps qui était resté avec elle tout l'après-midi et griffonna un mot à Alessandro pour le remercier de nouveau. Elle lui promit également de lui envoyer les justificatifs de publication. Quand elle rejoignit Jean-Louis au bar, il sirotait un kir royal en discutant gaiement avec un ami d'enfance. Ils étaient allés en classe ensemble et il paraissait aussi miteux et négligé que lui, au point qu'on eût dit des jumeaux. Jean-Louis expliqua à Liz que c'était un artiste et qu'il possédait un atelier à Montmartre ayant appartenu à Toulouse-Lautrec. Liz devait bien reconnaître qu'elle avait l'air aussi débraillée qu'eux, pour une fois. Elle avait hâte de rentrer pour prendre un long bain chaud.

Ils furent de retour chez lui à vingt-deux heures. Liz devait de nouveau se lever à cinq heures pour le deuxième jour de la séance photo, prévue place de la Concorde – la troisième devant avoir lieu sous l'Arc de triomphe. Sa semaine était bien chargée. Quant à Jean-Louis, il ne travaillait pas le lendemain et envisageait de passer la journée avec des amis.

Tandis qu'elle se glissait dans son bain en fermant les yeux, Liz repensa aux prises de vue, aux bijoux, aux mannequins et à leurs vêtements. Elle se sentait satisfaite du travail accompli. Elle y songeait encore et s'inquiétait déjà pour le lendemain lorsqu'elle s'endormit dans le lit de Jean-Louis. Celui-ci la regarda en souriant, puis éteignit la lumière. Il n'avait jamais connu personne travaillant aussi dur que Liz. Ce n'était certainement pas son objectif personnel – ni celui de la plupart des gens, d'ailleurs.

Pour Annie, les premiers jours de reprise après les fêtes de fin d'année ne furent pas moins intenses qu'ils ne l'étaient pour Liz. Le chaos régnait sur tous les chantiers, son principal entrepreneur s'était retiré, et tous ses projets avaient pris du retard. Les mauvaises surprises s'enchaînaient depuis le premier de l'an ; surchargée de travail, Annie n'eut pas le temps de déjeuner de toute une semaine, et ce ne fut que le jeudi après-midi qu'elle put enfin retourner au bureau à une heure acceptable. Elle voulait modifier certains plans, mettre de l'ordre dans ses dossiers, répondre à ses mails et à des dizaines d'appels en souffrance. Après avoir réclamé une tasse de café noir à son assistante, elle se mit au travail, commençant par ouvrir son courrier. La deuxième lettre venait de l'école de Kate. Annie fut prise de panique, pensant qu'elle avait peut-être oublié de payer les frais de scolarité. D'habitude, son comptable s'en chargeait, mais le chèque avait pu se perdre en route. Elle crut que son cœur allait s'arrêter de battre lorsqu'elle prit connaissance de la missive, qui confirmait que Kate mettait un terme à ses études pendant un semestre. Après la semaine qu'Annie venait de vivre, cette nouvelle la plongea dans une colère noire. Où donc Kate avait-elle la tête ? Oubliant tout ce qu'elle avait à faire, elle composa le numéro du portable de sa nièce, furieuse.

— Je veux te voir à l'appartement ce soir ! aboya-t-elle au téléphone.

Cela ne lui ressemblait pas. Elle s'emportait rarement contre les enfants, préférant expliquer les choses et se montrer compréhensive. Mais là, c'était justement à n'y rien comprendre. Annie n'avait pas l'intention de laisser Katie arrêter ses études. Et dire qu'elle ne lui avait même pas demandé la permission ! Même si à vingt et un ans, elle n'avait pas à le faire...

— Qu'y a-t-il ? questionna Katie, stupéfaite.

— Je t'en parlerai quand je te verrai, répondit Annie d'un ton brusque. Pas au téléphone. Je rentre à huit heures, tu as intérêt à être là.

Sur ces mots, elle raccrocha sans attendre la réponse de sa nièce. Elle était tellement en colère qu'elle en tremblait. Elle n'avait pas élevé les enfants de sa sœur pendant seize ans, ne leur avait pas appris tout ce qu'elle pouvait leur apprendre et offert toutes les chances que leurs parents auraient souhaitées pour eux, pour qu'en fin de compte ils abandonnent leurs études. Katie était une artiste de talent, Annie voulait qu'elle obtienne son diplôme.

Après avoir traité sa correspondance et ses dossiers en un temps record, Annie rentra chez elle avec les plans qu'elle devait modifier. Tout le reste de l'après-midi, elle avait été trop distraite pour penser clairement. A son arrivée, il y avait des lumières dans l'appartement et Katie écoutait de la musique dans sa chambre. Dès qu'elle entendit la porte d'entrée se refermer, la jeune fille vint accueillir sa tante. Annie était livide. Elle quitta son manteau, le suspendit et se dirigea vers le salon, suivie de Katie. Alors, Annie s'assit et posa sur sa nièce un regard empli de déception et de colère. Ce fut cette lueur de déception qui bouleversa sa nièce, plus que la colère.

— Qu'est-ce qui te prend? lança Annie en guise d'introduction. J'ai reçu une lettre de ton école. Tu ne m'as même pas demandé la permission. Tu crois que c'est très respectueux? Et qu'est-ce que tu as l'intention de faire, maintenant, sans diplôme? Travailler au McDo?

Katie lutta pour garder son calme. Elle voulait montrer à Annie qu'elle était une adulte et non plus une enfant. Qu'elle était en droit de décider pour elle-même.

— On m'a proposé un job et j'ai envie d'essayer pendant un semestre. Je pensais pouvoir le faire dans le cadre d'un projet artistique ou d'un stage, mais ils n'ont pas voulu. Alors j'ai pris un semestre sabbatique. Il n'y a pas de quoi en faire un drame. Je recommencerai les cours au prochain semestre.

— Quel genre de travail ? s'enquit Annie, toujours contrariée par la manière dont Katie s'y était prise.

Pendant les fêtes, sa nièce n'avait pas parlé de son désir d'arrêter ses études ou de faire un stage. Elle aurait au moins pu en discuter avec elle.

— Un travail intéressant, répondit Katie en éludant la question. J'ai envie de le faire.

— Qu'est-ce que c'est ? insista Annie, implacable, comme elle seule pouvait l'être quand elle était furieuse, ce qui arrivait très rarement.

— Je vais créer des modèles pour un salon de tatouage, expliqua Katie doucement.

Annie la dévisagea, horrifiée.

— Tu es devenue folle ? Tu renonces à un semestre à Pratt, une des meilleures écoles de dessin du pays, pour travailler dans un salon de tatouage ? Je t'en prie, dis-moi que c'est une plaisanterie !

— Je ne plaisante pas. Ils font de vraies œuvres d'art, et je sais que je pourrai laisser libre cours à ma créativité, là-bas. Il y a des artistes émergents de premier plan qui ont commencé dans des salons de tatouage.

— Si je ne t'aimais pas autant, je te tuerais. Katie, tu ne peux pas faire ça. Est-ce trop tard pour te réinscrire à l'école ?

— Je ne sais pas, et je ne le ferai pas. Je vais travailler dans ce salon. J'ai commencé mardi et ça me plaît beaucoup. J'ai rendu ma chambre d'étudiante ce week-end.

— Dans ce cas, je veux que tu vives à la maison, déclara Annie d'un ton glacial, tellement en colère, tellement choquée, qu'elle pouvait à peine parler.

— C'est bien ce que j'avais prévu, répondit Katie poliment. Je te l'ai dit, je reprendrai les cours au semestre prochain. J'ai envie de m'atteler à ce projet pendant un certain temps.

— Tu peux me dire ce qu'il y a de créatif à tatouer des ancres et des aigles sur les fesses des gens ? C'est la chose la plus folle que j'aie jamais entendue.

Katie avait toujours été différente des autres, plus indépendante, plus affirmée, plus artiste, plus courageuse aussi – elle n'avait jamais peur d'essayer de nouvelles idées. Mais la dernière, aux yeux d'Annie, était l'une des pires. Si elle avait toujours encouragé la créativité de sa nièce, là, elle allait trop loin.

— Est-ce que Paul a quelque chose à voir avec cette histoire ? s'enquit-elle, méfiante.

Katie secoua la tête, les larmes aux yeux.

— Non. Lui aussi est en colère contre moi. Il pense que c'est stupide et choquant, et que ce n'est pas digne d'une femme.

— Il a bien raison.

Annie n'arrivait même pas à imaginer comment elle expliquerait aux gens que sa nièce créait des tatouages, ni ce que ses parents en auraient pensé. L'idée même lui en était insupportable.

— Tu me déçois énormément, Katie, dit-elle un peu plus calmement. Je veux que tu finisses tes études. Pas pour moi, mais pour toi. Tu as besoin de ce diplôme pour faire quelque chose de ton talent, ou même pour trouver un emploi.

— Je sais, répondit Kate posément tandis que les larmes roulaient sur ses joues.

Elle détestait l'idée de décevoir sa tante, qu'elle aimait tant et dont l'estime était si importante pour elle.

— Je voulais juste faire quelque chose de différent, de plus créatif, reprit-elle. Et j'ai toujours aimé les tatouages.

— Je sais, dit Annie en passant un bras autour de ses épaules. Mais j'ai envie que tu ailles au bout de tes études. Les salons de tatouage sont des endroits tellement peu recommandables ! Les gens qui les fréquentent sont horribles.

— Tu n'en sais rien. De toute façon, je m'en fiche. Je veux seulement dessiner les modèles. Je laisse aux autres le soin de faire les tatouages.

144

Elle se garda bien de préciser qu'elle apprenait aussi cet aspect-là du métier.

— Est-ce que Ted et Lizzie sont au courant ?

Annie se demandait s'il s'agissait d'une conspiration, ou juste d'une autre idée insensée de Kate. Mais celle-ci secoua la tête.

— Ça ne va pas leur faire plaisir, à eux non plus, observa Annie.

Katie releva le menton d'un air de défi, exactement comme elle le faisait quand elle avait cinq ans. Des trois enfants, elle avait toujours été la plus inflexible ; elle n'avait jamais eu peur d'affirmer ses idées, ni d'en assumer les conséquences.

— Je dois faire ce qui me rend heureuse et ce qui est bien pour moi, pas seulement ce qui vous convient à tous. J'ai envie d'apprendre à dessiner de beaux tatouages. C'est une forme d'art graphique, même si ça ne te plaît pas. Et ensuite, je retournerai à l'école, dit-elle, têtue et provocante.

— Compte sur moi pour t'y faire penser, répliqua Annie d'un ton sévère.

Elle sécha les larmes de sa nièce et ajouta, plus gentiment :

— J'aimerais tellement que tu sois un peu moins indépendante, que tu m'écoutes un peu plus.

— Je t'écoute. Mais je dois aussi faire ce que je juge bon pour moi. J'ai vingt et un ans, je ne suis plus un bébé.

— Tu seras toujours un bébé pour moi, rétorqua Annie avec honnêteté.

Cela lui rappelait la conversation qu'elle avait eue avec Whitney un mois plus tôt : il fallait qu'elle les laisse voler de leurs propres ailes, commettre leurs erreurs, vivre leur vie. Elle ne serait pas toujours là pour les protéger.

— Où se trouve ce salon ? demanda-t-elle.

Katie lui donna l'adresse, située dans un quartier mal famé. L'idée même de savoir Katie là-bas l'emplissait d'effroi. Et s'il lui arrivait quelque chose ? Et si elle attrapait le sida avec les aiguilles ?

— J'aimerais vraiment que tu abandonnes cette idée. C'est l'une des pires que tu aies jamais eues.

— Non, répondit Katie d'un ton farouche. Je suis majeure, c'est mon droit de décider.

— Sans doute, dit Annie tristement. Mais on ne prend pas toujours de bonnes décisions.

— On verra bien, répliqua doucement Katie, prête à défendre son indépendance coûte que coûte.

Elle préféra ne pas confier à sa tante qu'elle avait aussi l'intention d'aller à Téhéran avec Paul, au printemps, pour rendre visite à sa famille. Mieux valait attendre avant de lui annoncer cette nouvelle. Elle discuta donc tranquillement avec Annie encore quelques instants, puis retourna dans sa chambre. Elle prévoyait de déménager ses affaires de la résidence universitaire pendant le week-end.

Dans sa chambre, Annie avala deux aspirines – elle avait la migraine depuis le début de l'après-midi – et s'allongea sur son lit. Elle aurait aimé appeler Lizzie, mais elle n'avait pas envie de la déranger à Paris, où il était trois heures du matin. Lorsqu'elle tenta de joindre Ted, elle tomba directement sur la boîte vocale ; elle laissa un message pour qu'il la rappelle au plus vite. Annie n'arrivait pas à croire que Katie puisse travailler dans un salon de tatouage. L'idée la rendait malade. Elle n'avait plus qu'à espérer que sa nièce reviendrait à la raison et tiendrait sa promesse en retournant à l'école. Le pire était de savoir que tout son amour n'y ferait rien. Du jour au lendemain, elle n'était plus dans le coup.

12

Le lendemain s'avéra encore plus éprouvant pour Annie. Elle se disputa avec deux entrepreneurs et eut une réunion pénible avec un de ses clients les plus exigeants. Le mauvais temps ralentissait tout, et elle se sentit à cran toute la journée à l'idée que Katie ait abandonné ses études sans même lui en parler ni lui demander son avis. Plus elle y réfléchissait, plus elle était horrifiée : sa nièce dans un salon de tatouage ! Pour couronner le tout, elle n'avait toujours pas eu de nouvelles de Ted, alors qu'elle aurait tellement eu besoin d'une épaule pour pleurer. Peut-être lui ou Liz sauraient-ils influencer leur petite sœur ? Mais pour l'instant, Liz était à Paris avec du travail par-dessus la tête, et Ted n'avait pas rappelé.

En fin d'après-midi, Annie en eut assez : après avoir inspecté un chantier où tout allait de travers, elle héla un taxi et indiqua au chauffeur l'adresse du salon de tatouage, dans la Neuvième Avenue ; un quartier jadis surnommé Hell's Kitchen, « la Cuisine de l'Enfer », mais réhabilité depuis quelques années. Pour autant, Annie n'avait aucune envie que sa nièce aille traîner dans cette partie-là de la ville, sans parler d'y travailler tous les jours au lieu de faire ses études. Elle ne put s'empêcher de gémir tout haut lorsqu'ils arrivèrent à destination. Des individus louches étaient en train de fumer, regroupés devant le salon de tatouage éclairé au néon. Annie n'avait jamais vu de gens aussi repoussants.

— Mauvaise adresse ? l'interrogea le chauffeur en entendant son soupir de désespoir.

— Non, c'est bien là, malheureusement.

Elle régla la course, ajoutant un généreux pourboire.

— Vous souhaitez faire un tatouage ? s'enquit le chauffeur, surpris.

Sa cliente n'avait pas l'air de ce genre-là. Vêtue d'un manteau de laine, d'un pantalon et d'un pull en cachemire noirs, elle semblait extrêmement soignée.

— Non, non, répondit-elle, juste voir.

Elle n'avait pas envie d'admettre que sa nièce travaillait là. Bien trop gênant et déprimant.

— Je ne le ferais pas, si j'étais vous, lui conseilla-t-il. Vous pouvez attraper le sida avec les aiguilles.

— Je sais.

Après l'avoir de nouveau remercié, elle descendit du taxi et poussa la porte du salon. Les employés arboraient tous des piercings et des tatouages – la plupart avaient les bras entièrement recouverts de motifs colorés. Peu importe ce qu'en pensait Katie, Annie ne considérait pas cela comme de l'art.

Une femme s'approcha pour lui demander si elle pouvait la renseigner, et Annie lui expliqua qu'elle était venue voir Katie Marshall. Avec ses cheveux blonds lissés, ses bottes à talons hauts très chics et son manteau noir tout neuf elle semblait débarquer d'une autre planète. Elle eut envie de s'enfuir en courant, mais elle prit sur elle et attendit Kate. Quelques instants plus tard, sa nièce poussait la porte marquée « privé », en minijupe, pull rouge à col roulé et rangers, ses cheveux courts teints en noir bleuté. Malgré son allure, Annie la trouvait beaucoup trop bien pour un endroit pareil.

— Qu'est-ce que tu fais là ? chuchota Kate, visiblement tendue.

— Je voulais voir où tu travailles.

Les deux femmes se fixèrent un long moment, jusqu'à ce que Katie finisse par détourner le regard. Tout en sachant qu'elle ne pourrait jamais convaincre Annie que ce job remplaçait valablement l'école, elle pensait également qu'elle n'avait pas à se défendre. Sa décision lui semblait juste.

— Ça va ? s'informa Annie gentiment.

Katie acquiesça puis sourit, plus détendue.

— Je m'amuse bien. Ils me montrent plein de choses. J'ai envie d'apprendre à faire des tatouages, juste pour savoir quelles qualités ça demande et comment les modèles rendent sur la peau.

Annie se retint de demander pourquoi. Elle ne resta que quelques minutes, pendant lesquelles sa nièce ne prit pas la peine de la présenter à ses collègues. A se sentir ainsi surveillée par sa tante, Katie avait l'impression d'être une gamine, alors qu'elle se considérait bel et bien comme une adulte. Comprenant que sa présence la gênait, Annie se contenta de jeter un œil autour d'elle avant de s'en aller.

Dans le taxi de retour, elle eut envie de pleurer. Elle n'arrivait pas à chasser de son esprit l'image de ces gens couverts de clous et de boucles. Elle les trouvait effrayants.

Il lui restait un chantier à inspecter avant de retourner au bureau, puis de rentrer à la maison en fin de journée. Le site en question faisait partie de ceux qui lui posaient problème, et elle fut très contrariée en découvrant qu'un ouvrier avait oublié de fermer un tuyau d'arrosage, un peu plus tôt dans la journée. Avec les températures glaciales, l'eau avait gelé sur le sol : une véritable invitation aux accidents... et un souci dont elle se serait bien passée. Elle en avisa le contremaître et l'entrepreneur présent sur les lieux, puis, toujours préoccupée par Katie et son nouveau travail, elle enjamba les débris du chantier et se hâta vers la rue. Il commençait à être tard. L'esprit ailleurs, elle ne fit pas attention à la dernière plaque de verglas dont elle venait de se plaindre. Elle dérapa sur ses bottes à talons hauts et se rétablit de tout son poids sur une jambe en poussant un cri aigu. Un des ouvriers, qui avait assisté à la scène, courut vers elle pour lui porter secours. Alors qu'il époussetait ses vêtements et l'aidait à se relever, Annie grimaça, sentant son estomac se soulever. Elle crut s'évanouir tant sa cheville lui faisait mal.

— Ça va ? lui demanda l'ouvrier d'un air inquiet, tandis que quelqu'un apportait une chaise pliante.

C'était exactement le type d'accident qu'elle avait craint, sauf qu'elle ne s'attendait pas à en être la victime. Distraite et préoccupée par sa visite au salon de tatouage, pressée de retourner au bureau, elle n'avait pas regardé où elle mettait les pieds. Dire que, d'habitude, elle n'inspectait jamais un chantier en talons hauts ! En partant au travail le matin, elle n'avait pas prévu de se rendre sur un site, mais avait changé d'avis en cours de route.

Alors que plusieurs hommes se regroupaient autour d'elle, elle tenta de se mettre debout, en vain. Elle était furieuse contre elle-même. Depuis vingt ans qu'elle inspectait des chantiers, elle ne s'était jamais blessée. Quelle idée d'avoir mis ces bottes !

— Je crois que je me suis cassé la cheville, dit-elle en grimaçant tandis qu'elle essayait à nouveau de se mettre debout.

Elle ne pouvait absolument pas s'appuyer sur son pied.

— Vous feriez mieux d'aller à l'hôpital, lui conseilla le contremaître. Ce n'est peut-être qu'une grosse entorse, mais autant faire une radio pour savoir s'il vous faut un plâtre.

Il ne manquait plus que ça ! Avec tout ce qu'elle avait à faire en ce moment, elle n'avait pas envie d'être obligée de se déplacer avec des béquilles ou un plâtre.

— Je vais peut-être simplement rentrer chez moi et mettre un peu de glace dessus, répondit-elle.

Elle tenta de quitter le chantier en claudiquant. Au final, il fallut deux hommes pour la transporter jusqu'à un taxi, et un troisième pour s'occuper de sa mallette et de son sac à main.

— Merci, et pardon pour le dérangement.

— Ce n'est rien. Mais allez aux urgences, insista le contremaître.

Annie acquiesça comme si elle avait l'intention de suivre son conseil. Cependant, une fois dans le taxi, elle indiqua au chauffeur l'adresse de son bureau, certaine que tout irait bien lorsqu'elle pourrait retirer ses bottes. Pour l'heure, sa cheville la faisait terriblement souffrir. Et quand ils arrivèrent devant l'immeuble, elle se trouva bien incapable de descendre du taxi. Le chauffeur se retourna.

— Vous avez l'air d'avoir très mal, constata-t-il avec compassion. Que vous est-il arrivé ?

— J'ai glissé sur une plaque de verglas.

Elle tenta de prendre appui sur la portière, mais elle ne pouvait pas poser son pied blessé par terre sans avoir envie de hurler. De toute évidence, elle n'irait nulle part. Il lui était impossible de se déplacer.

— Heureusement que vous ne vous êtes pas cogné la tête, commenta le chauffeur. Vous ne voulez pas que je vous amène à l'hôpital ? Vous vous êtes peut-être cassé la cheville.

Elle en avait bien peur, et ce coup de malchance la rendait furieuse. Elle se glissa de nouveau sur la banquette arrière et pria le chauffeur de la conduire aux urgences du Centre médical universitaire de New York. Elle se sentait stupide d'aller à l'hôpital, mais il lui fallait au moins des béquilles.

Une fois arrivés, le chauffeur la fit attendre dans le véhicule pendant qu'il allait chercher de l'aide. Il revint un peu plus tard, accompagné d'une femme en blouse et pantalon bleus qui poussait un fauteuil roulant. Annie resta assise sur son siège, incapable de se lever.

— Qu'est-ce qui vous amène ? demanda aimablement l'infirmière des urgences.

— Je crois que je me suis cassé la cheville. Je suis tombée sur une plaque de verglas.

Annie était toute pâle. L'infirmière l'aida à s'installer dans le fauteuil, puis Annie donna dix dollars au chauffeur, qui lui souhaita bonne chance. La douleur lui donnait la nausée, et elle avait envie de pleurer... mais plus à cause de Katie que de son pied blessé. Elle détestait l'idée que sa nièce travaille dans ce répugnant salon de tatouage. Cette pensée l'obsédait tandis que l'infirmière la poussait jusqu'au bureau des entrées. Annie tendit sa carte d'assurance à l'employée, puis remplit le formulaire. Après lui avoir attaché un bracelet autour du poignet avec son nom et sa date de naissance, l'infirmière lui donna une poche de glace, la laissa dans son fauteuil et lui dit d'attendre.

— Combien de temps ? s'enquit Annie.

Il y avait au moins cinquante personnes dans la salle d'attente. Que les patients soient traités par ordre d'arrivée ou suivant la gravité de leurs blessures, elle en avait sûrement pour un bon moment.

— Deux ou trois heures, lui répondit l'assistante médicale avec honnêteté. Peut-être moins, peut-être plus. Ça dépend de l'état des patients qui sont arrivés avant vous.

— Je devrais peut-être rentrer chez moi, suggéra Annie, découragée.

Elle venait de vivre deux jours épouvantables, c'était la cerise sur le gâteau.

— A votre place, je ne le ferais pas avec une cheville cassée, lui conseilla l'infirmière de l'accueil. Vous risquez de revenir à quatre heures du matin, hurlant de douleur, avec une cheville gonflée comme un ballon de foot.

Autant faire une radio de contrôle, tant que vous êtes ici.

C'était un conseil avisé. Annie décida donc d'attendre. Elle n'avait rien d'autre à faire à la maison, n'ayant même pas pu repasser par son bureau pour récupérer ses plans. De toute façon, elle aurait été incapable de travailler avec cette douleur aiguë et la nausée qui l'accompagnait. Elle espérait juste ne pas vomir. Etonnant, tout de même, qu'une chose si bénigne puisse vous rendre aussi malade. Lorsqu'elle souleva sa jambe dans le fauteuil roulant, elle crut s'évanouir. Alors qu'elle fermait les yeux et tentait de supporter la souffrance, la femme assise à côté d'elle, visiblement très atteinte, se mit à tousser. Annie s'éloigna le plus discrètement possible. Elle n'avait pas envie d'attraper des microbes à l'hôpital – une cheville foulée ou cassée, cela suffisait. Installée un peu à l'écart, elle regarda les ambulanciers amener sur un brancard un homme victime d'un accident de voiture et dont on craignait qu'il n'ait les cervicales brisées. Dans la foulée arriva un patient qui venait de faire une crise cardiaque. Annie se rendit compte qu'elle risquait d'attendre des heures avant qu'on ne la prenne en charge, si les cas plus graves devaient passer avant. Il était alors dix-sept heures trente, la soirée promettait d'être longue.

Les yeux fermés, Annie essaya de respirer profondément pour neutraliser la douleur. C'est alors qu'on bouscula son fauteuil roulant. Affublé d'une attelle gonflable sur le bras gauche, un homme grand et brun, dont la tête lui disait vaguement quelque chose, se confondit en excuses. Annie referma les yeux. Elle avait rangé sa botte sous le fauteuil, et son pied nu, qui avait doublé de volume depuis son arrivée à l'hôpital, commençait à bleuir. Elle ignorait si c'était un signe de fracture. Elle somnola un moment dans sa chaise, mais la douleur l'empêchait de s'endormir complètement, et elle rouvrit les yeux. L'homme à l'attelle se servait de sa main droite pour annuler des rendez-vous sur son portable, la mine sombre. Quelqu'un de très occupé, de toute évidence. Il portait un short, un tee-shirt et des baskets, et elle l'entendit expliquer au téléphone qu'il s'était blessé en jouant au squash. Très séduisant, il avait l'air en excellente forme, en dehors de son bras immobilisé qui semblait le faire beaucoup souffrir. Ils restèrent un long moment assis l'un à côté de l'autre sans parler. Annie avait bien trop mal pour se montrer sociable. Elle était tellement malheureuse qu'elle avait envie de pleurer.

A la télévision, le journal de dix-neuf heures venait de commencer. Le journaliste annonça que leur présentateur Tom Jefferson ne serait pas à l'antenne ce soir-là : il s'était blessé en jouant au squash et se trouvait à l'hôpital à l'instant même. Annie écoutait d'une oreille distraite lorsqu'elle comprit soudain qui était son voisin. Tandis qu'elle se tournait vers lui, étonnée, il parut légèrement gêné.

— C'est vous ? l'interpella-t-elle.

Il acquiesça.

— C'est pas de chance, pour votre bras.

— Il semble que vous n'ayez pas eu de chance non plus, répliqua-t-il en souriant. Ça doit vous faire affreusement mal. Depuis que je suis là, je vois votre cheville gonfler.

En effet, son pied grossissait et bleuissait à vue d'œil. Annie se laissa aller en arrière dans son fauteuil en soupirant. De temps en temps, elle tentait de remuer les orteils, mais c'était de plus en plus douloureux. Elle avait vu Tom Jefferson faire la même chose avec ses doigts, comme pour vérifier l'étendue des dégâts.

— Je crois qu'on va y passer la nuit, marmonna Annie à la fin du journal télévisé.

Les problèmes en Corée et au Moyen-Orient lui semblaient soudain bien moins importants que l'état de sa cheville.

— Et vous, suggéra-t-elle, vous ne pouvez pas essayer de passer plus vite ?

— Je n'oserais même pas demander. Les blessés graves sont bien évidemment prioritaires sur le temps d'antenne.

Annie acquiesça. Il avait raison, et il faisait preuve de discrétion. Ils se concentrèrent de nouveau chacun sur sa douleur. On aurait dit deux naufragés échoués ensemble sur une île déserte, pensait Annie. Personne ne semblait se rendre compte de leur présence, ni s'en soucier le moins du monde.

Annie finit par envoyer un message à Katie pour la prévenir qu'elle rentrerait tard, sans toutefois lui préciser pourquoi, n'ayant pas envie de l'inquiéter. C'est donc toute seule qu'elle resta dans la salle d'attente, assise à côté d'un parfait étranger avec un bras cassé.

— J'ai reçu une balle dans le bras, une fois, alors que je faisais un reportage en Ouganda, confia-t-il au bout d'un moment. Je sais que ça peut paraître ridicule, mais ce qui m'arrive aujourd'hui est beaucoup plus douloureux.

Lui aussi semblait s'apitoyer sur son sort.

— Vous voulez crâner, c'est ça ? dit-elle avec un grand sourire. Moi, je me suis cassé une côte en tombant de mon lit quand j'étais petite, et, ce coup-ci, j'ai plus mal aussi. Mais je ne me suis jamais fait tirer dessus, donc vous gagnez un point.

Comme il se mettait à rire, elle remarqua qu'il avait un joli sourire – pas vraiment surprenant pour une star du petit écran.

— Pardon, je ne voulais pas être impoli. Comment vous êtes-vous blessée ? s'enquit Tom avec sollicitude.

— A cause d'une plaque de verglas sur un chantier. Je venais de leur dire de nettoyer tout ça avant qu'il y ait un accident, et j'ai glissé.

— Vous êtes ouvrière du bâtiment ? la taquina-t-il.

Parler avec lui permettait au moins de tuer le temps. Ils n'avaient rien d'autre à faire pendant qu'ils restaient assis à attendre.

— Plus ou moins. J'ai un casque de chantier, répondit-elle.

Sauf qu'elle ne le portait pas au moment de sa chute. Le chauffeur de taxi avait raison : c'était une chance qu'elle ne se soit pas cogné la tête.

— Je suis architecte, précisa-t-elle.

Tom eut l'air impressionné. Il avait pensé que cette femme très élégante, au langage châtié, qui respirait l'intelligence, travaillait dans la mode ou peut-être l'édition.

— Ça doit être bien, comme métier, commenta-t-il, faisant son possible pour leur changer les idées à tous les deux.

— Parfois. Quand je ne me casse pas le cou sur un chantier.

— Ça vous arrive souvent ?

— C'est la première fois.

— C'est la première fois que je me blesse en faisant du sport, moi aussi. J'ai passé dix ans sur des missions dangereuses au Moyen-Orient. J'ai été correspondant au Liban pendant deux ans. J'ai survécu à deux attentats à la bombe, et je me casse le bras en jouant au squash. C'est pitoyable.

Tom se sentait surtout stupide. Il regarda Annie, avachie dans son fauteuil roulant, le pied en l'air. Sa cheville avait encore gonflé et bleui.

— Vous avez faim ?

— Non. J'ai la nausée, répondit-elle sincèrement.

Comme elle ne le connaissait pas et ne le reverrait jamais, rien ne l'obligeait à faire bonne figure. Elle se sentait affreuse. Il l'avait vue pleurer plusieurs fois et devait mettre cela sur le compte de la douleur, mais c'était à cause de Katie. Annie n'arrivait pas à effacer

156

de ses pensées l'image du salon de tatouage. Dire qu'elle ne pouvait rien faire pour que sa nièce change d'avis !

— Je crois que je vais commander une pizza, confia Tom Jefferson, un peu gêné d'avoir envie de manger à un moment pareil. Je meurs de faim.

— Ça doit être un truc d'hommes, répondit Annie. Allez-y, nous sommes probablement ici pour quelques heures encore.

Il sourit d'un air penaud, puis commanda une pizza par téléphone. Tandis qu'il envoyait quelques SMS, Annie se demanda s'il avait une petite amie ou une femme, si quelqu'un viendrait lui tenir compagnie. Elle lui donnait environ quarante-cinq ans : ses cheveux bruns commençaient tout juste à grisonner aux tempes.

Quand le livreur arriva une heure plus tard, ils n'avaient toujours pas vu de médecin. Tom avait commandé une pizza avec tous les ingrédients possibles sauf les anchois. Il en proposa une part à Annie mais elle était bien incapable de manger, et, malgré son bras blessé, il engloutit presque tout. Lorsqu'il se leva pour aller jeter le carton, Annie s'aperçut qu'il était encore plus grand que ce qu'elle pensait. Plus que sa taille, c'étaient son amabilité et sa modestie qui l'impressionnaient. Il attendait patiemment son tour sans réclamer de traitement de faveur. En revenant, il lui proposa de lui apporter un verre d'eau ou un café ; elle refusa.

— Je viens de me rendre compte que vous connaissez mon nom, mais je ne connais pas le vôtre, dit-il d'un ton plaisant.

Leur bavardage rendait l'attente moins longue.

— Anne Ferguson. Annie. Vous avez un lien de parenté avec notre illustre président ?

Sa question le fit sourire.

— Non, mais ma mère était une mordue d'histoire, qu'elle enseignait, d'ailleurs. Elle a peut-être trouvé ça drôle, de me donner le prénom du président dont je portais déjà le nom, même si elle avait beaucoup de respect pour lui. On m'a asticoté toute ma vie avec ça.

Annie l'écouta en souriant. Par la suite, ils s'assoupirent un moment. Il était neuf heures, cela faisait presque quatre heures qu'Annie attendait. La douleur dans sa cheville devenait lancinante.

A dix heures, ce fut enfin son tour et une aide-soignante vint la chercher. Annie salua Tom Jefferson, le remercia de lui avoir tenu compagnie et lui souhaita bonne chance.

— J'espère que votre bras n'est pas cassé, dit-elle pour l'encourager.

Elle avait apprécié ces quatre heures passées avec lui. Sa présence lui avait permis de ne pas se sentir trop seule.

— Pareil pour votre cheville, répondit-il. Et faites attention au verglas sur vos chantiers !

Il lui fit signe de la main tandis qu'elle disparaissait dans les couloirs des urgences. Elle resta encore deux heures, le temps de faire une radio et une IRM pour vérifier l'état de ses ligaments. Au final, on lui diagnostiqua une entorse sévère, mais la cheville n'était pas cassée. On lui posa une attelle, on lui donna des béquilles et on lui conseilla de ne pas s'appuyer sur son pied blessé, ce qu'elle ne se sentait pas prête à faire de toute façon – la douleur aurait été insupportable. Le médecin lui conseilla de revoir un orthopédiste la semaine suivante et la prévint qu'il faudrait de quatre à six semaines avant complète guérison. D'ici là, elle avait pour consigne de ne pas porter de chaussures à talons.

Il était minuit quand l'infirmière l'accompagna à l'extérieur et lui appela un taxi. En sortant, Annie avait jeté un coup d'œil dans la salle d'attente et vu que Tom Jefferson ne s'y trouvait plus. Sur le chemin du retour, ses pensées furent de nouveau accaparées par Katie et

ses propres soucis. La soirée avait été longue et douloureuse, en dépit de son agréable compagnon de galère.

Annie entra dans son immeuble, avançant difficile-
ment sur ses béquilles. Entre le manque d'habitude et
les comprimés qu'on lui avait donnés à l'hôpital, elle
se sentait chancelante, comme soûle. Lorsqu'elle poussa
la porte de son appartement, elle trouva la lumière
allumée. Katie regardait un film avec Paul. Annie
entrevit soudain un avantage à ce que sa nièce aban-
donne ses études : elle reviendrait vivre à la maison, et
Annie ainsi pourrait garder un œil sur elle. En découvrant sa tante, blanche comme un linge, s'aidant de
béquilles et portant un sac contenant une botte, Katie
se leva d'un bond du canapé, choquée.

— Qu'est-ce qui t'est arrivé ? s'alarma-t-elle

Annie semblait être passée sous un rouleau compresseur.

— C'est vraiment stupide. Je suis tombée sur un
chantier. J'ai glissé sur une plaque de verglas.

— Oh, ma pauvre !

Katie courut lui chercher une poche de glace tandis
que Paul l'aidait à marcher jusqu'à la cuisine. Mal
assurée sur ses béquilles, Annie donnait l'impression aux
deux jeunes gens, très inquiets, d'être complètement
épuisée.

— Je pensais que tu étais sortie dîner, un truc comme
ça... Pourquoi tu ne m'as pas appelée ? J'aurais pu
t'accompagner à l'hôpital. C'est arrivé quand ? interrogea Katie.

— Juste après t'avoir vue. Une demi-heure après.

Annie se garda de lui dire que c'était en partie arrivé
parce qu'elle était furieuse contre elle et de ce fait distraite.

— Je suis arrivée à l'hôpital à cinq heures et demie.
J'ai cru que je n'en partirais jamais.

Elle n'évoqua pas sa rencontre avec le présentateur
télé, qui lui semblait sans rapport avec le sujet.

— Tu veux manger quelque chose ? proposa Kate.

Annie secoua la tête.

— J'ai juste envie d'aller me coucher. Je me sens droguée à cause de l'antalgique. Je me sentirai mieux demain, sans doute.

Il lui faudrait s'habituer aux béquilles et apprendre à marcher à cloche-pied. Les semaines à venir s'annonçaient difficiles.

Elle boitilla jusqu'à sa chambre, suivie de près par Kate et Paul. Celui-ci retourna au salon pendant que Katie aidait sa tante à se déshabiller et à enfiler sa chemise de nuit. Ce n'était pas évident de tenir debout sur un pied. Kate avait peur qu'elle ne tombe dans la salle de bains ; elle lui dit de ne pas hésiter à l'appeler si elle avait besoin d'aide dans la nuit.

— Ça ira, ne t'inquiète pas, lui assura Annie.

La soirée avait été épuisante et les deux derniers jours épouvantables, depuis qu'elle avait appris que Kate voulait arrêter ses études. Voilà plusieurs jours qu'elle n'avait pas de nouvelles de Ted, ni de Lizzie, qui se trouvait encore à Paris. Tandis qu'elle se glissait entre les draps, elle tenta d'oublier tous ses soucis. Elle avala un autre comprimé, suivant les conseils du médecin, et s'endormit d'un coup, à peine sa tête avait-elle touché l'oreiller. Katie l'embrassa, remonta la couette sur ses épaules et rejoignit Paul. Tous deux avaient fait d'importants projets ce soir-là.

13

Le lendemain, Annie eut plus de mal à s'habiller qu'elle ne l'aurait cru. Prendre sa douche en équilibre sur un pied était déjà une épreuve, si bien qu'une fois parvenue à la cuisine avec ses béquilles elle se sentait épuisée. Mais elle avait bien trop de travail pour se permettre de rester chez elle ; Kate l'aida donc à descendre les marches et à s'installer dans un taxi. Exceptionnellement, Annie n'arriva au bureau qu'à dix heures, consciente qu'il lui serait impossible d'inspecter ses chantiers pendant au moins quelques jours.

Au cours de la matinée, Ted lui téléphona enfin et s'excusa de ne pas l'avoir rappelée plus tôt, invoquant un emploi du temps chargé. Il venait aux nouvelles, Katie lui ayant envoyé un SMS la veille au soir pour le prévenir qu'Annie s'était blessée.

— Ça va, lui assura-t-elle. J'ai très mal, mais ce n'est rien, juste une entorse. C'est pour te parler de ta sœur que je cherchais à te joindre. Tu sais qu'elle a arrêté ses études pour travailler dans un salon de tatouage ?

D'en reparler, Annie sentait de nouveau monter la colère. Par comparaison, l'état de sa cheville lui semblait sans importance.

— C'est une blague ?

— J'aimerais bien, mais je suis sérieuse, et elle l'est aussi. Elle a décidé de prendre un semestre sabbatique pour travailler dans un salon de tatouage de la Neuvième Avenue. Pour elle, c'est de l'art graphique.

— C'est honteux. Non, elle ne m'a rien dit, la chipie. Tu veux que je lui parle ?

Ted paraissait aussi excédé qu'Annie. Pour lui comme pour sa tante, on ne plaisantait pas avec les études.

— Pourquoi pas, répondit-elle, mais je ne pense pas que cela serve à grand-chose. Je doute qu'elle t'écoute. Elle est bien décidée à arrêter l'école pendant quelque temps.

— Je trouve cette idée stupide, et je ne me gênerai pas pour le lui dire.

Annie eut une lueur d'espoir : il arrivait que Kate se montre plus réceptive aux conseils de son frère et de sa sœur qu'aux siens. Mais elle savait – et Ted aussi – que sa nièce ne se laissait pas facilement influencer une fois qu'elle avait pris une décision. Voilà bien un trait qu'elles avaient en commun, toutes les deux : elles pouvaient faire preuve d'une obstination sans bornes.

— Et toi, tu vas bien ? On ne t'entend pas, en ce moment. Je m'inquiète pour toi, confia Annie gentiment.

De fait, elle s'inquiétait pour eux trois.

— Ça va, répondit-il d'une voix un peu bourrue.

Allant chez Pattie chaque fois que les enfants ne s'y trouvaient pas, Ted avait l'impression de ne plus avoir de temps libre, de passer ses journées à faire l'amour ou à courir entre la fac et l'appartement de Pattie. Il n'avait pas vu ses amis depuis plusieurs semaines. Mais il se garda bien d'en parler à sa tante. Comment lui annoncer qu'il fréquentait une femme de douze ans son aînée ? Il savait qu'Annie ne comprendrait pas – parfois, il n'était même pas certain de bien comprendre luimême. Il n'avait rien vu venir, et, à présent, leur relation progressait à la vitesse de la lumière, tel un train express avec Pattie aux commandes.

162

— Tu pourrais venir dîner, un soir, suggéra Annie. Tu me manques.

Ted soupira. Il se sentait coupable de ne pas l'appeler ni de la voir plus souvent, mais il n'avait plus le temps de rien faire sans Pattie, qui trouvait toujours de quoi l'occuper et le voulait constamment auprès d'elle.

— Au moins, Katie peut t'aider, maintenant qu'elle est revenue vivre à la maison, dit-il.

— Je préférerais qu'elle retourne à l'école, répondit Annie tristement.

— Moi aussi. Je vais essayer de la joindre. Je te rappelle bientôt.

Après avoir raccroché, Annie se mit au travail, clopinant d'un bout à l'autre du bureau pour transporter des dossiers et des plans, ce qui, avec des béquilles, se révélait quasiment impossible. Elle ne s'était pas attendue à rencontrer autant de difficultés et que sa cheville lui fasse toujours aussi mal.

Elle venait de se rasseoir à sa table de travail lorsque le téléphone sonna. Son assistante lui fit savoir qu'un certain Thomas Jefferson était en ligne. Surprise, Annie prit l'appel et demanda aussitôt à Tom des nouvelles de son bras.

— Il est cassé, répondit-il sur un ton découragé, j'avais espéré m'en sortir avec une simple entorse. Et votre cheville ?

— Juste une mauvaise foulure. Mais marcher avec des béquilles, c'est l'enfer.

Annie ne travaillait que depuis une heure et elle se sentait déjà exténuée.

— J'ai connu ça, confia Tom. Je me suis cassé la jambe à l'école, en jouant au basket.

Puis il changea de sujet :

— J'ai eu plaisir à faire votre connaissance hier, Annie. Je me demandais si vous aimeriez déjeuner avec moi un de ces jours. Ou alors, nous pourrions aller à Lourdes.

Annie se mit à rire.

— C'est une bonne idée. De déjeuner, pas d'aller à Lourdes. Quoique, ça pourrait être intéressant aussi. J'ai toujours eu envie de visiter cette ville.

— Moi aussi, dit-il d'un ton décontracté.

Annie présumait qu'il n'était pas marié, mais elle n'avait pas envie de lui poser la question. De toute évidence, il s'agissait simplement d'un déjeuner amical entre invalides, non d'un rendez-vous galant, il aurait été stupide de chercher plus loin. Sans compter que leur première rencontre n'avait rien eu de romantique, même si elle n'avait pas manqué d'originalité.

— Demain, cela vous dirait ? proposa Tom. Vous pouvez sortir avec vos béquilles ?

— J'y arriverai. Je suis obligée, de toute façon. Il faudra bien que je retourne sur mes chantiers.

— Pour ça, vous devriez peut-être attendre un jour ou deux.

Il mentionna un petit restaurant français qu'Annie connaissait et appréciait, et suggéra qu'ils s'y retrouvent le lendemain à midi. Cela avait l'air sympa, si toutefois Annie parvenait à se déplacer jusque-là.

— Je couperai votre viande, offrit-elle.

Il éclata de rire.

— Et moi, je vous porterai jusqu'au taxi.

La perspective de déjeuner en compagnie de cet homme visiblement intéressant fut très agréable à Annie.

Par la suite, la journée lui parut bien longue. Elle dut annuler plusieurs rendez-vous tant il lui était difficile de se déplacer, et dépêcha son assistante sur deux chantiers. Katie l'appela pour prendre de ses nouvelles, témoignant d'une grande sollicitude. Finalement, Annie se résigna à rentrer chez elle à seize heures, chargée de deux sacs remplis de dossiers. Après avoir pris un antalgique, elle s'accorda une petite sieste, puis regarda le journal télévisé que présentait Tom. Hormis son bras plâtré, qui l'obligeait à retrousser sa manche de chemise

164

et l'empêchait de porter une veste, il était comme d'habitude, de bonne humeur et en pleine forme.

Quand Annie arriva au restaurant le lendemain, Tom l'attendait à leur table. Il s'empressa de se lever pour lui venir en aide, bien qu'elle eût fait des progrès.

— Les gens doivent penser qu'on s'est envoyés dans le décor ensemble, plaisanta-t-il tandis qu'il l'installait à sa place. Merci d'avoir accepté mon invitation. J'ai bien aimé notre discussion l'autre jour.

Ils passèrent leur commande, se contentant tous deux de thé glacé en guise de boisson : Annie craignait de tomber avec ses béquilles si elle buvait du vin, et Tom expliqua qu'il ne consommait jamais d'alcool à midi.

— Je ne vous ai pas posé la question, avant-hier, mais j'imagine que vous n'êtes pas mariée, lança-t-il sans détour, une note d'espoir dans la voix.

N'ayant eu aucun proche venu les rejoindre aux urgences, ils avaient conclu chacun de leur côté que l'autre était célibataire. Mais Tom préférait en avoir le cœur net.

— Non, je ne suis pas mariée, répondit Annie. Et vous ?

— Divorcé. J'ai été marié huit ans. Nous nous sommes séparés il y a cinq ans, et nous sommes restés en bons termes. Mon travail n'est pas tout à fait compatible avec le mariage. J'étais tout le temps en déplacement, parfois sur de longues périodes. Nous avons fini par comprendre que cela ne marcherait pas, et elle a épousé quelqu'un d'autre avec qui elle a eu deux enfants. Pour ça non plus, je n'avais pas le temps, alors qu'elle tenait vraiment à être maman. Je ne lui en veux pas, c'est juste que je n'avais pas envie de fonder une famille alors que j'étais toujours absent. Maintenant, c'est un peu tard.

Il ne semblait pas le regretter.

165

— Et vous, vous êtes divorcée ?

Il supposait qu'elle l'était, vu son âge et sa beauté ; il eut l'air surpris lorsqu'elle secoua la tête.

— Je ne me suis jamais mariée, répondit-elle simplement.

Tom faisait preuve d'une telle franchise qu'elle ne ressentait aucune honte à lui confier cette information. C'était un fait, voilà tout.

— Donc, pas d'enfants.

Il voulait n'oublier aucun détail.

— Oui et non.

La réponse ambiguë le laissa perplexe et Annie expliqua :

— Ma sœur et son mari sont morts il y a seize ans dans le crash de leur avion, et j'ai adopté leurs trois enfants. Ils avaient cinq, huit et douze ans à l'époque. Maintenant, ils sont adultes – c'est ce qu'ils me disent, en tout cas, mais parfois j'en doute. Liz a vingt-huit ans, elle est rédactrice à *Vogue* ; Ted, vingt-quatre ans, étudie le droit à l'université de New York ; et Kate est une artiste, elle a vingt et un ans et étudie à Pratt. Enfin, c'est ce qu'elle faisait jusqu'à la semaine dernière. Elle vient de décider de prendre un semestre sabbatique, et ça me rend furieuse. Voilà mon histoire, conclut-elle en souriant.

Il la dévisageait, impressionné par ce qu'elle venait de lui confier.

— Non, c'est leur histoire, observa-t-il d'une voix douce. Quelle est la vôtre ?

— Ils sont mon histoire, répondit-elle avec honnêteté. Hériter d'une famille toute faite quand on sort juste de l'école d'architecture, c'est un boulot à plein temps. J'avais vingt-six ans quand ils sont venus vivre avec moi. Il m'a fallu un moment pour comprendre comment m'y prendre. Mais j'ai fini par avoir le coup de main.

— Et maintenant ?

166

Tom avait soudain envie de mieux la connaître. Il n'avait rien imaginé de tout cela, l'autre soir : centrés sur leur douleur, ils n'avaient échangé aucune information personnelle.

— Juste au moment où je commençais à bien me débrouiller, ils ont grandi. Kate est revenue à la maison, mais elle vient de passer trois ans en chambre universitaire. Je déteste cette période. Je suis obligée de les regarder vivre leurs vies et faire toutes les folies que font les enfants, comme abandonner leurs études. Ils me manquent vraiment.

— J'imagine bien, après toutes ces années à veiller sur eux. Est-ce pour cette raison que vous ne vous êtes pas mariée ?

— Probablement... Je ne sais pas... Je n'ai jamais vraiment eu le temps. J'étais trop occupée à respecter la promesse que j'avais faite à ma sœur, de prendre soin de ses enfants au cas où il lui arriverait malheur. J'ai tenu parole, et ç'a été merveilleux. Je ne l'ai jamais regretté, ils m'ont tant apporté.

L'échange avait été équitable : sa propre jeunesse contre la leur.

— Quelle histoire ! murmura-t-il, admiratif. Vous vous retrouvez à souffrir du syndrome du nid vide sans jamais avoir eu d'enfants à vous. Ce n'est pas juste. Mais j'imagine que cela a comblé votre désir de maternité, s'il existait. Avez-vous quand même encore envie d'avoir vos propres enfants ?

Annie éveillait sa curiosité : elle réservait bien des surprises et semblait satisfaite de sa vie. Elle n'avait rien de commun avec ces femmes désespérées qui ont l'impression d'avoir raté le coche et s'escriment à le rattraper. C'était une qualité que Tom appréciait. Annie ne recherchait ni un sauveur, ni un sauveteur. Elle avait l'air bien dans sa peau, en paix avec elle-même.

— Je ne sais pas, répondit-elle en haussant les épaules. Je n'ai jamais eu le loisir de me poser la question.

Ç'aurait été bien, mais ma vie a pris une autre direction. Et puis, j'ai quand même élevé trois enfants formidables, rappela-t-elle en souriant.

— Pas de relation sérieuse ?

— Pas depuis longtemps. Je n'ai pas eu le temps pour ça non plus.

Elle ne s'en excusait pas, ne semblait pas le regretter non plus.

— Waouh... J'ai l'impression de déjeuner avec Mère Teresa, plaisanta Tom.

Mais Annie était bien plus jolie...

— Non, je suis juste une femme bien occupée. Trois enfants et une carrière... Je ne sais pas comment font les autres pour gérer un mari en plus.

— Elles n'y arrivent pas. C'est pour ça que la plupart des mariages finissent en divorces. Apparemment, vous et moi sommes mariés à nos carrières, et, dans votre cas, aux enfants de votre sœur en plus.

— Cela résume bien les choses. Maintenant, je dois apprendre à les laisser partir, ce qui est beaucoup plus facile à dire qu'à faire.

Pour la première fois depuis seize ans, il en résultait que sa vie lui semblait vide.

— C'est ce que j'ai cru comprendre, répondit-il, fasciné.

Ils parlèrent ensuite du travail de Tom, de ses voyages, de ses années au Moyen-Orient, du genre d'architecture qu'ils aimaient tous les deux. Ils discutèrent également d'art et de politique, et le repas s'acheva sans qu'il y ait eu aucun blanc dans la conversation.

— Je commence à croire que j'ai bien fait de me casser le bras, dit-il avec un grand sourire. Autrement, je ne vous aurais jamais rencontrée.

C'était une façon plaisante de voir les choses. Annie se sentait flattée.

— Pensez-vous que nous pourrions recommencer ? l'interrogea-t-il, d'une voix teintée d'espoir.

Elle acquiesça, songeant qu'elle serait contente de l'avoir pour ami.

— Bien volontiers.

— Je vous appellerai, alors.

Annie ne se berçait pas d'illusions, même si Tom lui plaisait. Au fil des ans, beaucoup d'hommes lui avaient fait la même promesse sans jamais la tenir. Qui sait ? Tom avait peut-être une petite amie. Annie ne lui avait pas posé la question, et le fait qu'il soit divorcé ne signifiait pas forcément qu'il était libre. Elle ne s'attendait donc pas à recevoir de ses nouvelles, d'autant plus que Tom, du fait de sa célébrité, avait peut-être une vie plus remplie et plus compliquée qu'il ne voulait bien l'admettre, ainsi qu'Annie avait pu le constater chez beaucoup d'hommes. Ces vingt dernières années, elle avait connu un certain nombre de premiers rendez-vous qui n'avaient jamais eu de suite.

Après le déjeuner, Tom l'aida à monter dans un taxi qui la ramena au bureau. Ted l'appela dans l'après-midi pour l'informer qu'il avait discuté avec Kate et que celle-ci restait inflexible : bien résolue à travailler au salon de tatouage, elle ne retournerait pas à l'école avant le prochain semestre. Ted, très fâché contre elle, n'avait pas manqué de lui faire part de ses sentiments, mais Kate continuait à faire la sourde oreille. Sa décision était prise.

Deux jours plus tard, à son retour de Paris, Liz n'eut pas plus de succès avec sa petite sœur. Elle aurait aimé la voir plus longtemps, mais son travail l'en empêchait : elle devait se rendre trois jours plus tard à Los Angeles pour un reportage sur les bijoux des grandes stars d'autrefois – elle avait retrouvé une dizaine de pièces intéressantes, ainsi que leurs nouveaux propriétaires. Pendant son séjour en France, ses collègues avaient avancé la date de la séance photo en Californie, si bien qu'elle avait à peine le temps de poser ses valises avant de repartir. De son côté, Jean-Louis, après être resté quelques jours à Paris pour voir Damien, devait rentrer à New York le jour où Liz s'envolait pour Los Angeles. Il prévoyait d'être là au retour de Liz.

Liz raconta à Annie qu'ils avaient vécu de merveilleux moments ensemble à Paris et que le fils de Jean-Louis était adorable, un amour.

Elle avait le cœur serré en pensant à Damien, qu'on allait envoyer vivre chez sa grand-mère. Certes, elle comprenait l'avantage qu'y trouvaient ses parents, mais elle doutait sérieusement que cet arrangement soit idéal pour lui. Elle préférait néanmoins ne pas faire part de son scepticisme à Jean-Louis – après tout, elle n'était pas la mère. A la place de Françoise, Liz ne se serait jamais séparée de Damien ; voilà pourquoi elle ne voulait pas encore d'enfants. Elle n'avait pas de temps à leur consacrer, et elle était suffisamment intelligente pour s'en rendre compte.

Lorsqu'elle passa voir Annie à l'appartement avant de prendre son vol pour Los Angeles, Liz eut de la peine en la voyant avec ses béquilles. Pourtant sa tante s'en sortait mieux qu'au début, mais sa cheville lui faisait encore mal, elle était fatiguée et s'inquiétait pour Kate. Liz promit d'essayer de discuter à nouveau avec sa sœur dès son retour.

Ce week-end-là, Paul aida Katie à déménager ses affaires du campus, puis ils partirent voir un film avec des amis. La présence régulière du jeune homme préoccupait Annie. Si sympathique soit-il, elle s'alarmait du tour sérieux que prenait leur relation.

Ils avaient tous des vies bien remplies. Annie était plongée dans ses dossiers, Katie partageait son temps entre son travail et Paul, Ted jouait à l'homme-mystère, voire l'homme invisible, et Liz se trouvait encore en Californie. Le dimanche, Annie décida de profiter un peu de la vie en allant à un marché de producteurs qu'elle aimait bien, au Tompkins Square Park, dans East Village. On y vendait des fruits et légumes frais, des confitures maison et des conserves. Malgré sa cheville blessée, elle parvint à prendre un sac dans chaque main en même temps que ses béquilles. Alors qu'elle se renseignait sur les gelées de fruit confectionnée par une mennonite à bonnet de dentelle, elle eut la surprise, en levant les yeux, de voir Ted de l'autre côté de l'étal.

Il était en compagnie d'une femme chargée d'un gros panier qu'elle emplissait de victuailles, tandis que deux enfants s'accrochaient aux basques de Ted comme s'il était leur père. En les observant, Annie comprit qu'il ne s'agissait pas de simples connaissances, et que son neveu entretenait une relation très intime avec cette inconnue bien plus vieille que lui : au grand jour, Pattie faisait plus que ses trente-six ans.

Comme Annie le dévisageait, leurs regards se croisèrent ; elle crut que Ted allait éclater en sanglots. Coincé, il n'eut pas d'autre choix que de lui présenter Pattie et ses deux enfants. Annie dut bien admettre, choquée, que son neveu sortait avec une femme à peine plus jeune qu'elle, qui paraissait pourtant plus âgée et moins bien conservée.

Elle salua poliment Pattie et sourit aux enfants, sans faire aucune réflexion à Ted. De toute évidence, il s'agissait là du secret qu'il lui avait caché, et il n'avait pas l'air d'en être fier – il semblait plutôt redouter sa réaction. Avant de s'éloigner sur ses béquilles, avec ses sacs accrochés aux poignets, elle lui sourit tendrement, l'embrassa et lui demanda simplement de l'appeler dans la semaine. Ted savait exactement ce que cela signifiait : Annie attendait des explications. Il se doutait bien qu'elle n'avait pas l'intention de fermer les yeux sur cette histoire.

Après le départ de sa tante, il se tourna vers Pattie, qui l'observait tristement. Ted avait pâli.

— Tu as l'air terrorisé. Elle ne peut rien te faire, Ted. Tu n'es plus un gosse.

Pattie se sentait mal à l'aise. Malgré son affabilité, Annie n'avait pu dissimuler complètement sa stupéfaction, ni sa désapprobation.

— Pour elle, si, je le suis encore, répondit Ted nerveusement.

— Tu ne lui dois aucune explication. Elle n'est pas ta mère, et même si elle l'était, tu es un grand garçon. Dis-lui simplement qu'on s'aime et que c'est ta décision.

Pattie se montrait de nouveau pressante. Ted n'avait rien choisi, il s'était seulement laissé tomber dans un lit de plumes, moelleux et confortable. Sauf qu'il ne savait pas combien de temps il avait envie d'y rester, ni quel sens donner à tout cela. Pattie lançait des assertions qui l'arrangeaient, elle, mais Ted, lui, n'était sûr de rien, hormis qu'il aimait bien être en sa compagnie. Il se faisait l'effet d'un gamin, ce qu'il était d'ailleurs aux yeux de sa tante. Quoi qu'il en soit, il ne laisserait plus personne lui dicter sa conduite, pas plus Pattie qu'Annie.

En toute honnêteté, il ne pouvait dire qu'une chose à sa tante : qu'il fréquentait Pattie depuis Thanksgiving. Pour le reste, il ne savait pas à quoi s'en tenir. Que cette réponse effraie Annie ou la rassure, il n'était pas disposé à déclarer qu'il avait choisi cette situation, ainsi que Pattie le lui demandait. C'est elle qui avait fait ce choix, lui pas encore. Pour le moment, il prenait du bon temps.

Ted resta très silencieux sur le chemin du retour. Une fois dans l'appartement, il posa le panier rempli de fruits et de légumes sur la table de la cuisine. Pattie n'aimait pas son expression. Visiblement contrarié, il n'avait pas prononcé un mot depuis qu'ils avaient rencontré sa tante.

— Et si elle n'est pas d'accord, Ted ? lui demanda-t-elle à brûle-pourpoint. Et si elle te dit de me laisser tomber ?

Ils savaient tous deux qu'elle parlait d'Annie.

— Elle ne ferait pas une chose pareille, c'est une personne raisonnable et elle m'aime. Mais je ne suis pas sûr qu'elle comprendra. Sortir avec quelqu'un de trente-six ans quand on en a vingt-quatre, c'est difficile à expliquer.

Ted faisait preuve de réalisme. Ses colocataires, qui avaient vu Pattie, le traitaient de fou. Il avait beau trouver sa vie sexuelle fabuleuse, cette situation n'était pas facile avec les deux enfants.

— C'est très simple à expliquer, le corrigea Pattie. On s'aime. Les gens n'ont pas besoin d'autre explication, y compris ta tante.

— Peut-être que j'ai besoin d'une autre explication, moi, rétorqua soudain Ted avec plus de véhémence qu'il ne l'aurait souhaité.

Il ne supportait pas qu'elle tente de lui forcer la main.

— J'aimerais savoir comment ça pourrait marcher entre nous, et en quoi ce serait une bonne idée, reprit-il. Je n'ai pas fini mes études et tu as deux enfants. Nous en sommes à des étapes différentes de nos vies. Parfois, c'est un peu difficile de combler le fossé.

Il tenait toujours à se montrer honnête avec elle, que cela lui plaise ou non ; mais elle faisait la sourde oreille, accrochée à sa propre version de l'histoire. Pour elle, il s'agissait d'amour avec un grand A. Pour Ted, c'était une super aventure sexuelle, et pas forcément autre chose.

— Mais non, ce n'est pas difficile, répliqua-t-elle, paniquée.

— Tu es plus vieille que moi, insista-t-il. Peut-être que tu gères ça mieux que moi. Pour être franc, parfois, ça me fait peur.

— Mais de quoi tu as peur ? se plaignit-elle.

— Qu'on se retrouve dos au mur sans pouvoir s'échapper si on en a envie.

— C'est ça que tu veux ? dit-elle, soudain agressive.

173

Elle chuchotait de peur que les enfants ne l'entendent, mais ils se trouvaient dans l'autre pièce, devant la télévision.

— Tu veux me quitter, Ted ? continua-t-elle, une lueur mauvaise dans le regard. Laisse-moi t'expliquer une chose. J'ai attendu toute ma vie de trouver un homme comme toi, et je ne te laisserai pas me déposséder de ce qui est à nous. Si tu me quittes, je me suicide. C'est clair ? Je préfère mourir plutôt que vivre sans toi. Et si je meurs, ce sera ta faute.

Ses paroles le transpercèrent. Il ferma les yeux et se détourna, tentant de les effacer de sa mémoire.

— Pattie, arrête... dit-il d'une voix rauque.

— Je le ferai, mets-toi bien ça dans le crâne.

Plus qu'une supplication, c'était une menace, la promesse qu'elle détruirait la vie de Ted, la sienne et celle de ses enfants s'il la quittait. Ils sortaient ensemble depuis six semaines et elle le tenait déjà sous son emprise. Pire, elle le menaçait de s'en prendre à sa propre vie, une vie qu'il se devait de respecter s'il éprouvait un tant soit peu de sentiments pour elle. Il ne pouvait pas lui faire l'amour jour après jour, nuit après nuit, et la quitter comme ça. Qui savait si elle se suiciderait vraiment ? Mieux valait ne pas jouer avec le feu. Ted tremblait quand elle sortit de la cuisine pour aller retrouver ses enfants au salon. Pattie lui avait adressé un message encore plus fort que le respect qu'il ressentait pour sa tante. Elle venait de remporter une nouvelle manche.

A son retour du marché, Annie pensait encore à Ted et à Pattie. D'où sortait cette femme, que représentait-elle pour son neveu ? S'il avait l'air très impliqué, ce n'était pas de l'amour qu'Annie avait vu dans son regard, mais de la terreur. Elle voulait comprendre pourquoi, et savoir ce qu'il comptait faire. Décidément, ces derniers temps, les enfants avaient le chic pour se fourrer dans des situations difficiles et dangereuses ! Aucun moyen de les arrêter, ni même de les aider : elle ne pouvait que les regarder prendre des risques. Ainsi que Whitney l'avait dit, ils finiraient par apprendre de leurs erreurs. Annie clopina jusqu'au salon et s'assit sur le canapé. Elle n'avait personne à qui confier ses inquiétudes. Il ne lui restait plus qu'à espérer qu'ils finiraient par faire les bons choix, que tout rentrerait dans l'ordre. Jamais elle ne s'était sentie aussi triste, ni aussi inutile.

14

Cette fois-ci, Annie n'eut pas besoin d'appeler Ted : il lui téléphona le lendemain matin pour l'inviter à déjeuner le jour même. Il avait dormi chez Pattie, les enfants étant chez leur père, mais n'avait pas pu joindre sa tante, et pour cause : Pattie avait réitéré sa menace de suicide, puis lui avait fait l'amour comme jamais. Leurs rapports sexuels, meilleurs de jour en jour, devenaient tellement intenses, tellement désespérés, que Ted s'en effrayait parfois. Le sexe était l'arme de Pattie pour le garder auprès d'elle. Une véritable drogue, pour Ted. Mais le chantage auquel elle s'était livrée la veille lui avait fait l'effet d'une piqûre de rappel. Visiblement, Pattie semblait prête à mettre sa menace à exécution, et il ne voulait pas avoir la responsabilité de son suicide.

Ted avait la mine sombre quand il rejoignit Annie au restaurant Bread, qu'elle avait choisi pour lui faire plaisir. En le voyant approcher, elle sentit son cœur se serrer. Sans qu'il ait besoin de parler, elle devinait que la situation le dépassait et qu'il en avait conscience, peu importe s'il le lui avouait ou non. Elle se faisait un sang d'encre pour lui.

Pendant quelques minutes, ils discutèrent de l'université et de la cheville d'Annie, pour rompre la glace. Puis elle décida d'aller droit au but :

— Quelles sont tes relations avec cette femme ? Qu'est-ce qu'elle attend de toi ? Elle doit approcher de la quarantaine, et tu n'es qu'un gamin.

Ted savait qu'elle lui poserait ces questions.

— Pattie a trente-six ans, c'est ma prof de droit des contrats. Un jour, j'ai eu une mauvaise note à une interro, et elle m'a proposé de venir chez elle pour combler mon retard. C'était juste après Thanksgiving. Avant d'avoir eu le temps de me rendre compte de ce qui m'arrivait, je me suis retrouvé dans son lit, et je n'en suis pas sorti depuis.

Ted se montrait aussi honnête que d'habitude. Pas une fois il n'avait prononcé le mot « amour ».

— Mais j'ai d'excellentes notes en droit des contrats, maintenant, ajouta-t-il avec un sourire triste.

Il omettait de préciser qu'il obtenait à peine la moyenne dans les autres matières, ne pouvant répondre à la fois aux exigences de Pattie et à celles de la fac de droit.

— C'est sérieux, votre relation ? Tu l'aimes ?

Annie l'observa attentivement. A ses yeux, il n'avait pas l'air amoureux. Préoccupé, plutôt.

— Je ne sais pas, répondit-il avec franchise.

C'est alors qu'il lui confia que Pattie avait menacé de se suicider s'il la quittait. Il n'avait pas prévu d'en parler à Annie, mais cette mise en garde l'avait sérieusement ébranlé, et il savait qu'il pouvait se fier aux conseils de sa tante, une femme réfléchie, qui avait toujours été là pour lui.

— C'est terrible qu'elle te dise ça. Elle ne peut pas te retenir par la peur et la culpabilité. C'est du chantage, pas de l'amour ! s'indigna Annie.

— Elle n'a pas envie de me perdre. Je crois qu'elle a déjà beaucoup souffert avec son divorce, expliqua Ted, qui tentait de se montrer compréhensif.

— Beaucoup de gens divorcent, Ted. Ce n'est pas pour ça qu'ils menacent leurs nouveaux partenaires de se suicider si ça ne marche pas. C'est malsain.

— Je sais.

Il avait l'air contrarié. Annie ne voulait pas l'enfoncer davantage en lui reprochant son manque de discernement, il semblait déjà suffisamment bouleversé, à juste titre.

— Comment puis-je t'aider ? demanda-t-elle calmement. Tu devrais peut-être prendre un peu de distance avant que la situation n'empire ou qu'elle ne devienne encore plus dépendante de toi. Est-ce que les enfants s'en rendent compte ?

Ted secoua la tête.

— Ce sont des gamins adorables, je les aime bien. Ils sont chez leur papa chaque fois que je passe la nuit chez elle. C'est un bon père. Pattie et lui ont choisi la garde alternée. J'ai vraiment envie d'être avec elle, Annie. J'aimerais juste que ce soit moins intense.

— Peut-être qu'elle ne sait pas se comporter autrement. Ce genre de personne m'inquiète. Essaie de t'éloigner un peu d'elle, pour ton bien. Dis-lui que tu en as besoin.

— Elle devient folle chaque fois que je le fais.

Annie ne savait pas quoi lui conseiller. Elle n'avait jamais eu affaire à quelqu'un d'aussi déséquilibré, et elle regrettait que Ted se soit autant impliqué dans cette relation. Elle avait le sentiment que Pattie l'avait manipulé en sachant très bien ce qu'elle faisait. Ted était naïf, et cette femme en avait tout à fait conscience.

Après avoir discuté de sa relation avec Pattie durant le déjeuner, Ted se sentait un peu mieux quand il regagna son appartement. Sa tante avait été de bon conseil. Il appela Pattie pour la prévenir qu'il dormirait chez lui ce soir-là, car il avait un exposé à rédiger : Annie lui avait donné le courage de prendre cette décision.

— Tu me trompes, c'est ça ? l'accusa Pattie au téléphone.

— Bien sûr que non, répliqua Ted, le cœur serré. J'ai des choses à faire, c'est tout.

— C'est ta tante, hein ? Qu'est-ce qu'elle a fait ? Elle t'a acheté pour que tu ne me voies plus ?

Pattie semblait désespérée, au bord de l'hystérie. En un rien de temps, elle avait pris possession de lui. Il était devenu son esclave volontaire et, face à ses menaces et ses accusations, il se sentait pris au piège.

— Ma tante ne ferait jamais une chose pareille, répondit-il calmement. C'est une femme formidable. Même si notre relation l'inquiète, elle respecte mes choix. Elle n'est pas folle, jamais elle ne me soudoierait.

— Tu sous-entends que moi, je suis folle ? s'écria Pattie, très remontée. Eh bien non, je ne le suis pas. Seulement folle de toi. Et je ne veux pas que quelqu'un vienne s'immiscer entre nous.

— Personne n'en a l'intention, arrête un peu, tu veux ? Je te verrai demain. On pourra emmener les enfants au parc.

— Ils sont chez leur père pour le week-end, dit-elle avec une note d'espoir dans la voix.

Ted savait parfaitement ce que cela signifiait. Deux jours d'acrobaties sexuelles dignes des jeux Olympiques. Cette perspective l'épuisa soudain. Pourtant, son corps réagit aussitôt. C'était comme si celui-ci le trahissait en la désirant plus que lui, comme si lui n'avait pas son mot à dire. Accro, son sexe obéissait aux ordres de Pattie.

— Je t'appellerai demain, promit-il.

Il resta allongé sur son lit, le regard rivé au plafond. Il n'avait aucune idée de ce qu'il allait faire, ni même de ce qu'il voulait faire. Il lui appartenait, à présent, il était possédé. Tout ce que sa tante lui avait dit au cours du déjeuner était sensé, mais ni elle ni lui ne pouvait prendre la moindre initiative. Pattie conduisait le bal.

Une semaine après leur premier rendez-vous, Tom Jefferson rappela Annie au travail. De passage dans le quartier pour une réunion, il voulait savoir si elle était tentée par un déjeuner improvisé. Elle accepta avec plaisir, et ils convinrent de se retrouver au Café Cluny, un des repaires favoris d'Annie. Tom l'attendait devant la porte, visiblement de bonne humeur. Il avait toujours son plâtre, et elle, ses béquilles, mais ils ne souffraient plus. Il lui expliqua qu'il travaillait sur un reportage important et qu'il se rendrait peut-être en Californie pour rencontrer le gouverneur. Elle aimait l'écouter raconter ses missions, ses souvenirs de guerre. Lorsqu'il évoqua son expérience au Moyen-Orient, elle lui confia que Kate sortait avec un Iranien dont elle était amoureuse.

Tom percevait de la tendresse dans son regard quand elle parlait de Katie. Il s'aperçut que les enfants ajoutaient à la vie d'Annie une dimension qui lui était étrangère, à lui qui n'en avait jamais eu. De toute évidence, elle les aimait ; il devinait également que ces jeunes gens avaient leurs vies bien à eux, ainsi que leurs opinions.

— Paul est quelqu'un de vraiment bien, expliquait-elle. Poli, gentil, intelligent, attentionné, respectueux, et il a de bonnes valeurs. C'est le gendre rêvé. Mais cela m'inquiète que Katie fréquente un garçon dont les origines et la culture sont si différentes des nôtres, même s'il est très intégré et s'il vit ici depuis ses quatorze ans. Leurs idées pourraient finir par diverger. Katie est une jeune femme très émancipée, elle a parfois des opinions assez extrêmes. Lui semble beaucoup plus classique et conservateur. Cela risque de poser problème à l'avenir, si avenir il y a. Car j'ai l'impression qu'ils tiennent vraiment l'un à l'autre.

— Qu'en pensent les parents de Paul ? s'enquit Tom judicieusement.

— Je ne sais pas, je ne les ai jamais rencontrés. Kate a un style très New Age, elle arbore une dizaine de piercings d'oreilles et deux ou trois tatouages. En ce moment, elle travaille d'ailleurs dans un salon de tatouage. Si les parents de Paul survivent à ça, c'est qu'ils sont plus progressistes que moi. J'ai failli faire une crise cardiaque quand elle m'a parlé de ce boulot. Elle considère ça comme un stage en art graphique.

Ted éclata de rire. Il imaginait parfaitement à quoi pouvait ressembler Katie.

— Leur relation est si sérieuse que ça ? Ils parlent déjà de se marier ?

Vu l'inquiétude d'Annie, la question pouvait se poser.

— Non, répondit-elle en souriant. Ils sont très jeunes. Katie a seulement vingt et un ans, et lui vingt-trois. Je crois que c'est leur première histoire d'amour à tous les deux. Ils sont assez naïfs. C'est difficile de les prendre vraiment au sérieux, mais ça ne m'empêche pas de m'inquiéter. J'imagine que ce serait pareil avec n'importe quel garçon, d'ailleurs, quelles que soient ses origines. Je n'ai pas envie de voir ma nièce souffrir, ni se retrouver dans une situation qu'elle regrettera plus tard et qui risque de mal se terminer pour eux deux.

— Pensez à Roméo et Juliette. Les enfants sont capables de folies quand ils sont jeunes. Mais si vous dites que Paul est quelqu'un de bien, je suis sûr qu'il n'y aura aucun problème. Votre nièce est sans doute plus raisonnable que vous ne le pensez.

Annie lui confia alors ses inquiétudes à propos de Ted et de Pattie.

— Ces personnes-là peuvent s'avérer dangereuses, répondit Tom avec sérieux. Cette femme m'a tout l'air d'une névrosée.

Annie en était arrivée à la même conclusion. Elle n'avait pas cessé d'y réfléchir depuis qu'elle avait surpris Ted et Pattie ensemble et que son neveu lui avait fait part de ses craintes.

— Ils vous tiennent bien occupée, n'est-ce pas ? observa Tom, après qu'elle lui eut aussi parlé de Liz, bourreau de travail et incapable de s'engager affectivement.

— Quand ils étaient enfants, ils me prenaient plus de temps, avec les matchs de baseball, de football, et les cours de danse. Mais à présent, je m'inquiète davantage pour eux. Les enjeux sont tellement plus importants, et les risques tellement plus grands. Ils n'ont pas toujours conscience des dangers qui les menacent, ajouta-t-elle, soucieuse. Plus ils vieillissent, plus je me sens impuissante.

— Oui, mais c'est leur vie, pas la vôtre, lui rappela Tom gentiment.

— C'est facile à dire, mais ce n'est pas évident à vivre, répliqua Annie avec mélancolie.

— Peut-être que si vous pensiez un peu plus à vous, ils deviendraient plus indépendants, suggéra Tom avec douceur. Vous ne pourrez pas toujours être là pour eux aux dépens de votre vie personnelle. Seize ans, c'est long.

Annie en convenait, mais elle n'imaginait pas encore se détacher d'eux. La question que Tom lui posa ensuite ne manqua pas de la surprendre :

— Pensez-vous qu'il y ait de la place dans votre existence pour un homme, Annie ? Si j'ai bien compris, voilà longtemps que vous n'avez pas eu de vie privée. Vous pensez peut-être que vous ne le méritez pas. Il me semble que vous avez tenu votre promesse vis-à-vis de votre sœur. Vous ne pouvez pas vous sacrifier éternellement pour ses enfants.

Annie acquiesça. Il avait raison, mais elle ne savait pas comment ni quand cesser de se dévouer pour eux.

— Oui, je pense qu'il y a de la place pour un homme, répondit-elle simplement. Mais ça fait tellement longtemps que je n'ai pas essayé de vivre pour moi...

Pour être honnête, elle n'en avait pas ressenti le désir. Les enfants l'avaient comblée sur le plan affectif, tout en requérant tout son temps, toute son énergie, tous ses soins.

Tom était fasciné, tant par Annie que par ce qu'elle avait accompli. Il devinait pourtant que le chemin pour la conquérir serait semé d'obstacles, même si à ses yeux elle en valait la peine.

— Voulez-vous dîner avec moi la semaine prochaine ? lui demanda-t-il.

— Venez plutôt dimanche soir pour rencontrer les enfants. Nous pourrons nous voir entre adultes à un autre moment.

Elle avait envie de lui présenter sa famille, de lui donner un aperçu de son quotidien. L'idée plaisait à Tom, ainsi que celle de l'emmener dîner en tête à tête. Ils avaient le temps pour tout.

— Je vous appellerai dimanche pour voir ce que vous avez prévu, promit-il, et elle lui sourit.

Ils bavardèrent ensuite à bâtons rompus jusqu'à la fin du repas. Tom s'engagea à la prévenir s'il partait en Californie. Il voyageait encore beaucoup, même s'il se rendait moins à l'étranger que par le passé.

Annie avait trouvé ce déjeuner très agréable et, une fois au bureau, elle se réjouit d'avoir Tom à dîner le dimanche suivant. De retour chez elle, elle demanda à Katie d'être présente pour l'occasion et lui suggéra d'inviter Paul : elle souhaitait que Tom fasse sa connaissance. Puis elle laissa un message à Ted le conviant le même soir, sans lui parler de Tom ni mentionner Pattie. Elle espérait que Liz pourrait venir, elle aussi. Normalement, son séjour à Los Angeles devait être de courte durée, mais sa nièce n'avait pas précisé de date de retour ni donné de nouvelles depuis son départ, sans doute trop occupée pour appeler. Annie avait hâte de leur présenter Tom.

Avant de s'endormir, elle songea à la question qu'il lui avait posée : y avait-il de la place dans sa vie pour un homme ? Elle appréciait Tom, elle aimait discuter avec lui – ils ne manquaient jamais de sujets de conversation. Mais, en vérité, après toutes ces années à vivre

« comme une nonne » selon l'expression de Katie, avait-elle vraiment du temps à consacrer à un homme ? En avait-elle vraiment encore envie ? Cela faisait si longtemps ! Et la vie était tellement plus simple ainsi... A quarante-deux ans, faire le choix de rester seule ou prendre le risque d'aimer à nouveau n'avait rien d'évident. Tom avait beau être très séduisant, Annie ne savait pas ce qu'elle voulait. Pourtant, elle n'était pas certaine non plus d'avoir envie de tourner définitivement la page, de renoncer une fois pour toutes aux relations amoureuses. Une porte s'était entrouverte, il ne lui restait plus qu'à l'ouvrir en grand ou à la refermer doucement.

Le séjour de Liz en Californie se déroula à merveille. Elle rencontra des gens intéressants et admira des bijoux magnifiques qui avaient appartenu à des stars à l'origine et trouvé une seconde vie auprès de nouveaux propriétaires. Il n'y eut pas le moindre pépin, si bien qu'après deux jours de séances photo et d'interviews à domicile elle fut en mesure de repartir par le vol de nuit, n'ayant aucun bijou à rendre à des fournisseurs. Elle n'eut pas le temps d'appeler Jean-Louis et courut attraper le dernier avion à destination de New York, tout excitée à l'idée de rentrer avec quarante-huit heures d'avance. A peine remise du décalage horaire avec Paris, elle espérait bien pouvoir souffler quelques jours une fois chez elle. Son séjour en France avait été éreintant, celui à Los Angeles amusant, mais très chargé. Elle s'endormit avant même le décollage.

Lorsqu'elle se réveilla, l'avion atterrissait. N'ayant qu'un bagage à main, elle put sortir très vite de l'aéroport JFK et sauter dans un taxi. Elle donna son adresse au chauffeur, changea d'avis et lui indiqua celle du loft de Jean-Louis. Elle n'avait pas l'intention de l'appeler à six heures du matin, mais vu qu'elle savait où il cachait sa clé, elle pensait entrer discrètement et se glisser dans son lit, comme elle l'avait fait de nombreuses fois ces derniers mois en rentrant de voyage. A six heures trente, le taxi la déposa en bas de l'immeuble. Liz attrapa la clé derrière l'extincteur du couloir et se faufila dans l'appartement plongé dans le noir. Lorsqu'il avait emménagé, Jean-Louis avait fait installer des volets à la française, expliquant qu'ainsi il se reposait mieux. Liz le comprenait : quand elle restait la nuit chez lui, il lui arrivait de ne pas se réveiller avant quatorze heures, pour peu qu'elle soit particulièrement fatiguée, qu'elle souffre du décalage horaire ou rentre juste d'un déplacement. L'obscurité complète lui permettait de dormir longtemps, profondément.

Comme elle connaissait parfaitement la disposition des lieux, le rai de lumière provenant de la salle de bains lui suffit à repérer le lit. Elle se déshabilla, s'allongea à côté de Jean-Louis et l'enlaça tendrement. C'est alors qu'un cri déchira le silence. Liz s'assit brusquement : cette voix n'était pas celle de Jean-Louis... Ce dernier s'était redressé lui aussi, s'empressant d'allumer la lumière, et leurs regards se croisèrent. Baissant les yeux sur l'espace qui les séparait, Lizzie tomba nez à nez avec Françoise. Tous trois restèrent médusés. Comprenant qu'elle venait de se lover contre l'ex de Jean-Louis, Liz bondit hors du lit.

— Qu'est-ce que c'est que cette histoire ? Je croyais que vous étiez juste amis ! s'exclama-t-elle.

Choquée, elle en oublia de se rhabiller. Ils étaient nus tous les trois.

— On a fait un enfant ensemble, se défendit Jean-Louis avec sa désinvolture typiquement française.

L'intéressée regardait le plafond, immobile. Visiblement à l'aise dans ce lit, elle ne manifestait aucune intention d'en partir, malgré la discussion houleuse entre Liz et Jean-Louis. Elle se comportait comme si rien de tout cela ne la concernait.

— Je ne vois pas le rapport ! s'écria Liz. Qu'est-ce qu'elle fait là ?

Comme Françoise se redressait sur un coude pour observer la scène, Liz lui décocha un regard noir. Françoise n'eut même pas l'air gênée.

— Elle travaillait ici cette semaine. Elle est juste passée me dire bonjour, expliqua Jean-Louis d'une voix faible, n'ayant aucun moyen de se rattraper.

— J'ai l'impression que vous avez fait un peu plus que vous dire bonjour.

Liz ramassa ses vêtements, puis foudroya Jean-Louis du regard tandis qu'elle s'habillait.

— Tu m'avais dit que tu serais fidèle, espèce de salaud.

A cet instant, Françoise se leva et contourna Liz pour se rendre à la salle de bains.

— Je suis fidèle, répliqua Jean-Louis. Je t'aime. Entre Françoise et moi, c'est tout à fait platonique.

— C'est ça, à d'autres. Tu m'as trompée, c'est tout.

Les sous-vêtements qu'elle avait trouvés chez lui à Paris ne dataient pas de quatre ans, voilà qui semblait certain, à présent. Depuis combien de temps couchait-il avec Françoise, à supposer qu'il ait cessé un jour ? La mère de Damien avait l'air de se sentir chez elle ici – dans le loft comme dans le lit.

— Ne sois pas aussi puritaine, dit-il en s'extirpant des draps pour la rejoindre. Ce sont des choses qui arrivent. Ça n'a aucune importance.

Il tenta de lui passer un bras autour des épaules, mais elle se dégagea.

— Pour moi, si.

Comme elle avait été stupide de lui faire confiance ! Quelqu'un comme Jean-Louis ne pouvait pas être fidèle. Il l'avait sans doute trompée depuis le début de leur relation – sa notion de l'exclusivité n'avait rien à voir avec la sienne.

— J'aurais dû m'en douter, marmonna-t-elle.

186

De retour au salon, Françoise alluma une des gitanes de Jean-Louis. Elle se montrait impassible, tout à fait indifférente à la situation embarrassante que sa présence avait provoquée. Pourtant, elle aussi avait un petit ami... Ils s'avéraient aussi pitoyables l'un que l'autre.

Liz avait été assez bête pour croire que Jean-Louis sortirait du lot, alors que les hommes dotés d'un tel charme sont incapables de fidélité : ce n'est pas dans leurs gènes. Elle le savait, mais chaque fois elle essayait de se persuader que ce serait différent, et ça ne l'était jamais. Jean-Louis ne se distinguait pas des autres types qu'elle avait fréquentés, de véritables clones. Elle choisissait toujours des hommes volages et instables, qui répondaient parfaitement à sa propre phobie de l'engagement, avec rupture garantie. Liz avait trop souvent vécu ce genre de scène.

— Tu n'as donc aucun sens moral ? reprit-elle en le regardant avec dégoût. Je vaux mieux que ça, je ne suis pas stupide. Je me demande pourquoi je t'ai cru.

Liz savait que ce n'était pas de l'amour qu'elle éprouvait pour Jean-Louis, mais cela ne l'empêchait pas de s'être attachée à lui et, surtout, de lui avoir fait confiance. Dans son univers, elle ne rencontrait que ce genre d'homme – non pas qu'elle eût recherché autre chose, d'ailleurs. Le monde de la mode regorgeait de types qui restaient des gamins toute leur vie et ne respectaient jamais la règle du jeu. Ils ne pensaient qu'à s'amuser, et quelqu'un finissait toujours par en souffrir. Liz en avait assez. Quand elle eut fini de se rhabiller, elle regarda Jean-Louis avec mépris.

— Tu es un pauvre type, Jean-Louis, un moins que rien. Pire que ça, tu es un père minable. Tu trouves des excuses lamentables pour ne pas t'occuper de ton fils et le fourguer à quelqu'un d'autre. Damien mérite mieux que toi. Ne crois-tu pas qu'il faudrait vous réveiller et grandir un peu, Françoise et toi, au lieu de ne penser tout le temps qu'à vous ?

Avant de partir, elle leur lança un dernier regard chargé de réprobation. Jean-Louis ne pipa mot quand elle sortit en claquant la porte. Tandis qu'elle dévalait les escaliers, Liz s'aperçut avec stupéfaction qu'elle ne ressentait même pas de la tristesse, elle était soulagée. Elle en avait fini avec ce genre de type. Elle était devenue adulte, contrairement à lui qui ne grandirait jamais.

Elle héla un taxi en se jurant de ne plus jamais se contenter de ce genre de relation. Mieux valait rester seule plutôt que de perdre son temps. Tandis que la voiture traversait la ville, elle baissa la vitre et laissa l'air froid lui fouetter le visage. Enfin, elle se sentait libre. Elle n'était ni furieuse ni malheureuse. Seulement prête à tourner la page.

15

Plus tard dans la matinée, Liz appela sa tante pour lui raconter les derniers événements. Annie fut peinée en apprenant la nouvelle, mais ce n'était pas la première fois que cela arrivait. Sa nièce trouvait toujours une raison pour mettre un terme à ses histoires d'amour. Jusque-là, elle avait choisi de fréquenter des hommes du genre de Jean-Louis par peur de s'attacher, mais quelque chose en elle avait changé : sa voix était sérieuse lorsqu'elle expliqua qu'elle préférait rester seule plutôt que de renouveler l'expérience. Elle en avait assez des hommes immatures, narcissiques et malhonnêtes. Annie espérait qu'il ne s'agissait pas de paroles en l'air. Liz prendrait-elle un jour le risque de s'engager dans une vraie relation ? Sa réaction montrait clairement qu'elle n'avait pas été amoureuse de Jean-Louis.

Enveloppée dans son peignoir rose, Liz avait pris une douche en arrivant chez elle. Jean-Louis ne l'avait pas appelée et elle savait qu'il ne le ferait pas. Etrangement, elle s'en fichait. La coupe était pleine.

Après avoir bavardé une heure avec sa nièce, Annie se prépara un thé. Katie dormait encore. Liz avait promis de venir dîner : elle aimait les repas du dimanche soir en famille, et trouvait même qu'ils n'en organisaient pas assez souvent.

Quand Tom appela Annie dans l'après-midi, il revenait juste d'un match de football. La victoire des Jets l'avait mis d'excellente humeur.

— Ça tient toujours pour ce soir ? s'enquit-il avec décontraction. Je ne voudrais pas m'imposer.

— Vous ne vous imposez pas du tout. J'ai envie de vous présenter les enfants.

— L'idée me plaît aussi. Vous avez l'air fascinants, tous.

— Attendez d'avoir rencontré tout le monde, le prévint-elle. En fait, nous sommes assez normaux.

— J'ai du mal à y croire. A mes yeux, vous n'êtes pas du tout comme les autres.

— Si c'est un compliment, merci.

Pour elle aussi, Tom se distinguait du commun des mortels. Intéressant, intelligent, il était ouvert d'esprit, et tout sauf ennuyeux. Sa carrière et sa vie étaient passionnantes. Il n'était pas imbu de lui-même et savait poser les bonnes questions. Leur relation n'avait pas encore dépassé le stade de l'amitié, mais c'était la première fois depuis des années qu'Annie rencontrait un homme qui lui semblait en valoir la peine. Et puis, elle le trouvait très séduisant, ce qui ne gâchait rien. Tom éprouvait les mêmes sentiments pour Annie, un oiseau rare parmi la volée de femmes insipides rencontrées depuis son divorce. Contrairement à la plupart des hommes de son âge, il n'avait aucune attirance pour les filles de vingt ans. Pourtant, en l'invitant à dîner, Annie ne pouvait s'empêcher de se demander s'il serait séduit par la belle Lizzie. Prenant la vie avec philosophie, elle était prête à s'en remettre au destin. Tom ne lui appartenait pas. On ne pouvait prendre une option sur les gens. Elle l'avait rencontré à l'hôpital par le plus grand des hasards, rien de plus.

Ce n'est qu'à dix-huit heures qu'Annie pensa à avertir les enfants de la venue de Tom. Elle avait préparé des spaghettis, des boulettes de viande et une grosse salade verte, et servirait des cookies et de la glace en dessert, exactement comme elle le faisait le dimanche soir quand son neveu et ses nièces étaient petits.

Assise sur le canapé avec Katie, Liz tentait de convaincre sa sœur de quitter le salon de tatouage et de reprendre ses études, tandis que Paul feuilletait un magazine. Liz invoquait les mêmes arguments qu'il avait déjà employés sans succès, persuadé lui-même que Kate devrait retourner à l'école de dessin. Lorsque Annie annonça, sur le ton de la conversation, qu'elle avait invité un homme à dîner, toutes les têtes se tournèrent, y compris celle de Paul.

— C'est qui ? demanda Liz, stupéfaite.

— Quelqu'un que j'ai rencontré récemment, répondit Annie en toute simplicité, tandis qu'elle s'installait au salon avec eux.

— Tu veux dire lors d'un rendez-vous arrangé ? insista Liz.

— Non. Il s'est cassé le bras le jour où je me suis fait une entorse. On a passé quatre heures dans la salle d'attente des urgences, et on est allés déjeuner une ou deux fois ensemble. Il n'y a pas de quoi en faire une histoire.

Annie aurait pris le même ton si elle leur avait annoncé qu'elle préférait cuisiner des hamburgers à la place des boulettes de viande. Depuis qu'elle avait rencontré Tom, elle ne cessait de se répéter qu'il ne fallait pas accorder trop d'importance à cette relation.

— Attends une seconde, fit Liz, qui la regardait comme si une météorite venait d'atterrir dans le salon. Tu as déjeuné deux fois avec ce type, tu es restée quatre heures avec lui aux urgences, et tu ne nous as rien dit ?

— Pourquoi vous l'aurais-je dit ? On ne sort pas ensemble. Il m'a proposé d'aller dîner, mais j'ai préféré l'inviter à la maison. J'avais envie qu'il fasse votre connaissance.

191

— Annie, tu n'as pas eu de petits amis depuis l'âge de pierre, et tu nous annonces que cette rencontre n'a aucune importance ?

— Mais c'est vrai. Nous sommes juste amis, répliqua Annie avec désinvolture.

— C'est qui ? demanda Kate, aussi étonnée que sa sœur.

— Il travaille pour la télévision, il est divorcé et il n'a pas d'enfants. Il est plutôt sympathique. Rien d'extraordinaire.

— Mais si, c'est extraordinaire ! s'exclamèrent Liz et Katie en chœur.

Paul commençait lui aussi à s'intéresser à la discussion ; ils parlaient tous avec animation lorsque Ted arriva. Celui-ci avait annoncé à Pattie qu'il dînait chez Annie, et l'avait quittée malgré ses protestations. Pas question qu'elle le sépare de sa tante et de ses sœurs. Même s'il savait qu'il le payerait plus tard, il tenait à passer une soirée en famille. Il essayait de suivre le conseil d'Annie en prenant un peu de distance avec Pattie, à qui cela ne plaisait pas du tout.

— Qu'est-ce qui vous passionne autant ? demanda-t-il en les rejoignant, après avoir posé son manteau sur la chaise de l'entrée.

Il n'avait pas suivi le fil de la conversation, mais tous semblaient bien excités.

— Annie a invité un homme à dîner ce soir. Elle l'a rencontré le jour où elle s'est fait une entorse à la cheville, et elle a déjeuné deux fois avec lui, résuma Liz d'un trait.

— Intéressant, dit Ted avec un grand sourire.

Il échangea un regard avec Paul. Pour eux, il s'agissait d'une discussion de filles.

— C'est sérieux, entre vous ? demanda-t-il à Annie.

Celle-ci secoua la tête.

— Je le connais à peine. Je ne l'ai vu que trois fois dans ma vie. Et puis, il s'intéressera certainement plus à Liz, même s'il est trop vieux pour elle.

En prononçant ces mots, Annie s'efforça de ne pas regarder Ted. Elle n'avait pas voulu lui lancer une pique, même si elle pensait vraiment ce qu'elle venait de dire. Ses nièces s'inquiétaient tout autant qu'elle au sujet de la copine de leur frère. Selon Liz, celle-ci était complètement folle. Kate, elle, pensait que cela valait le coup de sortir avec une prof pour obtenir une bonne note dans sa matière. Annie n'adhérait pas du tout à cette façon d'envisager les choses.

— Il a quel âge ? s'enquit Ted.

— Il est un peu plus vieux que moi. Il a quarante-cinq ans.

— Je te donnerai mon feu vert quand je l'aurai rencontré, plaisanta Ted.

Malgré leurs questions et leurs taquineries, tous étaient bien contents pour elle. Ils ne se souvenaient pas de la dernière fois où Annie avait ramené un homme à la maison – à supposer que cela fût arrivé un jour... Mais Annie semblait voir en l'invité plus un ami qu'un amoureux potentiel. Avant qu'ils aient pu continuer à en discuter, l'intéressé sonna à la porte. Avec son jean, son pull-over et ses santiags, il avait l'air décontracté et souriant lorsque Annie le présenta à tout le monde. Elle nota que les filles l'examinaient de la tête aux pieds tandis qu'il échangeait quelques mots avec Ted sur le match auquel il avait assisté dans l'après-midi. Les Jets avaient marqué trois essais à la suite pendant le premier quart-temps, ce qui relevait du miracle, à leurs yeux. Paul se joignit à la conversation, bien qu'il soit moins passionné de football que Ted. Dans la cuisine, Liz et Katie confièrent à Annie qu'elles trouvaient Tom très séduisant et qu'elles avaient l'impression de l'avoir déjà vu.

— C'est le présentateur du journal du soir, expliqua sobrement Annie tout en vérifiant la cuisson des spaghettis avant de remuer la salade.

C'était un repas de famille et elle avait voulu faire simple : elle avait dressé la table dans la cuisine, juste assez grande pour les accueillir tous les six.

— Quoi ? s'exclama Liz, abasourdie par ce qu'elle venait d'entendre. C'est ce Tom Jefferson-là ? Tu as touché le jackpot. Il est super.

— Je n'en sais rien, et toi non plus. Je viens juste de le rencontrer. Allons, à table, à présent !

A la fin du dîner, tout le monde se sentait aussi à l'aise qu'entre amis de longue date. Tom avait discuté un grand moment avec Paul de la beauté de l'Iran, qu'il connaissait bien mieux que lui – le jeune homme n'y était pas retourné depuis ses quatorze ans. Puis il avait causé football et études de droit avec Ted, avant d'entamer une conversation animée avec Liz sur la mode. Il avait aussi posé de nombreuses questions à Katie sur les tatouages, cherchant notamment à savoir pourquoi elle considérait cette pratique comme une expression artistique. Finalement, c'est avec Annie qu'il avait échangé le moins, mais il resta avec elle dans la cuisine pour l'aider à débarrasser la table pendant que les enfants passaient au salon.

— Ils sont vraiment super, dit-il avec chaleur. Vous avez fait du bon boulot.

— Non, ils ont toujours été ainsi. J'ai juste essayé de leur apprendre à être fidèles à eux-mêmes.

— Vous avez réussi. Et, vous savez, Kate a employé de sacrés bons arguments pour tenter de me convaincre que le tatouage est un art véritable.

Annie leva les yeux au ciel, et il se mit à rire. Elle cessa un instant de remplir le lave-vaisselle pour se tourner vers lui, un sourire reconnaissant aux lèvres.

— Merci d'être venu. Je suis très fière d'eux.

— Vous le pouvez, car c'est grâce à vous, la complimenta-t-il.

Ils finirent de ranger puis rejoignirent les jeunes. Pour la première fois depuis des années, ceux-ci insistèrent pour jouer aux charades. Tom se révéla très doué, et il était plus de onze heures quand il se leva pour leur dire au revoir. Tandis qu'Annie le raccompagnait à la porte, il la remercia de la soirée merveilleuse qu'il avait passée en leur compagnie, et lui rappela qu'elle lui avait promis un dîner en tête à tête.

— J'y compte bien, répondit-elle en riant.

Tom s'était parfaitement intégré dans le cercle familial. Annie ne savait pas encore s'il était pour elle plus qu'un ami, mais quoi qu'il en soit, tous étaient ravis de cette soirée, lui compris.

— Je vous appelle demain et nous fixerons un jour, conclut-il.

Puis il lui donna un léger baiser sur la joue avant de partir.

Lorsque Annie revint au salon sur ses béquilles, tout le monde riait et bavardait, et ils se tournèrent vers elle en souriant.

— En tant que chef de famille, je te donne mon accord, annonça Ted. Il est génial. Il sait tout ce qu'il y a à savoir sur le football.

— Et sur le Moyen-Orient, ajouta Paul.

— Il en connaît aussi un rayon sur la mode, renchérit Liz.

— Et il a tout pigé sur la dimension sociale du tatouage, intervint Kate, rayonnante.

— Je crois qu'il vous a tous eus au charme, répondit Annie. Mais je l'aime bien, moi aussi.

— Tu peux l'épouser quand tu veux, déclara Ted. Tu as ma permission.

— Du calme, c'est juste un ami, lui rappela Annie.

— Foutaises, Annie, tu le sais bien, répliqua Kate. Il te regarde comme s'il voulait t'embrasser.

— Mais non. C'est qu'il vous aime bien, tous.

— On l'aime bien aussi, admit Lizzie.

La soirée avait été tellement agréable qu'elle en avait oublié l'affreuse scène du matin avec Françoise et Jean-

Louis. La soirée avait été simple, saine et spontanée, du début à la fin. Ils avaient tous beaucoup ri.

Après le départ de Tom, Ted ressortit leur vieux Monopoly et les quatre jeunes gens y jouèrent jusqu'à deux heures du matin. Annie alla se coucher longtemps avant la fin de la partie, heureuse que la soirée se soit révélée un tel succès. Paul avait trouvé sa place. Annie l'aimait bien. Et elle aimait bien Tom aussi. Elle ne savait pas comment la situation évoluerait entre eux, mais elle avait le sentiment qu'ils pourraient au moins être amis.

Après le Monopoly, Paul et Ted quittèrent l'appartement et les deux sœurs se retrouvèrent dans la chambre de Kate, à bavarder jusqu'à près de trois heures. Liz lui raconta sa rupture. Sans être bouleversée, elle admettait qu'elle était déçue, par Jean-Louis qui l'avait trompée et lui avait menti, mais aussi d'elle-même, qui avait une fois de plus choisi un tocard. Elle se jurait de ne plus recommencer. Kate espérait, pour son bien, qu'elle tiendrait parole.

En partant de chez Annie, Ted et Paul prirent le même taxi et Paul déposa Ted chez lui. Il était trop tard pour appeler Pattie – de toute façon, Ted n'avait pas envie de finir la nuit chez elle. Il venait de passer une soirée formidable en famille, et l'idée de dormir chez lui, dans son lit, pour une fois, ne lui déplaisait pas. Lorsque Pattie lui téléphona le lendemain matin, Ted dormait profondément. Il mit quelques instants à recouvrer ses esprits.

— Où étais-tu hier soir ? s'enquit-elle d'un ton blessé, désespéré. Je me suis inquiétée toute la nuit.

— J'étais avec ma tante, mes sœurs et le copain de Kate. On a joué aux charades et au Monopoly jusque tard dans la nuit, répondit-il d'une voix ensommeillée.

— Tu aurais pu m'appeler.

— Je ne voulais pas te réveiller.

Il se garda de préciser qu'il s'était bien amusé et qu'il n'avait pas ressenti le désir de lui parler.

— J'ai besoin de te voir tout de suite, dit-elle d'un ton calme.

— Quelque chose ne va pas ?

Comme elle ne voulait pas en discuter par téléphone, il lui promit de la rejoindre dans une heure environ, une fois qu'il serait habillé. Comme il n'y avait pas d'urgence apparente, il prit même le petit déjeuner avec un de ses colocataires avant de partir. Lorsqu'il arriva chez Pattie deux heures plus tard, elle était pâle et tendue. Elle avait un air souffrant.

— Qu'est-ce qu'il y a ? lui demanda-t-il.

Il s'attendait à ce qu'elle lui en fasse voir de toutes les couleurs à cause de la soirée de la veille : elle avait une dent contre sa tante et ses sœurs et détestait le savoir avec elles. Mais ce qu'elle lui annonça lui fit l'effet d'un coup de poing à l'estomac.

— Je suis enceinte.

Pendant un moment, il la dévisagea, muet de stupeur. Il ne savait pas quoi dire. C'était la première fois qu'il devait faire face à une telle situation.

— Oh, mon Dieu, répondit-il dans un souffle.

Il s'apprêtait à lui demander comment cela avait pu arriver, mais il le savait très bien. Alors qu'il tenait toujours à utiliser un préservatif, Pattie l'en empêchait parfois, arguant que cela l'irritait et que c'était tellement plus agréable sans. Quel idiot !

— Merde, Pattie, qu'est-ce qu'on va faire ?

Il savait très bien ce qu'il fallait faire, malgré son manque d'expérience en la matière. Ted avait toujours été prudent ; son ex-petite amie, une jeune fille très responsable, prenait la pilule. Dès le début de leur relation, Pattie l'avait prévenu qu'elle n'utilisait aucun moyen de contraception, et Ted avait bêtement espéré qu'à son âge elle ne tomberait pas enceinte aussi facilement. Visiblement, il s'était trompé.

— Comment ça, qu'est-ce qu'on va faire ? On va le garder, bien sûr. Je ne vais pas avorter à mon âge. Tu plaisantes ? On n'aura peut-être pas d'autre chance. Et puis c'est notre bébé, la chair de notre chair, le fruit de notre amour, ajouta Pattie, comme si c'était une évidence et qu'elle attende de lui qu'il soit d'accord.

— Non, répliqua-t-il avec colère. C'est le fruit de notre stupidité et de notre négligence. Je n'ai pas fait attention, et toi non plus. Et ne me parle pas d'amour, Pattie, alors qu'il ne s'agit que de sexe.

— Tu sous-entends que tu ne m'aimes pas ? s'écriat-elle en s'agrippant à lui, les larmes aux yeux. Comment peux-tu me dire une chose pareille alors que je porte notre enfant ?

— Et la pilule du lendemain ?

Un de ses colocataires lui en avait parlé, sa petite amie l'avait utilisée plusieurs fois avec succès. Il fallait simplement la prendre dans les soixante-douze heures suivant un rapport non protégé.

— Tu es enceinte de combien ?

— J'ai trois semaines de retard.

Elle en était donc à sa cinquième semaine de grossesse.

— Pourquoi tu ne m'as rien dit avant ?

Il commençait à penser qu'elle l'avait fait exprès, et il se sentait pris au piège.

— Je croyais que ça te ferait plaisir, Ted, réponditelle en sanglotant. Un jour ou l'autre, on aurait eu un bébé, de toute façon. Quelle différence ça fait qu'on l'ait maintenant ?

— Qu'est-ce que tu racontes ? Je suis étudiant. Je n'ai pas de travail, pas d'argent. Je vis avec ce qui me reste d'une assurance que mes parents avaient souscrite, et il n'y a presque plus rien dessus. Ma tante est obligée de m'aider. Comment veux-tu que je subvienne aux besoins d'un enfant, ou même que je m'occupe de lui ? Je ne gagnerai pas ma vie correctement avant plusieurs années, et tu arrives à peine à t'en sortir avec les gamins que tu as déjà. A quoi va ressembler notre vie avec un bébé ? Que vont penser tes enfants ? Je ne peux pas à la fois terminer mes études et entretenir une femme et un gosse. Et on n'est même pas mariés. C'est un accident, Pattie, une erreur. Ce n'est pas un bébé, c'est une catastrophe, une tragédie pour nous deux. Et ça le serait aussi pour l'enfant. Il faut vraiment que tu avortes ou que tu le fasses adopter, conclut-il, le visage à quelques centimètres du sien. Nous n'avons pas le choix !

— C'est hors de question ! se défendit-elle. On peut se marier. Tu peux trouver un boulot. Je n'abandonnerai pas notre bébé, et je te préviens, si tu essaies de m'y obliger, je me tue avec lui !

— Arrête de me menacer ! rugit-il avec toute la force de sa colère et de sa frustration.

Pattie était en train de détruire sa vie. A cause d'une erreur stupide, tout ce pour quoi il s'était battu, tout ce qu'il avait construit, allait être démoli. Ce n'était pas juste.

— Je vais l'avoir, ce bébé, dit-elle froidement, contrôlant de nouveau la situation. Tu peux faire ce que tu veux, je garderai cet enfant.

Il acquiesça. Il avait compris le message.

— J'ai besoin de réfléchir, répondit-il tout aussi froidement.

Il partit en claquant la porte, dévala les escaliers et sortit dans l'air glacial.

En haut, dans l'appartement, Pattie s'assit sur le canapé, un sourire aux lèvres.

16

Les jours suivants, personne n'eut de nouvelles de Ted. Il n'appela pas Pattie et ne se rendit pas chez elle, de même qu'il laissa les appels et messages sans réponse. Il oublia de remercier sa tante pour le dîner, ce qui ne lui ressemblait pas. Annie s'inquiétait. Elle savait qu'il vivait une relation compliquée avec une femme instable – et encore, elle n'était pas au courant pour la grossesse. Néanmoins, elle préférait attendre qu'il se manifeste, pour qu'il ne se sente pas harcelé. Finalement, après trois jours de silence complet, Ted téléphona à sa sœur. Au son de sa voix, Liz comprit qu'il était mal en point et que cela devait être grave.

— Je peux te voir à midi ? lui demanda-t-il d'une voix rauque.

Il était resté trois jours terré chez lui, à boire plus que de raison.

— Bien sûr, répondit Lizzie sans hésiter.

Il passa la chercher au bureau et ils allèrent dans un bar à salades du quartier. Liz grignota du bout des lèvres sa laitue sans sauce tandis que Ted, incapable d'avaler quoi que ce soit, lui annonçait que Pattie était enceinte et qu'il ne savait pas que faire.

— Elle ne veut ni avorter ni le donner pour adoption. Elle dit que si je fais autre chose que la féliciter, elle se tuera avec le bébé. Je ne veux pas de cet enfant, Lizzie. Je ne suis moi-même encore qu'un gosse. En tout cas, c'est l'impression que j'ai. Je ne suis pas assez vieux pour être père. Quel abruti j'ai été !

Sa sœur eut un sourire sans joie.

— On peut le dire, oui. Tu ne penses pas pouvoir la raisonner ?

Il secoua la tête, l'air maussade.

— Avant de tomber enceinte elle menaçait déjà de se suicider si je la quittais. Maintenant, elle dit qu'elle tuera aussi le bébé.

— Elle a vraiment besoin de se faire soigner. C'est du chantage, Teddy, et pas autre chose. Tu ne peux pas l'obliger à avorter, et j'imagine que tu devras l'aider financièrement pour subvenir aux besoins de l'enfant. Mais elle ne peut pas te forcer à rester avec elle et à jouer un rôle dans cette grossesse si tu n'en as pas envie.

— Je ne me vois pas la laisser tomber comme ça. C'est aussi mon enfant. Si elle veut le garder, il faudra que j'en assume les conséquences avec elle.

— C'est injuste pour toi, s'indigna Liz, scandalisée par ce que cette femme imposait à son frère.

— J'ai une responsabilité envers elle et aussi envers le bébé, que cela me plaise ou non.

— Est-ce que tu l'aimes ?

Liz l'observa avec attention, curieuse de connaître sa réponse.

— Je ne sais pas. Elle me rend fou. Dès qu'elle s'approche de moi, je ne réponds plus de rien. Elle me fait l'effet d'une drogue, mais je doute qu'on puisse appeler ça de l'amour.

— C'est plutôt de la dépendance sexuelle. Elle a sans doute agi sciemment pour te mettre le grappin dessus.

— Eh bien, j'en paye le prix, maintenant. Et quel prix ! Un enfant, c'est pour la vie. Je ne peux pas la laisser se suicider, Liz.

— Je ne pense pas qu'elle ira jusque-là. Généralement, les gens qui profèrent ce genre de menace ne passent pas à l'acte. Elle veut juste que tu restes avec elle.

— Je n'ai pas le choix.

Son frère avait l'air tellement innocent, et tellement triste...

— Qu'est-ce que tu vas dire à Annie ?

— Pour l'instant, rien. Elle serait furieuse.

— Peut-être pas. Elle sait garder la tête froide dans les moments de crise. Et puis, elle finira bien par l'apprendre. Un enfant, ça ne se cache pas longtemps.

— Je serai obligé d'abandonner la fac à la fin du semestre.

Liz sentit son cœur se serrer. Elle savait l'importance que son frère accordait à ses études, et tous le travail qu'il avait accompli. C'était son rêve qui s'écroulait.

— Ne prends pas de décision pour l'instant. On ne sait jamais, elle peut faire une fausse couche. Il y a plus de risques à son âge.

— Je prie pour avoir cette chance.

Ted se sentait coupable d'espérer un tel événement, mais il ne voulait pas d'enfant tout de suite. Il en était certain.

— Je ne lui ai pas parlé depuis qu'elle m'a annoncé la nouvelle, confia-t-il.

— Elle sait qu'elle te tient à la gorge.

Pattie avait employé une méthode vieille comme le monde pour piéger Ted. Liz la détestait. Elle aurait voulu aider son frère, mais personne ne pouvait rien faire pour l'instant, à part le soutenir moralement. Le reste dépendait de Pattie... et de Dieu.

Ce soir-là, Ted appela Pattie pour la première fois depuis trois jours. Elle pleura pendant toute la durée de leur conversation, à tel point qu'il s'en voulut terriblement. Alors qu'il tentait de la consoler par téléphone, elle l'implora de venir la voir, et il s'y sentit obligé. Arrivé chez elle, il la trouva plus calme et très câline ; elle le supplia de s'allonger avec elle, prétendant qu'elle avait simplement besoin qu'il la tienne dans ses bras. Mais, une fois au lit, elle se mit à le caresser. Ted ne voulait pas aller plus loin, vu le tourbillon d'émotions qui l'habitait. Néanmoins, à force de le toucher et de se serrer contre lui, elle parvint à triompher de ses objections. Leur étreinte fut tendre, douce, passionnée ; à la fin, Pattie resta lovée contre lui et se mit à parler de leur bébé. Ted avait envie de pleurer.

Comme d'habitude, ils firent l'amour une deuxième fois. En repartant le lendemain, Ted se sentait vaincu. Pattie et le bébé avaient gagné. Avant qu'il s'en aille – c'était la reprise des cours –, elle lui demanda s'il voulait l'épouser. Il lui répondit non. Elle rétorqua que ce n'était pas honnête vis-à-vis du bébé. Pattie était une femme respectable, ses deux autres enfants étaient nés dans les liens du mariage. Ted ne put que lui promettre d'y réfléchir. Il craignait qu'elle ne le menace encore de se suicider, et il ne se sentait pas le courage de le supporter. Sur le chemin de l'université, tête basse, il était incapable de mettre de l'ordre dans ses idées. Il aurait voulu que la foudre s'abatte sur lui et l'anéantisse, les choses auraient été tellement plus simples... Car avoir un enfant était vraiment la dernière de ses envies. Tout au long de la journée, Pattie ne cessa de l'appeler entre les cours, cherchant à être rassurée. Pour Ted, c'était comme si on lui avait arraché le cœur et volé sa vie. Il travaillait sur son ordinateur à la bibliothèque quand il reçut un mail de Pattie ; il lui promit d'être chez elle à l'heure du dîner.

A la fin de la semaine, Annie n'avait toujours pas eu de nouvelles de Ted, ni de Tom Jefferson. Celui-ci lui avait pourtant promis de l'appeler pour l'inviter à dîner, mais il ne s'était pas manifesté depuis leur soirée du dimanche précédent. Peut-être avait-il eu peur... Quoi qu'il en soit, son silence en disait long, et elle n'avait pas l'intention de lui courir après.

Une autre semaine s'écoula avant qu'il lui téléphone, de Hongkong ; il se confondit en excuses pour n'avoir pu reprendre contact plus tôt.

— Je suis vraiment désolé. Je ne disposais d'aucun moyen de communication. J'ai passé dix jours sur un reportage dans une province du sud de la Chine, et je viens d'arriver à Hongkong. On m'a fait courir partout pour pas grand-chose.

Annie était tellement soulagée de l'entendre qu'elle fut exubérante.

— J'ai cru qu'on vous avait fait fuir !

— Ne dites pas de bêtises ! Le producteur m'a envoyé ici le lendemain de notre soirée, je n'ai même pas eu le temps de vous prévenir. Ma vie est parfois un peu chaotique.

Et cela lui avait coûté son mariage. Son ex-femme aurait voulu un mari à plein temps à la maison, rôle qu'il ne pouvait pas jouer. Il souhaitait qu'Annie en soit consciente dès le début, avant même d'entamer une quelconque relation avec elle.

— Ne vous en faites pas, répondit Annie, j'ai moi aussi un rythme un peu fou par moments, même si je ne me retrouve pas en Chine ou à Hongkong. Quand rentrez-vous ?

— Avec un peu de chance, demain ou après-demain. Que diriez-vous d'un dîner samedi soir ?

— Ce serait avec grand plaisir.

Elle lui confia alors qu'elle n'avait pas eu de nouvelles de Ted depuis leur soirée tous ensemble et qu'elle se faisait du souci.

— Il a peut-être des problèmes de cœur.

— Vous avez sûrement raison. En plus, je crois qu'il vient de reprendre les cours. Je m'inquiète juste au sujet de la femme qu'il fréquente.

Annie trouvait un certain réconfort à partager ses préoccupations avec Tom.

— Vous ne pouvez rien y faire, lui rappela-t-il. Il doit se débrouiller seul.

— Je sais bien, mais il est tellement innocent. Je n'ai pas confiance en cette femme. Elle a presque mon âge.

— Ça lui fera une bonne leçon, rétorqua Tom calmement.

— S'il s'en sort.

— Il s'en sortira, comme tout le monde. On paie le prix de nos erreurs, parfois chèrement, et on en tire les leçons. Quand j'ai épousé ma femme, je savais qu'elle n'était pas faite pour moi. Pourtant, je me suis marié quand même, et tout est allé de mal en pis. Au moins, vous avez échappé à ça.

— J'ai commis mon lot d'erreurs, moi aussi, admit Annie.

Vivre comme une nonne en faisait peut-être partie. Néanmoins, elle aurait été incapable de gérer une relation amoureuse en plus de tout le reste. Elever trois enfants à son âge lui avait amplement suffi, et, à présent, sa vie monacale lui convenait parfaitement.

— J'ai l'impression que vous vous êtes bien débrouillée, observa Tom. Avec les enfants, vous formez une famille fantastique. Votre sœur serait fière de vous.

Annie sentit les larmes lui monter aux yeux.

Il lui parla ensuite de la Chine et du reportage qu'il assurait là-bas : on l'avait envoyé interviewer le nouveau Premier ministre au sujet de sa politique étrangère et d'une délégation commerciale qu'il entendait mettre en place. Annie se rendit compte soudain que Tom menait une vie aux premières loges des événements mondiaux. De son côté, elle bataillait pour faire respecter les délais aux entrepreneurs, et elle déplaçait les murs pour contenter ses clients. Certes, elle évoluait dans un univers bien plus réduit que le sien, mais cela ne l'empêchait pas d'aimer son métier, qui lui avait apporté de grandes satisfactions au fil des ans. Secrètement, elle avait toujours espéré que Kate s'intéresserait, elle aussi, à l'architecture. Plus tard, elles auraient pu s'associer. Mais les talents artistiques de sa nièce avaient suivi d'autres voies.

Tom lui promit de la rappeler dès son retour à New York. D'ici là, il choisirait le restaurant et réserverait une table. Annie aimait la façon dont il prenait les choses en main et s'occupait de la logistique. C'était nouveau pour elle, et très appréciable, de ne pas avoir à se charger de tout.

Après son coup de fil, Annie se sentit de bien meilleure humeur. Elle réussit enfin à joindre Ted, qui lui expliqua qu'il était très pris par ses cours. Il n'avait pas l'air en forme, et elle ne le crut pas quand il prétendit que tout allait bien. Lorsqu'elle appela Liz pour chercher à en savoir plus, sa nièce affirma n'être au courant de rien. Liz n'aimait pas mentir à sa tante, mais elle partait du principe que c'était à Ted de lui annoncer la grossesse de Pattie. Seulement, il n'en avait pas le courage. Il se disait qu'il avait le temps, vu que Pattie était enceinte d'à peine plus d'un mois – le bébé devait naître en septembre. Pour l'instant, il n'avait surtout pas envie d'y penser. Pattie parlait de plus en plus de mariage. Ted ne s'était jamais senti aussi malheureux, sauf quand il avait perdu ses parents.

Liz, qui l'appelait tous les jours pour prendre de ses nouvelles, n'aimait pas du tout le ton de sa voix. Son frère lui avoua qu'il était désespéré, qu'il se sentait pris au piège. Sa vie avait été détruite par le fœtus qui grandissait dans le ventre de Pattie, ou le serait à l'instant où celui-ci viendrait au monde. Le processus était en route. Pattie, elle, était aux anges. Elle allait avoir un bébé avec lui, et Ted lui appartiendrait pour la vie. Elle n'arrêtait pas de le remercier de la rendre si heureuse, et elle voulait coucher constamment avec lui. Ted n'appelait plus cela faire l'amour. Leurs rapports étaient devenus très mécaniques, et Pattie obtenait toujours ce qu'elle voulait, tant il craignait de la contrarier. Alors qu'il se montrait doux avec elle de peur de blesser le bébé, elle lui assurait qu'il n'y avait aucun risque. Ted commençait à regretter de l'avoir rencontrée, il broyait du noir et buvait beaucoup. A plusieurs reprises, il confia à sa sœur qu'il avait envie de mourir. Si Liz ne croyait pas Pattie capable de se suicider, elle se faisait du souci en revanche pour Ted. Elle n'avait encore rien dit à Annie, mais elle en venait à penser qu'il le faudrait peut-être. Si l'état de Ted ne s'améliorait pas bientôt, elle n'aurait pas le choix.

Quelques jours plus tard, Liz prit peur lorsque Annie l'appela et lui annonça très sérieusement qu'elle avait besoin de ses conseils. Allait-elle lui parler de Ted ? Mais Liz ne put s'empêcher de sourire quand Annie lui avoua que Tom l'avait invitée à dîner et qu'elle ne savait pas quelle tenue mettre. Sa tante semblait aussi nerveuse qu'une jeune fille. C'était tellement mignon !

Elles discutèrent du genre de restaurant dans lequel Tom était susceptible de l'emmener, et de l'impression qu'Annie souhaitait donner. Cette dernière expliqua à sa nièce que tous ses vêtements convenaient parfaitement pour des rendez-vous professionnels, mais qu'elle ne possédait rien de sexy qui puisse plaire à un homme.

— Sexy comment ? s'enquit Liz, très pragmatique. Décolleté plongeant ? Jupe courte ?

Annie se mit à rire.

— Je n'ai pas dit que je voulais me faire embarquer par la police. Je veux juste être séduisante pour ce rendez-vous en tête à tête.

— OK. Un joli chemisier à ruchés, Chanel, peut-être. Une jupe courte, mais décente. Une belle veste de fourrure. Je peux t'en prêter une. Les cheveux détachés qui encadrent ton visage. Rien de dur, que de la douceur, de la féminité, du joli.

Ce soir-là, Liz lui apporta six sacs remplis de vêtements, parmi lesquels Annie opta pour un magnifique
corsage en organdi et une jupe noire en dentelles, tous
deux à la fois élégants et sexy. Comme les talons lui
étaient encore interdits à cause des béquilles, Liz avait
envoyé son assistante chercher une paire de ballerines
en satin ornées de boucles en strass. Pour parfaire le
tout, elle lui prêta une veste courte en vison noir, qui
avait toujours fait l'admiration d'Annie. Elle était fin
prête !

Quand Tom passa la prendre le samedi soir, Annie
était ravissante. Katie l'avait aidée à s'habiller et à se
maquiller, et lui avait conseillé, elle aussi, de laisser ses
cheveux détachés. En ouvrant la porte, Annie était aussi
excitée qu'une lycéenne avant le bal de fin d'année.
Tom portait un pantalon et une veste noire en cachemire, ainsi qu'une très belle chemise blanche à col
ouvert, taillée sur mesure. Il se dit fatigué par le décalage
horaire, mais cela ne se voyait pas. Il ne manqua pas
de complimenter Annie sur sa tenue et son allure, qu'il
trouvait très séduisante.

— Où sont les enfants ? demanda-t-il en jetant un
coup d'œil autour de lui.

L'appartement semblait désert et silencieux.

— Je suis seule. Katie et Paul sont au cinéma, Lizzie
est partie en week-end et Ted a beaucoup de travail.
Je n'ai presque plus de nouvelles de lui, je ne sais pas
ce qui se passe. J'espère qu'il va bien et qu'il prend un
peu ses distances avec cette femme.

— Il trouvera une solution, la rassura Tom.

Ils prirent un taxi jusqu'au restaurant, un endroit très
sélect dans les quartiers chics, où, visiblement, Tom faisait figure d'habitué. Au moins six personnes s'arrêtèrent à leur table, et il fit chaque fois les présentations.
Quant au maître d'hôtel, il se mit en quatre pour leur
faire plaisir. C'était amusant de sortir avec Tom :

comme son visage apparaissait tous les soirs aux informations, il était connu de tous, respecté, et très admiré.

Au cours du dîner, elle lui parla des maisons qu'elle était en train de rénover, et Tom lui raconta son voyage en Chine. Pour la première fois depuis longtemps, Annie ne pensa pas aux enfants ; ce moment leur appartenait vraiment, à Tom et à elle. Quand il la raccompagna, elle lui proposa d'entrer prendre un verre. Tout en étouffant un bâillement, Tom lui expliqua avec une lueur de regret dans le regard qu'il avait passé une merveilleuse soirée, mais qu'il ne s'était pas encore recalé sur l'heure de New York et qu'il craignait de s'endormir.

— En revanche, j'aimerais vous revoir bientôt.

Annie en avait très envie, elle aussi.

— J'ai beaucoup aimé cette soirée, confia-t-elle.

— Moi aussi, répondit-il en souriant, avant de l'embrasser sur la joue. Je vous appellerai la semaine prochaine, sauf si on m'envoie encore à l'autre bout du monde.

Il avait évoqué un déplacement à Londres dans les semaines à venir. Une vie passionnante.

Tom attendit qu'elle ait refermé la porte pour partir. Dans le salon, elle trouva Paul et Katie installés sur le canapé devant un DVD, affichant des airs de conspirateurs. Que pouvaient-ils bien manigancer ? Peut-être avaient-ils fait l'amour dans la chambre de sa nièce pendant son absence ? Katie ne lui avait jamais parlé d'inviter Paul à dormir : celui-ci, très discret, disait que cela le gênait, et ils craignaient tous deux la réaction d'Annie. Jusque-là, ses neveux n'avaient jamais ramené personne pour la nuit.

Annie flottait encore sur son petit nuage lorsqu'elle se retira dans sa chambre et ôta soigneusement ses vêtements, qui avaient eu un franc succès. Ce look était complètement nouveau pour elle. Liz avait promis de lui trouver d'autres tenues pour ses futurs rendez-vous avec Tom.

Le lendemain, Annie souriait encore en lisant le journal du dimanche ; elle pensait toujours à Tom lorsque Katie fit son apparition. Sa nièce s'affaira dans la cuisine quelques instants avant de s'asseoir à table en face d'elle.

— J'ai quelque chose à te dire, annonça-t-elle calmement.

Annie la dévisagea, bouche bée.

— Ne me dis pas que tu es enceinte...

— Non, ce n'est pas ça, répondit Kate en secouant la tête.

— Dieu merci.

Annie était soulagée. Elle ne se voyait pas encore grand-tante.

— Je vais faire un voyage avec Paul. Ça fait un moment qu'on en parle.

Le ton de Katie était ferme. On sentait qu'elle était prête à en découdre.

Annie ne voyait aucune objection à ce qu'ils partent en vacances ensemble. Après tout, ils étaient suffisamment adultes.

— Où voulez-vous aller ?

— A Téhéran, répondit Katie en la regardant droit dans les yeux.

Il y eut un grand silence.

— Tu n'iras pas, décréta Annie.

— Si, j'irai.

— Hors de question. Je ne le permettrai pas. C'est trop dangereux et trop loin. Ce n'est même pas la peine d'y penser. Ça ne me dérange pas que tu voyages avec Paul, mais pas dans un pays où tu risques d'avoir des ennuis.

— Notre décision est prise. On sera logés chez son oncle et sa tante. Je me suis renseignée pour le visa, je peux en obtenir un dans quelques semaines et j'ai déjà fait les démarches. Je paierai mon billet d'avion avec l'argent que je gagne au salon de tatouage.

Ils avaient déjà tout prévu, tout organisé. Annie n'en revenait pas que Katie lui présente ce voyage comme un fait accompli. Elle ne lui demandait même pas la permission !

— C'est une folie, insista-t-elle.

— Mais non, répliqua Katie avec obstination. Ça fait des années que Paul n'y est pas retourné. Ce sera aussi intéressant pour lui que pour moi.

— Ce n'est pas « intéressant » d'aller en vacances dans un pays où il ne fait pas bon être américain. C'est stupide. Absurde. Pourquoi ne pas choisir un lieu plus accessible, qui vous plairait à tous les deux ? suggéra Annie, désespérant de la convaincre.

— Paul me protégera, sa famille prendra soin de nous. Il veut revoir ses cousins et j'aimerais bien les rencontrer.

Annie la regarda en secouant la tête, avant de se cacher le visage dans les mains.

— Katie, c'est vraiment une très mauvaise idée.

— Non. On s'aime. J'ai envie de découvrir le pays où il est né et de rencontrer la famille qu'il a encore là-bas.

Katie se faisait une idée étrangement romantique de ce voyage dans le passé de Paul. Annie craignait que, par pure ignorance, sa nièce ne choque quelqu'un et ne s'attire des ennuis.

— Allez ailleurs. Partez en Europe, amusez-vous. Vous pouvez prendre un passe Inter-Rail et visiter tous les pays que vous voulez.

— Paul veut retourner chez lui, et j'ai envie de le suivre. On part seulement deux semaines.

— Non, vous n'irez pas là-bas ! tonna Annie, que l'obstination de sa nièce énervait au plus haut point.

Il ne s'agissait plus d'une de ses idées saugrenues telles qu'abandonner ses études – et Dieu sait combien c'était stupide. Là, c'était tout bonnement insensé. Comme d'habitude, Kate lui désobéissait, bien décidée à n'en faire qu'à sa tête, et convaincue d'avoir raison.

— Je suis majeure, j'ai le droit de faire ce que je veux ! riposta-t-elle.

La conversation tourna au concours de hurlements dans la cuisine, jusqu'à ce que Katie parte s'enfermer dans sa chambre en claquant la porte. Annie tremblait des pieds à la tête.

Lorsque Paul arriva un peu plus tard dans l'après-midi, elle tenta de lui faire changer d'avis à son tour. Mais il se montra aussi déterminé que Kate, et lui assura que tout irait bien. L'idée d'être hébergé chez son oncle le réjouissait ; selon Paul, celui-ci prendrait bien soin d'eux. Il ajouta que Téhéran était une ville moderne et que Katie ne courait aucun risque là-bas. Annie ne le croyait pas. Ce soir-là, elle appela Tom pour l'informer du projet de sa nièce et lui demander ce qu'il en pensait. Il hésita un moment avant de répondre.

— A votre place, je ne serais pas rassuré non plus, même si, théoriquement, tout devrait bien se passer. C'est un pays fascinant, une ville magnifique et une culture passionnante, mais pas pour deux gamins aussi naïfs et insouciants. Le simple fait qu'elle soit américaine et lui iranien pourrait poser problème, pour peu que cela déplaise à quelqu'un dans la rue. Je crois que c'est assez imprudent. Dites-leur de choisir un autre pays.

— C'est bien ce que j'ai fait, répondit Annie, dépitée. Mais Kate affirme qu'ils iront là-bas de toute façon, et que je ne pourrai rien faire pour les retenir.

— C'est vrai. Mais ça ne l'empêche pas d'écouter la voix du bon sens et l'avis des gens qui en savent plus qu'elle.

— Katie n'en fait qu'à sa tête. Elle se paye le voyage avec son argent et ils prévoient d'être logés chez l'oncle de Paul.

— J'espère que vous arriverez à la dissuader, murmura gentiment Tom, qui lui aussi se faisait du souci pour Kate. Cela dit, je suis sûr que tout ira bien.

— J'espère aussi la faire changer d'avis. Si elle part, je n'en dormirai pas la nuit.

C'était une chose de les laisser libres de décider et d'assumer leurs erreurs, mais là, le risque était trop élevé. S'ils commettaient le moindre impair, la moindre imprudence, tout pouvait arriver.

— Vous pourriez peut-être lui parler ? suggéra Annie en désespoir de cause.

— Je veux bien essayer, mais je ne suis pas sûr qu'elle m'écoute. Avez-vous appelé les parents de Paul ?

— Je prévoyais de le faire demain.

— Ce serait une bonne idée. Peut-être ne sont-ils pas d'accord, eux non plus. Voyager à Téhéran avec une jeune Américaine peut se révéler risqué aussi pour Paul. Qui sait, ensemble vous saurez peut-être les faire changer d'avis. Je parlerai à Katie, mais elle a l'air têtue.

Il ne la connaissait pas bien, mais le déduisait des propos d'Annie.

Le lendemain, Annie appela les parents de Paul. Sa mère montra aussi peu d'enthousiasme qu'elle pour le projet. Elle n'était pas convaincue qu'ils auraient une attitude sensée une fois sur place, et elle les trouvait trop jeunes pour voyager si loin ensemble. C'était la première fois que Paul partait en vacances avec une fille. Elle avait essayé de le dissuader, sans résultat. En outre, elle ne voyait pas d'un très bon œil que son fils soit responsable d'une jeune fille. Et si Katie était victime d'un accident ou qu'elle tombe malade ? Annie s'en inquiétait également, même si elle se rassurait en se disant que Paul avait de la famille sur place qui pourrait les aider.

La mère de Paul expliqua que son fils prévoyait, lui aussi, de financer son voyage par ses propres moyens. Elle confia également, avec le plus grand tact, qu'il ne lui semblait pas sage qu'une jeune Américaine visite la ville avec un Iranien, même s'ils se faisaient passer pour de simples amis. En Iran, Paul serait considéré comme un citoyen de ce pays : ni sa double appartenance, ni son passeport américain ne seraient reconnus là-bas. Clairement, elle ne voulait pas que Katie attire des ennuis à son fils. Annie trouvait plutôt réconfortant de constater qu'elles étaient sur la même longueur d'onde. Mais leur désapprobation maternelle n'avait aucune influence sur les jeunes gens : ceux-ci, bien décidés à partir, estimaient que leurs parents se faisaient du souci pour rien.

— Et votre mari ? s'enquit Annie. Ne peut-il pas lui interdire d'y aller ?

— Il l'a fait. Mais mon fils a envie de voir son oncle, sa tante et ses cousins, ainsi que son grand-père, qui a beaucoup vieilli. Je crois que nos enfants ne se rendent pas compte des problèmes qu'ils pourraient rencontrer là-bas.

Cette réponse n'avait rien de rassurant.

— Que pouvons-nous faire ? demanda Annie.

Ils n'avaient aucun pouvoir sur leurs enfants. Concrètement, Paul et Kate étaient majeurs. Mais Whitney avait beau dire, ce n'était pas facile de lâcher prise.

— J'imagine qu'il ne nous reste plus qu'à leur souhaiter bon voyage, répondit la mère de Paul en soupirant. Mon beau-frère et sa femme s'occuperont bien d'eux.

Visiblement résignée, elle avait perdu tout espoir de convaincre Paul, ainsi qu'Annie, Kate. Les deux jeunes gens n'écoutaient que leur cœur, sourds aux avis extérieurs. Ils contrôlaient leur propre destin et les familles n'avaient pas voix au chapitre : il n'y avait plus qu'à les laisser voler de leurs propres ailes, en espérant que tout irait bien. Quand elle raccrocha, Annie savait que ce voyage était inéluctable.

La semaine suivante, avant d'emmener Annie au restaurant, Tom tenta d'expliquer à Katie qu'elle prenait des risques en visitant Téhéran avec un Iranien. La jeune fille, toujours aussi déterminée, se contenta de répéter que tout irait bien. C'était gentil de s'inquiéter, mais Paul et elles avaient résolu de partir. Tom sentit qu'il n'y avait rien à ajouter : Kate avait pris sa décision et ne reviendrait pas en arrière – il comprenait qu'Annie soit contrariée. Paul, quant à lui, semblait idéaliser ce voyage en Iran, n'y voyant que le plaisir de faire découvrir à son amoureuse les lieux de son enfance, sans aucune idée des complications qui l'attendraient là-bas, avec une Américaine, qui plus est une jeune fille aussi moderne, aussi libérée et indépendante que Katie. Et quand bien même ils se présenteraient comme de simples amis.

Tom plaignit Annie, qui allait angoisser toute seule chez elle. Au cours du dîner, il essaya de la rassurer, mais cette histoire le tracassait lui aussi. Il n'enviait pas la bataille qu'Annie livrait en ce moment avec sa nièce. Sans compter qu'elle s'inquiétait également au sujet de Ted et de la femme plus âgée qu'il fréquentait. Dans ces moments-là, Tom se réjouissait de ne pas avoir d'enfants. L'idée d'avoir à gérer ce genre de situations l'effrayait, et il en admirait d'autant plus Annie, qui traitait son neveu et ses nièces avec finesse, amour, équité et respect. Ce qui n'empêchait pas Katie de refuser de l'écouter et de camper sur ses positions. A la place d'Annie, Tom aurait eu envie de l'étrangler.

— Ce ne serait pas une solution, répondit Annie en souriant. Mais je dois admettre que, parfois, l'idée me traverse l'esprit.

Malgré les soucis d'Annie, leur dîner se révéla aussi agréable que le premier. Ils rirent et bavardèrent, apprirent à mieux se connaître, et se découvrirent de nombreux centres d'intérêt communs. Sur bien des plans, Tom était une âme sœur. Ce soir-là, lorsqu'il la raccompagna chez elle, il lui donna un long et tendre baiser qui raviva en elle des émotions depuis longtemps oubliées – tel le baiser du prince charmant à la Belle

215

au bois dormant. Avec Tom, Annie se sentait heureuse, et de nouveau femme.

Un peu plus tard dans la semaine, il lui fit visiter le studio de télévision. C'était fascinant. On lui permit même d'assister en direct au journal télévisé qu'il présentait. Un autre jour, Annie l'emmena sur un de ses chantiers, lui expliqua les travaux en cours, lui montra les plans. Il fut très impressionné par la qualité de son travail et par son talent. Le week-end suivant, ils se concoctèrent un petit dîner chez Annie, profitant de l'absence de Katie. Cette fois-ci, ils s'embrassèrent comme de jeunes amoureux sur le canapé du salon. Malgré le désir grandissant qu'ils éprouvaient l'un pour l'autre, tous deux pensaient qu'il était encore trop tôt pour céder. Rien ne pressait. Ils partageaient la même envie de se connaître mieux et préféraient laisser à leurs sentiments le temps de mûrir avant de les cueillir. Si leur relation était destinée à évoluer dans ce sens, ils pouvaient attendre.

Une seule question inquiétait Tom : y avait-il de la place pour lui dans la vie d'Annie ? Elle était encore tellement occupée – et préoccupée – par son neveu et ses nièces ! Ces jours-ci, Katie n'arrangeait rien avec sa détermination acharnée à se rendre en Iran. Annie se faisait un sang d'encre. Tom et elle passaient au moins la moitié de leur temps ensemble à parler des enfants. De Katie, mais aussi de Ted, qu'elle ne voyait presque plus en ce moment. Tout portait à croire qu'il lui taisait quelque chose. Une fois de plus, il jouait à l'homme invisible.

L'appartement de Pattie était devenu le théâtre de disputes incessantes. Lorsqu'elle ne parlait pas du bébé, elle harcelait Ted pour qu'il l'épouse avant la naissance. Elle l'accusait de ne pas la trouver assez bien pour lui, ou lui reprochait d'avoir une tante et des sœurs castra-

trices. Elle était devenue violente et injurieuse. Elle le
cajolait, le suppliait, le séduisait, puis l'attaquait. Ted,
toujours aussi honnête, lui expliquait qu'il ne s'agissait
pas de savoir si elle était assez bien pour lui : il se sentait
simplement trop jeune.

— C'est trop tard pour se poser la question ! criait
Pattie. On va avoir un gamin !

A présent, ils se querellaient constamment. Et quand
ils ne se battaient pas, elle voulait faire l'amour. C'était
la seule forme de communication qu'elle connaissait.
Elle se servait des relations sexuelles comme récompense, comme punition, comme moyen de manipula-
tion, de corruption, de chantage affectif. Vaincu, usé,
Ted était sérieusement déprimé. Il se savait piégé : tôt
ou tard, il finirait par épouser Pattie – sans doute juste
avant la naissance du bébé. Mais il n'était pas pressé
de se passer la corde au cou.

Il n'avait toujours pas revu Annie, même s'il s'efforçait de l'appeler plus souvent pour éviter qu'elle ne
s'inquiète. Il craignait qu'elle devine à ses cernes
sombres et à ses kilos en moins que quelque chose
n'allait pas. Pattie le tenait éveillé toute la nuit, tantôt
pour le houspiller, tantôt pour lui faire l'amour, si bien
qu'il était exténué. Un vrai zombie. Il avait pris du
retard dans ses dissertations à rendre et n'atteignait
même pas la moyenne dans la majorité des matières,
sauf celle de Pattie, la seule où il obtenait encore de
bonnes notes. Mais cela lui importait peu de rater ses
examens. Pour subvenir aux besoins d'une femme et
d'un bébé, il serait bien obligé d'abandonner ses études.
Pattie était en train de gagner sur tous les fronts. Si
elle avait pour objectif de détruire la vie de Ted, autant
dire qu'elle s'y prenait très bien.

Sa grande bataille du moment, c'était de le convaincre
de l'épouser tout de suite – elle le harcelait tous les
soirs. Elle craignait qu'il finisse par changer d'avis s'ils
attendaient trop. De son côté, Ted repoussait la date

autant que possible : la naissance étant prévue pour septembre, il avait accepté de se marier en août, pas avant, ce qui lui valait de se faire traiter de salaud et de sadique. Pour couronner le tout, Pattie voulait qu'il annonce sa grossesse à sa tante. Elle visait la victoire totale. Ted essayait de tenir bon, mais elle disposait d'une arme puissante : le bébé.

Un soir qu'Annie dînait avec Tom au restaurant La Grenouille, son portable se mit à sonner. Elle avait oublié de l'éteindre. Constatant qu'il s'agissait de Ted, elle s'excusa auprès de Tom, se pencha vers son sac à main et prit l'appel, sous les regards désapprobateurs des autres clients. Elle avait tellement peu de nouvelles de son neveu ces derniers temps qu'elle préférait répondre, ne sachant pas quand il la rappellerait.

— Salut, mon grand, tout va bien ? Je suis au restaurant avec Tom, chuchota-t-elle, pratiquement cachée sous la table. Je peux te rappeler plus tard ?

En l'observant, Tom se demanda si elle lui réserverait le même accueil dans des circonstances similaires. Il savait à présent qu'elle ne reculerait devant rien pour les enfants.

— Euh... Je suis à l'hôpital, répondit Ted d'une voix hébétée.

Annie croisa le regard de Tom, les yeux emplis de terreur.

— Lequel ?

— L'hôpital universitaire... J'ai eu un petit problème avec Pattie.

Annie avait l'impression qu'il était à moitié endormi.

— Qu'est-ce qui t'est arrivé ?

— Elle m'a planté un couteau à steak dans la main. Mais ça va, ils viennent de me recoudre. Je peux venir à la maison ?

— Je viens te chercher tout de suite, répondit Annie avant de refermer son téléphone d'un coup sec.

Elle se redressa et regarda Tom, abasourdie.

— Cette cinglée lui a donné un coup de couteau dans la main. Mais il dit qu'il va bien.

— C'est complètement fou !

— C'est elle qui est complètement folle, rectifia Annie.

Tout aussi choqué qu'elle, Tom demanda aussitôt la note. Ils avaient à peine fini leur entrée, mais Annie, incapable d'avaler autre chose, fut soulagée que Tom veuille bien l'accompagner.

— Je n'ai pas eu tous les détails, mais ce qui est sûr, c'est qu'elle est vraiment malade, s'indigna-t-elle pendant le trajet en taxi.

Tom approuva.

— Je ne l'imaginais pas aussi atteinte. La prochaine fois, elle pourrait le tuer.

Lorsqu'ils arrivèrent à l'hôpital, Ted avait très mauvaise mine. Pâle comme la mort, il frissonnait et sa main disparaissait sous un énorme bandage. Selon le médecin, il avait perdu très peu de sang, mais sa blessure avait nécessité dix points de suture. Pattie avait failli lui sectionner un ligament et un nerf.

— Que s'est-il passé ? demanda Annie à son neveu pendant le retour.

Ted ne pouvait plus garder son secret. Il devait la vérité à sa tante.

— Pattie est enceinte et elle veut qu'on se marie. Je suis d'accord pour l'épouser en août, vu que le bébé est prévu pour septembre, mais elle ne veut pas attendre.

Annie l'écoutait, l'air sombre. Drôle de façon de débuter dans la vie conjugale, avec un enfant en route et une femme prête à le poignarder s'il ne lui obéissait pas...

— On se disputait à ce propos pendant le dîner et elle s'est énervée.

— Tu ne peux pas épouser quelqu'un comme ça, protesta Annie tout en lançant un regard entendu à Tom.

Celui-ci acquiesça. Il partageait entièrement ses inquiétudes. Visiblement, le jeune homme était déjà victime de maltraitance psychologique, et voilà que Pattie le blessait aussi physiquement, après s'en être prise à son cœur et à son esprit. Il y avait de quoi être effrayé.

— Elle dit qu'elle se suicidera si je ne l'épouse pas, répondit Ted d'un ton amer.

— Eh bien, qu'elle le fasse, répliqua durement Annie.

Tom paya le taxi, puis ils escortèrent Ted jusqu'à l'appartement. En état de choc, il s'allongea sur son ancien lit, où Annie posa une couverture sur lui. Même s'il y dormait rarement, elle avait gardé sa chambre intacte et prête à l'accueillir, considérant que lui et ses sœurs étaient ici chez eux.

— Pattie ne va pas se suicider, Ted, lui assura-t-elle. Elle essaie juste de prendre l'ascendant sur toi.

Et elle avait déjà réussi...

— Je suis perdu, murmura-t-il, le visage baigné de larmes. Je veux assumer mes responsabilités, mais jamais je n'ai voulu de cet enfant. Ce n'est pas le bon moment. Je n'ai pas envie non plus de me marier avec elle, néanmoins je n'ai pas le choix.

Tom se tenait dans l'embrasure de la porte, attristé par l'expression d'Annie et profondément désolé pour le jeune homme.

— Ton seul devoir, c'est de subvenir aux besoins du bébé, répondit doucement Annie, assise au bord du lit. Tu n'es pas obligé d'épouser Pattie.

— Je n'en ai pas envie. Elle me fait peur.

Il avait de bonnes raisons, vu l'épisode qui s'était produit plus tôt dans la soirée.

— Ecoute-moi bien, Ted, demanda Annie en le regardant droit dans les yeux. Pattie est malade. Elle te maltraite, et elle va te rendre responsable de ce qui est arrivé. C'est ce que font tous les auteurs de maltraitances. Elle va te dire que tu l'as mise en colère, que tes paroles l'ont terriblement blessée, et que c'est pour cela qu'elle t'a donné un coup de couteau. D'ici demain, ce sera elle la victime, et ce sera toi le méchant. Crois-moi, elle ne s'excusera même pas. Elle rejettera la faute sur toi, alors que tu n'y es pour rien. Tu l'as mise enceinte, ce qui était stupide et irréfléchi de ta part, mais ce n'est pas toi qui lui fais du mal. Elle va essayer à tout prix de te convaincre du contraire. Il faut que tu t'éloignes d'elle, cette femme est dangereuse.

L'énorme bandage sur la main de Ted illustrait parfaitement son propos. Il la remercia pour son soutien et lança un coup d'œil gêné à Tom. Après lui avoir rajouté une couverture, Annie baissa la lumière et le laissa se reposer. Dans la cuisine, elle proposa à Tom de préparer une omelette ou des sandwichs, vu qu'ils n'avaient pas eu le temps de terminer leur dîner. Tom déclina l'offre, avouant qu'il était trop remué pour avoir envie d'un repas. Ils se contentèrent donc d'une boule de glace, qu'ils dégustèrent en discutant des derniers événements. Annie était terrifiée par les folies que les enfants sont capables de commettre en se croyant adultes. Le voyage de Katie et de Paul à Téhéran, Ted et son enragée qui lui plantait un couteau dans la main... Annie doutait qu'on puisse faire pire, ou plus dangereux.

— Tu ne pourras pas toujours les protéger, lui rappela Tom.

Annie ne partageait pas cet avis.

— Peut-être pas, mais je dois au moins essayer.

— Ça ne les empêchera pas de faire ce qu'ils veulent. Regarde Katie. Quant à Ted, je suis prêt à parier qu'il retournera voir cette femme parce qu'il se sent coupable.

Annie en avait bien peur, elle aussi.

Ils bavardèrent encore un long moment, puis Tom se leva pour repartir. Après avoir embrassé Annie, il lui fit promettre de l'appeler en cas de besoin, et elle le remercia de son aide. Il avait l'air aussi bouleversé qu'elle.

Peu avant minuit, le téléphone portable de son neveu se mit à sonner. Annie entra dans sa chambre sur la pointe des pieds, pensant l'éteindre. Entre-temps, la sonnerie avait réveillé Ted, et elle comprit en quittant la pièce qu'il s'agissait de Pattie. Annie n'aimait pas écouter aux portes, mais elle crut deviner que la conversation se déroulait exactement comme elle l'avait prédit. Pattie accusait Ted de l'avoir poussée à bout et affirmait qu'il était seul responsable de cet incident. Annie entendit même son neveu s'excuser. Cette femme le menait vraiment par le bout du nez... Elle ne supportait sans doute pas que Ted ait appelé sa tante, et elle ne manquerait pas de le lui reprocher. Quand Annie l'embrassa pour lui souhaiter bonne nuit, Ted avait l'air harassé.

— Essaie de dormir, oublie un peu tout ça. Tu ne veux pas rester ici quelque temps ?

— Elle veut que je revienne, répondit-il d'une voix morne.

— On en reparlera demain. N'y pense plus ce soir.

Il acquiesça et ferma les yeux, soulagé d'être de retour à la maison. Ses paupières se rouvrirent un instant, et il la remercia encore. Annie l'embrassa sur le front avant d'éteindre la lumière et de quitter la chambre. La soirée avait été longue. Elle regrettait que Tom ait été mêlé à cette histoire, même s'il s'était montré extrêmement compréhensif pour l'incident et leur dîner écourté.

Le lendemain, Ted dormait encore lorsque Annie se leva – elle avait un rendez-vous en début de matinée – et Katie était dans sa chambre. Elle quitta l'appartement sans faire de bruit, après avoir laissé un mot à Ted lui demandant de l'appeler quand il serait réveillé et lui conseillant de se reposer à la maison toute la journée. Elle ne voulait surtout pas qu'il retourne chez Pattie. Qui sait ce qu'elle serait capable de lui faire, cette fois-ci ?

En arrivant dans la cuisine pour prendre son petit déjeuner, Kate eut la surprise de tomber sur Ted, le visage défait et la main bandée. Il souffrait terriblement depuis que les effets des antalgiques s'étaient dissipés.

— Qu'est-ce qui t'est arrivé ? s'inquiéta-t-elle. Tu t'es battu ?

Difficile à croire. Ted n'avait jamais été bagarreur, même petit. Peut-être s'était-il fait agresser.

— Oui, je me suis disputé avec Pattie, répondit-il en levant vers sa sœur des yeux éteints. Je l'ai contrariée et elle s'est emportée. Elle n'avait pas l'intention de me faire mal, mais je l'ai vraiment mise en boule. C'est ma faute.

Annie aurait frémi si elle avait été là pour entendre Ted, victime idéale aux mains de Pattie, et il ne s'en rendait même pas compte. Comme dans tous les cas de maltraitance, elle rejetait la faute sur lui, et elle avait réussi à l'en convaincre.

— Qu'est-il arrivé à ta main ? demanda Katie en s'asseyant.

Ted faisait peur à voir avec ses cernes presque noirs sous les yeux.

— Elle m'a donné un coup de couteau à steak. Je n'aurais pas dû l'énerver.

— Tu plaisantes ? s'exclama Katie, choquée. Les gens me font sans arrêt tourner en bourrique, ce n'est pas pour ça que je les agresse avec un couteau. Elle est tarée, ou quoi ?

— Elle est très émotive, expliqua Ted. Et je l'ai contrariée.

— Elle est folle, oui. Et dangereuse. A ta place, je ne resterais pas avec elle.

— On va avoir un bébé, annonça-t-il, tandis que sa sœur ouvrait de grands yeux. En septembre. Elle veut qu'on se marie.

— Ça ne m'étonne pas, marmonna Kate. J'espère que tu n'en as pas l'intention. Elle a douze ans de plus que toi.

— C'est un peu tard pour y penser maintenant, répliqua-t-il tristement.

A cet instant, il entendit son téléphone portable sonner et se précipita dans sa chambre.

Lorsqu'il reparut, il s'était habillé et peigné du mieux qu'il le pouvait avec sa main gauche. Il expliqua à Kate qu'il devait aller chez lui récupérer quelques affaires, mais elle savait qu'il mentait et qu'il irait directement chez Pattie. Elle aurait bien voulu l'en empêcher, mais comment ? Kate avait le sentiment que rien ne pouvait l'arrêter. Son frère ressemblait à un automate, un robot contrôlé à distance. Arrivé à la porte, il se retourna pour faire face à sa sœur qui l'observait.

— Si Annie appelle, dis-lui que je dors encore. Je reviens bientôt.

— Je dois partir bosser, lui répondit Katie d'une voix pleine de pitié. Sois prudent.

Il acquiesça, puis tourna les talons.

Chez Pattie, tout se passa parfaitement bien. Elle le serra dans ses bras, lui chantonna des berceuses. Elle s'occupa de lui comme d'un bébé et tint délicatement sa main blessée entre les siennes. Quand elle déclara qu'elle l'excusait pour tout ce qu'il avait fait la veille, il la remercia et fondit en larmes. Il pleurait encore lorsqu'elle se mit à le caresser, et il lui fit l'amour pour se faire pardonner. Ce jour-là, il manqua tous ses cours et ne retourna pas chez Annie. Pattie avait une nouvelle fois gagné.

17

Deux jours plus tard, Tom appela Annie au bureau. Il n'avait pas eu le temps de le faire la veille, trop occupé par un scandale politique qui venait d'éclater, mettant en cause deux sénateurs de Washington. A présent, lorsqu'il ne donnait pas de nouvelles, Annie savait qu'il avait d'excellentes raisons : les crises auxquelles il se trouvait confronté n'étaient pas domestiques, mais internationales ; il n'avait pas à gérer des entrepreneurs imprévisibles, mais des actualités de premier ordre, pour lesquelles on pouvait l'envoyer du jour au lendemain à l'autre bout du monde.

Il réussit à téléphoner à Annie lors d'un de ces moments de répit qui, selon lui, dans son métier, annonçaient toujours la tempête. Malgré les coups de stress, le haut degré d'exigence et les tensions internes à la chaîne, son travail le passionnait, tout comme il fascinait Annie. Tom évoluait dans un univers tellement vaste... Elle adorait l'écouter raconter les coulisses des événements mondiaux. Toujours est-il que son monde à elle était beaucoup plus restreint : pour l'heure, sa principale préoccupation restait le dilemme auquel Ted faisait face.

— Comment va-t-il ? s'enquit Tom.

— Je n'en sais rien, répondit Annie, découragée. Hier, il s'est précipité chez Pattie dès que je suis partie travailler. Selon Katie, c'est elle qui l'a appelé. Il n'est pas revenu hier soir. Je suis sûre que Pattie l'en a empêché.

Maintenant, chaque fois que je n'ai pas de nouvelles de lui, j'ai peur qu'elle lui ait fait du mal.

Annie estimait que l'épisode du couteau à steak n'avait rien d'anodin, et Tom partageait son avis. Pattie venait de franchir une limite. Personne ne pouvait deviner jusqu'où elle irait. Ted était tombé entre les griffes d'une femme dangereuse et déséquilibrée, peut-être même davantage. Aux yeux d'Annie, elle avait tout d'une psychopathe : Ted avait dix points de suture pour le prouver.

— C'est bien ce que je craignais : qu'il retourne la voir, dit Tom calmement.

Il éprouvait de la peine pour Ted et pour Annie. Il savait à quel point celle-ci se faisait du souci pour son neveu.

— J'ai vécu ça moi aussi, au même âge, confia-t-il. Une fille très belle, mais complètement folle et accro aux drogues dures. C'est très difficile de s'en sortir une fois qu'on est tombé dans le piège. On espère toujours que les choses vont se calmer, mais ça n'arrive jamais. Les gens nocifs comme elle se nourrissent du chaos.

— Ted est tellement naïf, ajouta tristement Annie. Cette histoire le dépasse complètement. Et il y a un bébé en route !

— C'est un gosse intelligent, il finira par s'en sortir, lui assura Tom. Mais ça peut prendre du temps, et je sais que c'est dur pour toi.

— Ça l'est surtout pour lui.

Annie en avait discuté jusqu'à l'aube avec Katie en attendant que Ted rentre à la maison. Mais il n'était pas revenu et ne répondait pas au téléphone. Il avait simplement renvoyé un SMS à Kate affirmant que tout allait bien – voilà les seules nouvelles qu'elles avaient de lui. Au moins, elles savaient qu'il était vivant.

— En fait, je t'appelais pour te proposer d'aller dîner, annonça Tom. Il y a un nouveau restaurant que j'aimerais bien essayer. Ça pourrait être sympa.

226

Annie ne se sentait pas vraiment d'humeur joyeuse, mais elle était sensible à l'attention de Tom et aimait bien être en sa compagnie.

— Je suis désolée d'avoir une vie si compliquée en ce moment, s'excusa-t-elle. Il y a quelques semaines, ou quelques mois en tout cas, nous étions une famille normale. Maintenant, Ted est retenu en otage par une psychopathe enceinte de lui, et Katie menace de partir en Iran. Liz est la seule qui soit encore saine d'esprit.

Malgré la rupture qu'elle venait de vivre, l'aînée de ses nièces semblait en effet tenir le coup. Elle prenait la situation avec philosophie, et avait même confié à Annie qu'avant de sortir avec quelqu'un d'autre elle voulait attendre d'être prête à s'investir dans une relation.

— J'ai moi-même l'impression de perdre un peu la tête, avec tout ce qui se passe en ce moment, avoua Annie.

Elle se faisait un sang d'encre à propos du voyage de Katie et de Paul, même s'ils n'avaient pas encore fixé de dates. Pour l'instant, il ne s'agissait que d'un projet, qui n'en restait pas moins effrayant. Elle espérait encore qu'ils changeraient d'avis. Quoi qu'il en soit, l'atmosphère familiale ne lui permettait pas vraiment d'être heureuse ni assez sereine pour accueillir un nouvel homme dans sa vie. Elle se rendait bien compte que la situation n'était pas très facile pour Tom, qui voulait apprendre à la connaître et comprendre quelles étaient ses priorités. Jusque-là, il avait plutôt bien encaissé les coups.

— Ne te fais pas de souci, c'est normal, répondit-il calmement. C'est la vie. On n'évite pas toujours les problèmes. Et généralement, c'est la loi des séries. J'ai connu ça, moi aussi. Alors que j'étais en plein divorce, ma mère est morte subitement et j'ai dû placer mon père atteint de la maladie d'Alzheimer en institution. Ç'a été une période difficile.

Sans compter que la liaison qu'il entretenait alors en avait souffert. Incapable de tout mener de front, il avait rompu avec sa petite amie ; lorsqu'il l'avait rappelée quelques mois plus tard, elle avait rencontré quelqu'un d'autre. La vie était ainsi faite.

— Alors, que dis-tu de ma proposition d'aller au restaurant ? Je sais que je te préviens à la dernière minute, mais ça pourrait te changer les idées.

— Avec grand plaisir, j'accepte.

Annie avait bien l'intention de passer une soirée agréable, sans ennuyer Tom avec tous ses problèmes. Elle aussi voulait profiter de lui. Tout le reste de l'après-midi, elle s'efforça donc de se détendre, et elle y parvint presque – jusqu'à ce qu'une canalisation d'eau saute dans l'une des maisons qu'elle faisait construire, causant une centaine de milliers de dollars de dégâts et détruisant une œuvre d'art de grande valeur. Ce fut évidemment à elle d'annoncer la nouvelle aux clients, qui ne manquèrent pas d'exprimer leur colère. En s'habillant ce soir-là pour son dîner avec Tom, Annie ruminait encore l'incident. Elle s'inquiétait aussi pour Ted, dont elle n'avait toujours pas de nouvelles, mais elle tenta de ne pas y penser – de toute façon, elle ne pouvait rien y faire. Son neveu avait beau être naïf, il n'avait plus cinq ans et il s'était mis tout seul dans cette situation délicate. A présent, c'était au tour d'Annie de profiter d'une soirée tranquille et d'un bon repas avec un homme qu'elle appréciait. Cela n'était quand même pas trop demander, si ?

Elle enfila une des nouvelles tenues que Liz lui avait choisies. Alors qu'elle commençait tout juste à se sentir mieux, Kate entra dans sa chambre, l'air sérieux.

— Je peux te parler ?

Annie hésita.

— J'ai comme l'impression que cette question ne présage rien de bon, fit-elle remarquer tandis qu'elle se mettait du rouge à lèvres.

Tom devait arriver d'un instant à l'autre. Pourquoi fallait-il toujours que les enfants abordent les sujets importants quand on était sur le point de partir, ou que le coup de fil qu'on attendait depuis longtemps tombe à ce moment-là ? La loi de l'emmerdement maximum, sans doute.

— Quand tu as quelque chose d'agréable à m'annoncer, tu le dis, tu ne me demandes pas la permission. J'en déduis donc que ça ne va pas forcément me plaire.

— C'est possible, concéda Kate d'un air contrit.

— C'est important ? demanda Annie, tout en rangeant son rouge à lèvres dans son sac à main.

— Assez.

— Alors je préfère en parler demain. Je serai plus réceptive. Je m'apprêtais à sortir. J'ai rendez-vous avec Tom, et j'ai envie de profiter à fond de ma soirée.

— D'accord, répondit Katie d'une voix morose.

De toute évidence, cela ne lui plaisait pas que leur conversation soit reportée, mais elle voyait bien que sa tante était sur le départ.

— Tu es jolie comme ça, au fait.

— Merci. J'aimerais passer une bonne soirée avec Tom sans qu'on m'annonce qu'on s'est fait poignarder, qu'on attend un enfant ou qu'on me fiche la trouille. Je crois qu'il commence à penser qu'on est tous cinglés.

Tom arriva à l'heure, toujours aussi séduisant et décontracté. Son visage s'éclaira d'un grand sourire lorsqu'il vit Annie : les nouveaux ajouts qu'elle avait apportés à sa garde-robe lui allaient à merveille. Alors qu'ils quittaient l'appartement, l'entrepreneur du chantier inondé appela Annie pour lui annoncer qu'ils venaient de découvrir un deuxième tableau endommagé. Cette fois-ci, il s'agissait d'un Picasso. Annie lui répondit calmement qu'elle le rappellerait le lendemain. Pour l'heure, elle ne pouvait rien faire, et elle voulait se consacrer à Tom.

— Quelque chose ne va pas ? l'interrogea-t-il, ayant remarqué la tension dans sa voix lorsqu'elle était au téléphone.

— Il y a eu une inondation sur un chantier cet après-midi, et deux toiles de grande valeur ont été abîmées. Mon client est pour le moins contrarié. C'est l'entrepreneur qui vient de m'appeler. Je m'occuperai de ça demain.

— Je ne savais pas que le métier d'architecte pouvait être aussi stressant, commenta-t-il tandis qu'ils prenaient l'ascenseur.

— Ça l'est forcément, quand on a des délais à respecter et qu'on traite avec des clients d'envergure. Construire une maison, ou en rénover une, fait toujours ressortir le pire en nous. Vingt pour cent de mes clients, voire un quart, finissent par divorcer. Quand le couple n'est pas très solide, construire est bien la dernière chose à faire.

— C'est vrai, dit Tom pensivement. J'avais oublié, mais le coup de grâce pour mon couple, c'est lorsque nous avons décidé de rénover notre appartement. Ça a coûté une fortune – j'ai eu du mal à digérer la facture – et ma femme était furieuse que je ne sois jamais là pour parler à l'entrepreneur. Quand on a décidé de se séparer, on a vendu, et j'en ai été ravi.

— Tu vois ? Parfois, j'ai l'impression de jouer les conseillères conjugales. Des gens tout à fait normaux se transforment en monstres quand ils refont leur maison, et s'ils n'ont pas de problèmes conjugaux, tout retombe sur moi. Et quand les couples battent de l'aile, je me retrouve entre deux feux.

— Tu as déjà pensé à prendre ta retraite ? la taquina-t-il, sachant très bien qu'elle en était incapable.

— Je m'ennuierais trop, répondit-elle avec honnêteté, et j'ai travaillé très dur pour en arriver là. En plus, l'assurance-vie des enfants touche à sa fin, et j'ai envie de les aider.

Elle finançait déjà les études de Ted.

— Ils ont de la chance de t'avoir, observa-t-il, comme ils s'installaient dans la limousine avec chauffeur que Tom avait louée pour la soirée.

Par ces températures glaciales, il n'avait pas envie qu'Annie prenne froid en attendant le taxi ; sans compter qu'elle ne pouvait pas marcher très longtemps avec ses béquilles. Il cherchait à lui faciliter la vie, ce que personne n'avait jamais fait pour elle.

Tom avait réservé dans un nouveau restaurant, à la décoration magnifique et à la carte sublime. Après toutes les crises qu'elle venait de traverser, Annie n'avait pas vraiment faim, mais elle était heureuse d'être là. En la voyant picorer, Tom lui demanda si son plat lui plaisait. Il semblait déçu. Il aurait voulu que ce dîner soit exceptionnel, mais il percevait la fatigue d'Annie, malgré les efforts qu'elle fournissait pour soutenir la conversation.

— Je crois que je n'ai pas l'habitude de sortir, admit-elle. D'ordinaire, je rentre tard et je m'écroule dans mon lit. J'arrive à gérer les problèmes des enfants, le travail et tout ce qui va avec, mais j'enchaîne rarement sur une soirée.

Tom éprouvait la même difficulté, mais il n'avait pas voulu attendre le week-end pour voir Annie.

— J'ai une idée, annonça-t-il tandis qu'ils partageaient un dessert.

Le repas avait été excellent ; le chef les avait gâtés outre mesure pour faire bonne impression, comme souvent lorsque Tom réservait une table.

— Je sais que c'est un peu tôt, qu'on voulait se montrer prudents et ne pas précipiter les choses. Mais ça fait presque un mois qu'on sort ensemble, et je crois qu'on n'arrivera jamais à trouver un peu de paix et de tranquillité ici. Que dirais-tu de partir en week-end ? Si tu préfères, on peut prendre des chambres séparées.

J'aimerais vraiment t'emmener quelque part. Qu'en penses-tu ?

Annie trouvait l'idée à la fois merveilleuse et angoissante. Elle ne se sentait pas tout à fait prête à franchir ce pas, mais elle devinait aussi que le chaos qui régnait dans sa vie commençait à décourager Tom, et qu'il risquait de se lasser d'avoir à se battre pour obtenir un peu de son temps et de son attention. Annie avait de la chance qu'il veuille bien s'accrocher. Pas sûr qu'elle aurait fait pareil à sa place.

— Ce serait super, répondit-elle doucement. Où donc ?

Avec Ted sur un volcan, elle hésitait à partir loin. Mais son neveu n'était plus un enfant, et elle n'imaginait pas confier ses doutes à Tom. Il faisait tellement d'efforts pour lui plaire, pour donner à leur relation toutes les chances de réussir... Aucun homme ne se serait dévoué autant. Tom semblait sincèrement tenir à elle et vouloir que leur histoire se prolonge. L'espace d'un instant, elle songea qu'elle ne méritait pas tant.

— Laisse-moi choisir, suggéra-t-il. Je trouverai un endroit agréable où nous serons tranquilles. Que préfères-tu : une ou deux chambres ?

Il posa une main sur les siennes en souriant. Jusque-là, ils s'en étaient tenus aux baisers, et Annie appréhendait de faire le grand saut. Elle aurait voulu répondre deux, mais elle n'en eut pas le courage.

— Une seule, dit-elle, si bas que Tom l'entendit à peine.

Il passa un bras autour de ses épaules.

— Tu sais quoi ? On n'a qu'à en prendre deux, et on décidera le moment venu.

Katie, incrédule devant tant de courtoisie, ne put s'empêcher de s'exclamer :

— Comment puis-je avoir autant de chance ? Tu pourrais aussi bien me dire d'aller au diable !

— C'est vrai, mais pense à ce que je raterais. L'amour peut s'avérer compliqué, et à notre âge cela demande un peu d'organisation et d'adaptation. Ma vie n'est pas toujours un long fleuve tranquille, non plus.

— Merci, dit-elle avec gratitude.

Tom se pencha pour l'embrasser.

— Ne me demande pas pourquoi, mais dès l'instant où je t'ai vue dans la salle d'attente des urgences, j'ai su que tu étais différente. J'ai tout de suite eu envie de te connaître. Il faut juste qu'on arrive à se faire un peu de place l'un pour l'autre dans nos vies respectives.

Tous deux savaient que ce ne serait pas une mince affaire. Annie avait attendu longtemps. Seize ans. En adoptant les enfants de sa sœur, elle avait perdu Seth – à l'époque, elle n'avait pas eu le choix. Mais aujourd'hui, elle n'avait aucune raison de renoncer à Tom. Il suffisait simplement qu'elle trouve le moyen de se rendre disponible à la fois pour son neveu et ses nièces, son travail, et Tom. Elle se devait d'essayer. Whitney le lui répétait depuis des années, et elle avait enfin rencontré quelqu'un qui en valait la peine. Whitney n'était au courant de rien. Elle était partie en croisière avec Fred pendant deux semaines, et Annie n'avait pas eu le temps de lui raconter ses dernières aventures. Cela pouvait paraître étrange qu'elle fréquente Tom depuis un mois et que sa meilleure amie n'en sache rien, mais au départ, elle n'avait pas pris au sérieux sa relation avec Tom, persuadée que celle-ci resterait platonique. La proposition qu'il venait de lui faire prouvait le contraire, une fois de plus.

En la raccompagnant chez elle, Tom lui demanda de lui indiquer ses disponibilités afin qu'il puisse organiser leur week-end. Il l'embrassa tendrement sur la bouche, elle le remercia pour le dîner, puis il repartit. Alors qu'elle entrait chez elle, Annie vit Kate qui l'attendait. Elle comprit à son air impatient qu'elle l'aurait trouvée là même à deux heures du matin.

— Ça doit être vraiment important, soupira-t-elle en accrochant son manteau.

Annie aurait rêvé de passer une soirée sans drame. Pressée de partir avec Tom, elle n'avait pas envie que Katie lui gâche son plaisir. Malheureusement, elle commençait à comprendre qu'à l'âge des enfants, tout était possible, d'autant plus que Katie et Paul s'aimaient profondément.

— Bon, fit-elle en s'asseyant sur le canapé. Qu'est-ce que tu voulais me dire ?

— Je voulais juste te prévenir, répondit Katie, très sérieuse.

A l'évidence, sa nièce était prête à en découdre. Annie attendit la suite.

— Je vais en Iran avec Paul pour deux semaines. J'ai mon visa et on a déjà acheté nos billets. Je veux juste que tu le saches. Tu ne peux pas m'empêcher de partir, et je ne voulais pas te mentir, donc je te le dis. On part dans quinze jours.

Un silence de mort suivit sa déclaration. Et la réaction d'Annie ne fut pas celle à laquelle Katie s'attendait : lorsque sa tante prit la parole, ce fut d'une voix calme et contenue. Sa soirée avec Tom l'avait peut-être aidée ; grâce à lui, elle pouvait prendre du recul.

— Je vais être tout à fait franche avec toi, commença-t-elle, attristée plus qu'énervée. Je trouve cette idée complètement stupide, et même dangereuse. Non seulement tu prends des risques, mais vous allez être montrés du doigt en tant que couple mixte. Ce que vous faites est totalement imprudent, je vais me ronger les sangs pendant que vous serez là-bas. Tom t'a expliqué la même chose et tu n'as pas voulu l'écouter, lui non plus, alors qu'il connaît beaucoup mieux l'Iran que moi ou que Paul. Mais tu as raison, tu es adulte. Je ne peux pas t'interdire de partir.

Les yeux d'Annie s'emplirent alors de larmes.

— Dans cette histoire, je ne cherche pas à exercer un quelconque pouvoir sur toi. Je n'essaie pas de te contrôler. J'ai enterré ma sœur, et je n'ai pas envie d'avoir à enterrer un jour un de ses enfants. J'espère juste que tout ira bien pour toi.

Sur ces mots, elle se leva, ramassa ses béquilles et se retira dans sa chambre.

Katie la regarda partir sans dire un mot, soufflée. Elle s'était attendue à une véritable levée de bouclier, à des heures de disputes et de menaces. Mais Annie avait joué son rôle, en respectant le droit de sa nièce à voler de ses propres ailes. Elle n'avait pas cherché à lui interdire ce voyage, même si elle pensait qu'elle avait tort. A présent, toutes deux devaient en assumer les conséquences : l'inquiétude pour Annie et, pour Kate, sa responsabilité d'adulte. Subitement, Katie commençait à avoir peur, elle aussi, mais elle avait promis à Paul de le suivre. Il tenait tellement à lui faire découvrir son pays natal... Elle n'avait plus qu'à espérer que l'avenir ne donnerait pas raison à Tom et à sa tante. Tandis qu'elle regagnait sa chambre, deux larmes d'appréhension glissèrent sur ses joues. Pour la première fois, elle ne se sentait pas aussi fière d'être majeure.

18

Annie passa un week-end paradisiaque avec Tom. Elle ne savait même pas que l'on pouvait s'autoriser de telles folies, s'offrir un tel luxe. Elle avait consacré toute son existence adulte à son travail et aux enfants, sans jamais penser à profiter égoïstement de la vie. Ses sorties s'étaient limitées à Disneyland, à quelques voyages d'affaires à l'intérieur du pays et à deux excursions en Europe avec son neveu et ses nièces. Elle les avait aidés à préparer leurs vacances, mais n'en avait jamais pris seule – d'ailleurs, elle n'aurait pas su où aller. Tom lui faisait découvrir un monde entièrement nouveau. Il avait cherché le lieu idéal, un endroit que lui-même ne connaissait pas : les îles Turks et Caicos, dans les Caraïbes.

Ils prirent un vol direct de l'aéroport Kennedy à l'île de Providenciales, d'une durée de trois heures et demie. A l'atterrissage, une limousine les attendait pour les conduire à l'hôtel. Tom avait réservé une villa avec piscine et plage privées. Le sable, couleur ivoire, était aussi fin que du sucre, et l'eau turquoise, complètement transparente. Comme convenu, la maison comprenait deux chambres. Annie n'avait jamais rien vu d'aussi luxueux – il y avait même un majordome pour répondre à tous leurs besoins. Une énorme corbeille de fruits avait été placée sur la table, à côté d'une bouteille de champagne. Annie avait l'impression de s'être envolée au paradis, bien loin du stress et des angoisses de la vie quotidienne. Elle espérait simplement que, pendant les trois jours qu'ils avaient prévu de séjourner ici, aucune urgence ne viendrait les perturber, de son côté – les enfants – ou de celui de Tom – une quelconque crise dans le monde. Tom n'était jamais à l'abri de ce genre d'événements.

— Je n'en crois pas mes yeux, s'émerveilla-t-elle.

Le père Noël existait vraiment. C'était Tom, sans le manteau rouge et la barbe blanche. Il leur avait concocté un week-end de rêve : repas à prendre au restaurant ou à la villa, piscine, balades sur la plage, baignades dans l'eau translucide, le tout sans voir un seul être humain pendant trois jours si cela les chantait. Oui, vraiment, le paradis. Tom l'enlaça tandis qu'elle regardait autour d'elle, éblouie. C'était le plus beau cadeau qu'on lui ait jamais offert : du temps et de la tranquillité à partager, une vraie lune de miel...

— Je dois être la femme la plus chanceuse du monde, murmura-t-elle en souriant.

Il l'embrassa :

— C'est pour te consoler de l'entorse à la cheville, et te récompenser pour ton courage.

Annie sentit les larmes lui monter aux yeux.

— Je n'ai jamais connu personne qui soit capable de gérer autant de choses à la fois et de le faire aussi bien que toi, continua-t-il d'une voix douce. J'aimerais juste que tu libères un peu plus de temps pour nous.

C'était l'endroit rêvé pour apprendre : à mille lieues de la réalité et des enfants... même s'ils savaient où elle se trouvait et comment la joindre. Annie s'était promis de ne pas parler d'eux trop souvent pendant les trois jours à venir.

Ce soir-là, ils se promenèrent sur la plage avant de se baigner dans leur piscine privée, tous deux en maillot de bain – ils n'avaient pas encore franchi le cap de l'intimité. Ils bavardèrent des heures au clair de lune, et quand ils décidèrent enfin d'aller se coucher, il leur sembla tout naturel de partager la même chambre. Annie se sentait bien dans les bras de Tom. Si elle frissonnait un peu, c'était d'impatience, non d'inquiétude. Leur union, que tous deux jugeaient prédestinée, se révéla à la hauteur de leurs espoirs : deux moitiés se joignant pour former un tout.

Après être restés un moment sur la terrasse, nus, à se tenir la main et à s'embrasser, ils piquèrent une tête dans la piscine – sans maillot de bain, cette fois-ci – puis regagnèrent le lit où ils s'étaient donnés l'un à l'autre. Ils dormirent comme des bébés, toute la nuit enlacés. Au petit matin, ils firent de nouveau l'amour. Il était midi quand ils commandèrent le petit déjeuner sur la terrasse, et ils passèrent le restant de la journée à se balader sur la plage et à se baigner dans l'océan. De retour à la villa, ils dînèrent dehors, avant de faire l'amour dans la piscine en riant de tout et de n'importe quoi. Plus tard, lovée dans les bras de Tom, Annie lui parla de la mort de sa sœur. Ils se racontèrent leur enfance, leurs espoirs, leurs déceptions, leurs rêves, apprirent à se connaître physiquement. Ce séjour, une bulle de temps loin de tout, posa les fondations de leur relation.

A la fin de ces trois jours, ils éprouvaient le sentiment d'être unis par le corps, le cœur et l'esprit. Annie n'avait jamais été aussi à l'aise avec personne, et Tom se sentait plus proche d'elle qu'il ne l'avait été de sa femme, avec qui il n'avait guère plus partagé qu'une passion bien vite éteinte. Ce qu'il vivait avec Annie semblait tellement plus profond ! Ils ne faisaient qu'un, telles des âmes sœurs. Annie n'avait plus envie de partir, et elle confia à Tom qu'elle ne pourrait jamais assez le remercier de leur avoir offert ces vacances.

Le dernier matin, installés sur la terrasse, ils discutèrent de la suite à donner à leur relation. Lizzie, Ted et Katie étaient adultes à présent, et bien assez grands pour comprendre que Tom reste à la maison une nuit ou un week-end de temps en temps. Néanmoins, Annie et Tom se doutaient qu'ils seraient plus tranquilles chez lui. Ils évoquèrent l'idée d'emménager ensemble un jour, et Tom lui posa la question du mariage. Annie n'était pas sûre d'y tenir. Même si l'occasion se présentait à nouveau, voilà bien longtemps qu'il ne s'agissait plus pour elle d'un objectif ni même d'une possibilité. Finalement, ils décidèrent de prendre leur temps, d'improviser au fur et à mesure. Ils se jurèrent aussi de ne laisser personne s'immiscer entre eux, et de faire de leur couple une priorité. Les déplacements fréquents de Tom ne dérangeaient pas Annie ; de son côté, Tom acceptait les obligations professionnelles et familiales d'Annie, tant qu'il restait de la place pour lui. A leur retour des îles Turks et Caicos, leur relation pourrait enfin s'épanouir pleinement... Main dans la main, ils se retournèrent pour regarder une dernière fois la villa, un sourire aux lèvres, sachant qu'ils ne l'oublieraient jamais. C'est là qu'était né leur amour.

Le jour où Annie et Tom partirent en week-end, Lizzie travaillait sur le numéro de juin de *Vogue* lorsqu'une assistante intérimaire l'informa par interphone qu'un dénommé George souhaitait lui parler. Monsieur George, se corrigea-t-elle. On aurait dit un nom de coiffeur. Liz faillit demander à l'assistante de prendre le message du correspondant, avant de se raviser et d'accepter la communication. Cela irait plus vite.

— Liz Marshall, dit-elle de sa voix officielle.

L'homme qui lui répondit avait un fort accent italien, bien qu'il parlât un anglais parfait. Liz n'avait toujours aucune idée de l'identité de son interlocuteur, jusqu'à ce qu'il se présente à nouveau : Alessandro Di Giorgio, le joaillier de Rome qui l'avait tirée d'affaire, un mois plus tôt, lors de la séance photo place Vendôme.

— Ah, bonjour ! s'exclama-t-elle, gênée de ne pas l'avoir reconnu. Que puis-je pour vous ? Vous appelez de Rome ?

Elle lui avait promis un justificatif de l'article, mais celui-ci n'était pas encore prêt.

— Non, je suis à New York, expliqua-t-il. J'appelais juste pour vous dire bonjour.

De nombreux bijoutiers restaient en contact avec elle pour s'assurer qu'elle ne les oubliait pas : Liz n'était donc pas surprise d'avoir de ses nouvelles, même si elle n'avait jamais traité directement avec lui avant de le rencontrer à Paris.

— Comment cela s'est-il terminé avec la femme de l'émir ? demanda-t-elle. Vous a-t-elle acheté des bijoux ?

— Oui, les cinq que vous avez photographiés et que j'ai pu lui présenter le jour suivant. Elle est très enthousiaste à l'idée qu'ils apparaissent dans *Vogue*.

L'ensemble représentait la coquette somme de cinq ou six millions de dollars. Di Giorgio occupait une place importante sur le marché de la joaillerie.

— Que faites-vous à New York ? demanda Liz poliment, gardant à l'esprit que cet homme, au demeurant fort agréable, l'avait aussi beaucoup aidée.

— Je cherche une boutique, mais je ne sais pas s'il faut en ouvrir une ici. C'est un vieux débat entre mon père et moi. Il pense que oui, je dis que non. Je préfère rester exclusif, ne pas sortir de l'Europe, alors que lui voudrait s'implanter à New York, Tokyo et Dubai.

Alessandro eut un petit rire et reprit :

— Dans ce cas précis, c'est le plus âgé qui se montre le plus moderne, et le plus jeune, le plus conservateur. Mais je ne sais pas... Peut-être a-t-il raison. Je suis venu visiter quelques locaux disponibles. Nous pourrions déjeuner ensemble, si vous avez le temps. Etes-vous en ville ce week-end ?

Quand elle le pouvait, Liz aimait partir, même s'il n'était pas rare qu'elle doive rester pour une séance photo ou des recherches en prévision d'un article. Il lui arrivait de faire des semaines de sept jours. Ce week-end-là, elle avait initialement prévu de skier, mais le projet était tombé à l'eau.

— Oui, je serai là, répondit-elle aimablement.

— Etes-vous libre pour déjeuner samedi ? Je suis descendu au Sherry-Netherland, et ils ont ce restaurant, le Harry Cipriani, qui n'est pas mal du tout.

L'un des préférés de Liz, et aussi l'un des plus chics de New York... Elle ne put réprimer un sourire. A l'entendre, on aurait pu croire que le Harry Cipriani n'était qu'un vulgaire bistro qu'il avait découvert par hasard à son hôtel.

— Ce serait avec plaisir. Je vous retrouve là-bas, répondit-elle.

— Je peux venir vous chercher, si vous voulez.

— J'habite en centre-ville, c'est trop loin. Je vous rejoindrai au restaurant.

Liz aimait son côté gentleman, ses manières raffinées et un peu désuètes, si rares aux Etats-Unis. Et ce comportement protecteur, comme à Paris.

Le lendemain, elle le retrouva au Harry Cipriani, vêtue d'un pantalon et d'un pull noirs et perchée sur d'immenses talons Balenciaga. Elle avait détaché ses longs cheveux blonds et portait un manteau vintage en lynx acheté à Paris. Alessandro, bien plus grand qu'elle, l'attendait dehors. Ils formaient un couple superbe, très glamour, lorsqu'ils entrèrent ensemble dans le restaurant. Alessandro s'adressa au maître d'hôtel en italien, de cette voix grave et profonde que Liz avait remarquée chez beaucoup d'autres hommes à Rome et à Milan.

C'était un plaisir de converser avec lui ; il ne tarissait pas d'histoires sur les boutiques et l'entreprise Di Giorgio, d'anecdotes extravagantes sur certains de leurs clients célèbres, sans jamais se montrer méchant. Il la fit rire pendant tout le déjeuner, et ils passèrent un si bon moment qu'il était déjà seize heures lorsqu'ils quittèrent le restaurant.

— Cela vous dirait d'aller voir avec moi les magasins que j'ai repérés ? lui demanda-t-il.

Tous se situaient dans Madison Avenue, non loin de là. Ils s'y rendirent à pied et visitèrent trois locaux, aux volumes immenses et aux loyers exorbitants. Aucun ne plut à Alessandro, ni à Liz : ils les jugèrent trop froids.

— Ma tante est architecte. Vous devriez lui demander de vous dessiner quelque chose, suggéra-t-elle d'un ton désinvolte.

Elle l'avait dit pour moitié en plaisantant, mais Alessandro sembla trouver l'idée intéressante. Liz lui expliqua alors qu'elle avait grandi avec sa tante, qu'elle considérait comme sa mère.

— Vos parents vous ont laissée avec elle ? demanda-t-il, surpris.

Liz n'avait pas eu l'occasion d'en parler pendant le repas – ils n'avaient échangé aucun détail personnel. Elle savait seulement qu'il avait une sœur, qui travaillait avec lui, mais dans la branche publicitaire.

— Mes parents sont morts quand j'avais douze ans, répondit-elle simplement. Ma tante nous a élevés, mon frère, ma sœur et moi. Je suis l'aînée.

Alessandro eut l'air profondément touché.

— Cela a dû être terrible pour vous de perdre vos parents si jeune, dit-il avec compassion. Moi-même, je suis très proche de mes parents, de ma sœur et de mes grands-parents. C'est comme ça, dans les familles italiennes.

— C'est pareil chez nous. Nous sommes très soudés.

— Ce doit être une femme formidable. A-t-elle des enfants de son côté ? Avez-vous des cousins ?

— Non, elle est célibataire et ne s'est jamais mariée – elle avait bien assez à faire avec nous. Ma tante avait vingt-six ans quand mes parents sont morts. Elle a été super.

Alessandro semblait ému et impressionné par son histoire. A dix-sept heures, ils redescendirent Madison Avenue. Alors qu'elle le remerciait pour le déjeuner, il lui proposa de la raccompagner chez elle.

— Ça ira, répondit-elle en souriant. J'habite à Greenwich Village.

Alessandro sembla hésiter. De toute évidence, il n'avait pas envie de la quitter.

— Aimeriez-vous dîner avec moi ce soir ?

Il n'avait rien prévu d'autre pour le week-end que la visite des trois magasins et un rendez-vous avec un client le lundi.

— Ça me plairait beaucoup. Que diriez-vous de venir prendre un verre chez moi vers vingt heures ? Il y a un restaurant italien sympa dans mon quartier, le Da Silvano. Je réserverai une table. C'est plus vivant, plus branché en centre-ville. Vous pouvez venir en jean, si vous en avez apporté un.

Alessandro avait bien pris un jean, mais il n'avait pas osé le porter dans le quartier chic où il résidait. Il semblait heureux à l'idée de revoir Liz si vite.

Elle lui donna son adresse, puis il lui appela un taxi. En partant, elle lui fit signe de la main. Alessandro était un homme agréable et gentil, en plus d'être poli, intelligent, amusant et créatif ; Liz aimait beaucoup bavarder avec lui. Elle était également ravie d'avoir un peu de compagnie pour le week-end, et, en cela, considérait sa présence comme un cadeau du ciel. Sur le chemin du retour, elle acheta une grosse brassée de fleurs pour décorer son appartement. Une fois chez elle, elle mit une bouteille de vin blanc au réfrigérateur et réserva une table chez Da Silvano pour vingt et une heures trente.

Alessandro arriva à vingt heures précises avec du champagne et une bougie parfumée. Liz avait mis de la musique, disposé les fleurs, magnifiques, dans un vase, et enfilé des leggings en cuir noir et un long pull blanc Balenciaga. Avec son jean et son sweat noir, Alessandro avait une allure décontractée et bien plus jeune qu'au déjeuner.

En examinant les CD de Liz, il s'aperçut qu'ils avaient de nombreux goûts communs. De même, son appartement lui plaisait beaucoup. Ils bavardèrent encore et encore, tant et si bien qu'ils faillirent arriver en retard au restaurant. Sur place, Liz rencontra des amis de son cercle professionnel, et leur présenta Alessandro. Pendant le dîner Liz apprécia par-dessus tout sa gentillesse et son art de la conversation : Alessandro était l'exemple même de l'Européen raffiné et cultivé.

Ils rentrèrent chez elle à minuit. Alessandro, toujours très courtois, la quitta au bas de l'escalier après l'avoir embrassée sur les deux joues. Ils étaient déjà convenus de se retrouver le lendemain pour un brunch à l'hôtel Mercer, dans le quartier de SoHo, avant d'aller se promener à Central Park.

Comme à Paris, Alessandro était tombé du ciel, un ange du paradis.

19

Deux semaines plus tard, malgré les efforts d'Annie, de Tom et des parents du jeune homme pour les en dissuader, Katie et Paul partirent pour Londres où ils devaient prendre une correspondance à destination de Téhéran. Ce voyage les rendait euphoriques. Paul se faisait un plaisir de revoir sa famille, chez qui ils seraient logés pendant quinze jours, et plus particulièrement son grand-père qu'il adorait étant enfant. A l'aéroport, avant leur départ, Annie échangea quelques amabilités avec ses parents, qu'elle trouva charmants. Le père de Paul aida les enfants à enregistrer leurs bagages, et sa mère donna discrètement à la jeune fille un foulard plié avec soin et un long manteau en coton gris, léger et ample. Elle lui expliqua qu'il lui faudrait porter le foulard dès sa descente d'avion à Téhéran, peut-être même pendant le vol, et garder constamment ses cheveux couverts. Quant au manteau en coton, elle risquait d'en avoir besoin en certaines occasions. La famille de Paul lui indiquerait. Annie avait suggéré à Katie de laisser ses minijupes à la maison pour éviter d'attirer l'attention ou de choquer les habitants, et sa nièce avait fait preuve de bon sens en suivant son conseil. Katie n'avait pas l'intention d'offenser la famille de Paul, ni personne d'autre. Sur ce point au moins, Annie se sentait un peu rassurée.

Les deux jeunes gens embrassèrent leurs parents et leur firent un signe d'adieu tandis qu'ils passaient la sécurité. Le père de Paul tranquillisa Annie en lui certifiant que tout irait bien. Téhéran était une ville aussi sophistiquée que New York, sa belle-sœur allait prendre Katie sous son aile et Paul savait se montrer responsable. Annie les trouvait quand même trop jeunes pour partir aussi loin – jamais Katie n'avait fait d'aussi long voyage. On aurait dit une enfant quand elle avait ramassé son sac à dos, au moment de franchir les contrôles... Tandis qu'elle rentrait chez elle, Annie s'aperçut que sa nièce lui manquait déjà. Combien l'appartement lui paraîtrait vide sans elle ! Katie occupait une grande place dans sa vie quotidienne, et son absence se ferait cruellement ressentir. Elle tenta de se convaincre que le voyage en Iran se déroulerait sans encombre ; après tout, ils ne partaient que quinze jours.

Annie avait invité Tom à dormir chez elle pendant les vacances de Katie. Tous deux avaient hâte de se retrouver. Depuis leur week-end magique aux îles Turks et Caicos, deux semaines d'un calme exceptionnel s'étaient écoulées : aucun entrepreneur ne lui avait fait faux bond, et ses clients s'étaient tenus tranquilles ; Liz avait beaucoup travaillé, Ted n'avait pas vraiment donné de nouvelles – sans doute trop occupé à se dépêtrer d'une situation délicate – et Katie avait été plongée dans les préparatifs de son voyage. En bref, les journées avaient été plutôt paisibles. Annie avait pu dîner plusieurs fois avec Tom dans de bons restaurants, car même les actualités mondiales semblaient tourner au ralenti.

Son seul sujet d'angoisse ces temps-ci concernait les vacances de Katie, mais elle s'efforçait de prendre les choses avec philosophie. Elle avait presque réussi à se convaincre que sa nièce ne rencontrerait aucun problème, et Paul avait promis solennellement de la protéger. Ils lui avaient paru tellement ingénus, au moment du départ ! Annie avait fait une petite prière pour eux dans le taxi qui la ramenait chez elle.

Dans l'après-midi, elle appela Whitney. Son amie était au courant pour Tom – la nouvelle l'avait d'ailleurs mise en joie. Elle voulait qu'Annie vienne avec lui pour faire sa connaissance. Seulement, lors de leur dernier réveillon du nouvel an, Annie avait pris conscience qu'elle et Whitney n'avaient plus grand-chose en commun. Si elles partageaient une amitié vieille de plus de vingt ans, Annie n'en pensait pas moins que Whitney et Fred menaient à Far Hills une vie de banlieusards incroyablement insipide. Annie n'avait aucune envie d'imposer une soirée ennuyeuse à Tom. De plus, sachant Whitney très impressionnée par la célébrité de Tom, Annie craignait qu'elle et son mari n'en fassent toute une montagne. Ils ne pourraient pas s'en empêcher, comme tout le monde ou presque – Annie s'en rendait compte chaque fois qu'ils croisaient des inconnus ou sortaient au restaurant. Tom était une vedette à part entière, ce qui provoquait parfois des réactions bizarres : certaines personnes cherchaient à se rendre intéressantes, d'autres essayaient de rivaliser, ou se montraient agressives et grossières. Même si Tom restait toujours courtois dans ces circonstances, Annie ne l'imaginait pas en train de s'amuser follement à une soirée dans le New Jersey avec Whitney, Fred et consorts. En vérité, elle non plus ne se plaisait pas dans leur cercle d'amis ; son dernier réveillon avec eux avait été l'un des pires de sa vie, sans parler du détestable rendez-vous arrangé... Tom lui avait épargné une vie remplie de soirées de ce genre avec ses Bob Graham en prétendants. Elle lui en serait éternellement reconnaissante.

Whitney la félicita d'avoir laissé Katie partir pour Téhéran. Elle affirma que ce voyage offrirait une expérience fabuleuse à sa nièce, que celle-ci allait découvrir une culture complètement différente ; elle était bluffée qu'Annie se montre si compréhensive.

— Je n'ai pas eu le choix, remarqua celle-ci. Et on ne peut pas dire que je sois tranquille. Mais je me suis rendu compte que tu avais raison, il faut que je les laisse commettre leurs propres erreurs. Ça ne veut pas dire que c'est facile.

Elle en faisait des cauchemars. Katie avait emporté son BlackBerry, de l'argent en quantité, une carte de crédit et son billet de retour, et Annie lui avait dit de l'appeler immédiatement ou de lui envoyer un message si elle rencontrait le moindre problème. Katie lui avait ri au nez.

— Qu'est-ce que vous allez faire, Tom et toi, pendant ce temps ? demanda Whitney, sachant que la présence de Katie à la maison pour le semestre les avait quelque peu privés de leur intimité.

Cela n'avait pas empêché Annie d'aller dormir chez Tom à plusieurs reprises. Elle se doutait d'ailleurs – avec raison – que Paul profitait de son absence pour passer la nuit avec Katie. Annie redoutait toujours qu'ils décident de se marier et d'avoir des enfants, persuadée que la situation pourrait alors devenir extrêmement délicate. Mais Kate n'avait que vingt et un ans, et il n'était pas question de mariage, seulement d'un voyage. Annie s'efforçait de ne pas trop se monter la tête.

— On va se balader tout nus dans l'appartement, répondit-elle avec un grand sourire. Je dois admettre qu'il arrive un moment où c'est un peu difficile de vivre avec ses enfants adultes. Pourtant, même si ça complique les choses pour voir Tom, j'aime avoir Katie à la maison. Tout ce que j'espère, c'est qu'elle reprendra ses études au prochain semestre.

Annie en voulait encore à Katie de travailler dans un salon de tatouage, mais Tom l'avait un peu calmée. Elle se sentait capable de relativiser, depuis qu'elle partageait sa vie. Elle avait un autre adulte à qui parler. Sur la plupart des sujets, Tom avait un point de vue tout à fait sensé, même s'il n'avait jamais eu d'enfants et ne comprenait pas pleinement la force des liens qui unissaient Annie à son neveu et à ses nièces. Et avec Katie absente pendant deux semaines, ils allaient pouvoir profiter pleinement de l'appartement.

Ted n'était pas retourné dormir chez sa tante depuis l'incident du coup de couteau. En revanche, ils avaient déjeuné ensemble. Il avait l'air d'aller bien, vu les circonstances, mais Annie l'avait trouvé nerveux, très tendu. L'histoire du bébé le contrariait toujours autant. Malgré les pleurs et les protestations de Pattie, il refusait de l'épouser avant le mois d'août. Il restait inflexible, même si elle se plaignait de l'humiliation qu'elle allait subir en se présentant devant l'autel enceinte jusqu'aux yeux. C'était le mieux qu'il avait à offrir. Il se sentait déjà suffisamment sous pression, et il continuait à penser qu'ils faisaient une erreur en gardant cet enfant. Pourtant, il avait accepté d'assumer ses responsabilités ; il se montrait très gentil avec Pattie et s'occupait de tout dans la maison. Ted avait avoué à Annie, en toute franchise, qu'il avait pris du retard dans ses cours et s'inquiétait pour les examens de milieu de semestre : même une bonne note imméritée dans la matière de Pattie ne suffirait pas à relever sa moyenne.

Quant à Liz, elle avait évoqué la présence d'un nouvel homme dans sa vie, sans plus de détails. Annie ne voulait pas insister, vu que sa nièce restait très mystérieuse. Il s'agissait sans doute d'un de ces types qu'elle rencontrait au travail, un photographe ou un mannequin.

— Je croyais que tu voulais faire une pause, fit-elle remarquer.

Liz se mit à rire.

— Je le veux toujours... Enfin, je le voulais... Je ne sais pas. C'est tout neuf, il n'y a encore rien de fait. Il habite à Rome. Je ne l'ai vu que deux ou trois fois. Je l'ai rencontré à Paris début janvier, et il est venu ici pour son travail il y a quelques semaines. Même si on a déjeuné et dîné ensemble, ça n'aboutira à rien, probablement. Il ne vient presque jamais à New York et je ne vais à Rome qu'une ou deux fois par an.

Liz savait que ce n'était pas très réaliste d'entamer une relation durable avec Alessandro. Et pourtant, il l'appelait plusieurs fois par jour, et ils avaient des conversations captivantes sur des sujets importants. Il lui avait promis de venir la voir à Paris la prochaine fois qu'elle s'y rendrait.

— Tu sais, les distances géographiques ne sont pas insurmontables, si c'est le bon, observa Annie. Si ça devenait sérieux, rien ne t'empêche de trouver une place au *Vogue* italien.

— C'est ce qu'il dit, répondit Liz, pensive. Mais on n'en est pas encore là. Je n'ai même pas couché avec lui. Je n'avais pas envie de m'emballer pour un type que je n'allais peut-être jamais revoir.

Cependant, elle devait reconnaître – même si elle le gardait pour elle – qu'elle avait eu du mal à résister. Quand Alessandro l'avait embrassée dans Central Park, elle avait failli fondre dans ses bras. Ce soir-là, ils avaient été tout près de faire l'amour chez elle, sur le canapé, mais ils avaient réussi à se retenir. Liz était contente de ne pas avoir succombé.

— Quelque chose me dit que tu le reverras, fit remarquer Annie en souriant.

Elle n'avait jamais entendu Liz parler d'un homme de cette façon. Il fallait dire aussi que ceux qu'elle avait fréquentés jusque-là n'avaient été que des gamins. Pour la première fois, sa nièce ne semblait pas avoir peur de risquer son cœur. Annie se réjouissait pour elle, et elle éprouvait même un certain soulagement : Liz méritait quelqu'un de bien, pas un de ces bons à rien avec qui elle était sortie pendant des années. Annie espérait que Ted rencontrerait aussi une fille digne de lui, ce qui n'était certainement pas le cas actuellement.

Un vendredi soir, alors que les enfants de Pattie se trouvaient chez leur père pour le week-end, Ted décida

250

d'assister à un match de basket à l'université avec un de ses colocataires. Pattie avait insisté pour qu'il reste avec elle, car elle avait des maux de tête, mais il lui avait fait comprendre gentiment qu'il avait besoin d'un peu de répit. Depuis qu'elle était enceinte, elle le voulait constamment auprès d'elle et il ne voyait plus ses amis. Cette fois-ci, il fit preuve de fermeté et lui annonça qu'il dormirait chez lui ce soir-là – il risquait de boire beaucoup, ce qui ne plaisait pas non plus à Pattie. Ted avait besoin d'un peu d'espace pour souffler.

Au bout du compte, leur équipe perdit et il se montra plus raisonnable que prévu avec sa consommation d'alcool. Comme il se sentait coupable en rentrant chez lui, il laissa son colocataire et retourna chez Pattie, pensant lui faire une surprise. Il la trouva allongée sur le canapé, un bol de pop-corn sur les genoux, devant une comédie sentimentale. Elle fut ravie de le voir.

— Qu'est-ce que tu fais là ? demanda-t-elle, radieuse.

Enceinte de deux mois et demi, Pattie ne montrait aucun signe de grossesse, et n'avait pas encore pris de poids étant grande et bien en chair.

— Tu me manquais, répondit-il simplement, un sourire aux lèvres.

C'était en partie vrai. Il s'était habitué à elle. Mais il savait aussi que, dès le lendemain, elle trouverait un moyen de le punir parce qu'il était sorti avec un ami. De son côté, elle n'en avait aucun, si bien qu'elle dépendait entièrement de Ted pour se divertir et combler ses besoins affectifs et ne supportait pas d'être séparée de lui. Il préférait donc revenir de lui-même plutôt que de l'entendre se plaindre plus tard.

— Tu as dîné ? lui demanda-t-elle du canapé.

— J'ai acheté un hot-dog et des nachos pendant le match.

Bien loin d'être fin cordon-bleu, Pattie veillait à ce qu'il soit convenablement nourri. Tous les trente-six du mois, elle préparait quelque chose, mais la plupart du temps, ils allaient chercher des pizzas et des plats chinois à emporter que Ted payait de sa poche. Ted trouva du poulet de chez KFC dans la cuisine et en grignota un morceau.

Alors qu'il ouvrait une canette de bière, il décida de passer d'abord aux toilettes. Il venait d'allumer la lumière et de refermer la porte lorsqu'il se figea, le regard rivé sur la cuvette des W-C. Il ne comprenait pas ce qu'il avait sous les yeux. Cela n'avait rien à faire ici, et Pattie était seule dans l'appartement. La chose ressemblait à une souris blessée, mais il s'agissait bien d'un tampon usagé dont le sang avait coloré l'eau des toilettes. Pattie avait oublié de tirer la chasse. De toute évidence, elle ne venait pas de faire une fausse couche : il l'entendait rire bruyamment devant le film qu'elle avait déjà vu une dizaine de fois, et lorsqu'il sortit de la salle de bains, elle leva les yeux vers lui en souriant.

La tête lui tournait, mais il ne posa aucune question. Il se rendit à la cuisine et regarda par la fenêtre, tentant de comprendre la signification de cette découverte. Il lui semblait impossible qu'elle ait pu faire une chose pareille. Mais si c'était le cas ? Si tout n'avait été qu'un mensonge, un canular ? Il fallait qu'il sache. Les mains tremblantes, il attrapa son manteau et se dirigea à grands pas vers la porte en marmonnant qu'il serait de retour bientôt.

— Tu vas où ? demanda-t-elle, surprise.

— Je reviens dans cinq minutes, répondit-il d'un air perturbé, sans donner plus d'explications.

Pattie ne s'inquiéta pas, elle savait qu'il reviendrait. Il lui arrivait parfois de se comporter comme un gosse.

A quelques rues de là se trouvait une pharmacie ouverte la nuit. Ted y acheta un kit de grossesse contenant deux tests et le fourra dans sa poche, avant de regagner l'immeuble de Pattie au pas de course et de monter les marches quatre à quatre. Il tremblait toujours, et Pattie perçut dans ses yeux une lueur effrayante qu'elle n'avait jamais vue auparavant. Quand elle tenta de le caresser, il lui saisit la main et l'obligea à se lever du canapé. Il n'avait pas quitté son manteau.

— Qu'est-ce que tu fais ? demanda-t-elle, stupéfaite, tandis qu'il l'entraînait vers la salle de bains. Qu'est-ce qu'il y a, Ted ?

— C'est à toi de me le dire, répliqua-t-il d'une voix rauque.

Elle tendit la main vers lui, pensant qu'il avait envie de faire l'amour, mais il la repoussa. Pattie sursauta en le voyant sortir de sa poche le kit de grossesse.

— Je n'ai pas besoin de ça, dit-elle en riant. Arrête tes bêtises.

Elle tenta à nouveau de le caresser à travers son jean. Sans bouger d'un pouce, il ouvrit la boîte et lui tendit un des tests. Pattie blêmit.

— Fais-le, demanda-t-il d'une voix glaciale qui semblait appartenir à quelqu'un d'autre.

Elle avait voulu détruire sa vie, le forcer à l'épouser en se servant d'un bébé qui n'existait pas. Il sortit de la salle de bains et attendit derrière la porte. De longues minutes s'écoulèrent, pendant lesquelles il entendit Pattie sangloter. Son petit jeu était terminé. Finalement, elle ressortit sans le test et leva vers lui un regard désespéré.

— Je suis désolée, murmura-t-elle, le visage baigné de larmes.

Elle avait l'air paniquée. Tous deux savaient que si elle l'avait fait, le test aurait révélé qu'elle n'était pas enceinte. Ted comprenait mieux pourquoi elle avait prétendu avoir la migraine, dans l'après-midi. Pour une fois, elle avait été prête à renoncer au sexe de peur qu'il ne découvre qu'elle avait ses règles. Mais c'était fini, maintenant. Tandis qu'ils se tenaient là tous les deux, il la vit se décomposer.

— Je t'aime, Ted, chuchota-t-elle à travers un sanglot. Je suis désolée.

— Comment as-tu pu me faire ça ? Menacer de te tuer et de tuer le bébé, me dire qu'il fallait t'épouser tout de suite et pas plus tard ? Comment pensais-tu expliquer que tu ne grossissais pas ? En prétendant l'avoir perdu ? J'ai été un crétin ! Et quelle garce tu fais ! s'exclama-t-il, encore tout tremblant de rage et de soulagement. Ne t'approche plus jamais de moi. Plus jamais !

Alors qu'il passait devant elle pour gagner la porte d'entrée, elle se précipita sur lui et se jeta à ses pieds.

— Ne me quitte pas, le supplia-t-elle en s'agrippant à ses jambes. Je t'aime, Ted.

— Tu ne sais même pas ce que ce mot veut dire.

Ted se dégagea de son étreinte et ouvrit la porte. Il n'avait rien à récupérer dans l'appartement. S'il restait encore quelque chose à lui ici, il ne voulait plus en entendre parler. Surtout pas de Pattie. En lui faisant croire qu'elle était enceinte, elle avait été prête à détruire sa vie. Il lui jeta un dernier regard de dégoût et partit en claquant la porte. Puis il dévala les escaliers, sortit de l'immeuble et inspira de grandes goulées d'air frais.

Tandis qu'il rentrait chez lui en courant, avec l'impression grisante de s'être tout juste évadé de prison, il eut soudain envie de hurler. Il ne l'aimait pas, il la détestait. Quelle chance il avait eue de tomber sur ce tampon usagé ! Pattie avait essayé de l'anéantir, et lui avait essayé d'agir en homme responsable. A cause d'elle, il avait failli renoncer à ses études, à sa vie, alors qu'elle lui mentait et le manipulait depuis le début. Elle s'était servie de son corps pour le contrôler, avait menacé de se suicider pour le garder prisonnier. Il s'approchait de son immeuble quand son portable se mit à sonner, mais il ne répondit pas. Pattie s'était moquée de lui : il n'y avait jamais eu de bébé. Juste elle et ses filets, dans lesquels il s'était laissé prendre.

Arrivé chez lui, il se versa deux bons verres de tequila qu'il but d'un trait.

— On a quelque chose à fêter ? demanda en souriant un de ses colocataires qui venait de rentrer.

— Oh, que oui, répondit Ted.

Il se sentait déjà mieux qu'il ne l'avait été depuis des semaines, des mois. Il était libre. Alors qu'il se versait un troisième verre, son colocataire le mit en garde :

— Vas-y doucement, mon pote. Tu vas être dans un sale état demain.

Pour l'heure, Ted tenait une forme incroyable. Quelle sensation étrange de détester subitement quelqu'un qu'il aurait dû aimer, qu'il avait même promis d'épouser ! Seulement, Pattie n'était pas celle qu'elle prétendait être. Il resta devant la télé, sur le canapé, la bouteille de tequila coincée entre les jambes et le regard perdu dans le vide, à se servir verre sur verre tandis qu'il essayait de digérer ce qui venait de lui arriver.

A deux heures du matin, son colocataire lui apporta le téléphone. C'était l'hôpital. Ted écouta sans faire de commentaires.

— Elle va s'en sortir ? demanda-t-il finalement, d'une voix dénuée de toute émotion.

Malgré son état d'ébriété avancé, il avait compris que Pattie se trouvait aux urgences, où elle venait de subir un lavage d'estomac : elle avait avalé six somnifères (pas assez pour se mettre réellement en danger) avant d'appeler elle-même les secours. Elle serait de nouveau sur pied le lendemain, mais ils préféraient la garder pour une évaluation psychologique, vu qu'elle admettait avoir tenté de se suicider. Pattie leur avait demandé de le prévenir.

— Elle voudrait que vous veniez la voir, précisa l'infirmier.

— Dites-lui que je suis trop soûl. Je passerai demain matin.

Sur ces mots, il raccrocha et avala un dernier verre de tequila avant d'aller se coucher. Cette tentative de suicide le laissait complètement indifférent. Elle était tout aussi simulée que la grossesse, et représentait juste un moyen supplémentaire de le manipuler. Ted commençait à comprendre, maintenant.

Le lendemain, en dépit d'un puissant mal de tête, il tint parole et se présenta à l'hôpital à neuf heures et demie. Il n'eut aucune peine à trouver la chambre. Pattie était allongée sur le lit, le teint blafard. Installée dans le fauteuil à côté d'elle, une aide-soignante veillait à ce qu'elle n'attente pas de nouveau à ses jours. Quand Ted entra dans la pièce, elle lui proposa de les laisser seuls ; il refusa. Son visage était marqué par les excès de la veille, pourtant, malgré sa gueule de bois, il se sentait mieux. Pattie, elle, avait bien mauvaise mine. L'équipe médicale avait décidé de la garder une journée de plus pour que l'interne en psychiatrie puisse la voir, ce qui n'avait pas l'air de l'enchanter. Dès qu'elle aperçut Ted, elle se mit à pleurer et lui tendit les bras, mais il resta près de l'entrée, hors de sa portée.

— J'en ai assez, Pattie. C'est fini. Pas la peine de me menacer, et de faire semblant de te suicider à cause de moi. Pas la peine de me dire que tu m'aimes, ni de me parler de notre « bébé ». C'est terminé. Je ne veux plus entendre parler de toi. Tu n'aurais jamais dû faire ce que tu as fait. Tu n'aurais jamais dû me faire croire que tu étais enceinte.

L'aide-soignante les observait avec intérêt. Pattie sanglotait, le visage enfoui dans l'oreiller.

— Disparais de ma vie, reprit Ted. Pour moi, tu n'existes déjà plus. Ne m'appelle pas. Je t'enverrai mes devoirs, et tu peux me saquer, je m'en contrefous. Ce que tu as fait est écœurant.

Sur ces mots, il quitta la chambre et laissa la porte se refermer doucement derrière lui. De l'autre côté, Pattie pleurait. Cela lui était égal.

Mais, alors qu'il se dirigeait vers la sortie, ce fut la cerise sur le gâteau : une infirmière l'arrêta dans le couloir pour lui dire qu'elle était peinée de revoir Pattie ici, et qu'après quatre tentatives de ce genre, elle serait sûrement hospitalisée, cette fois-ci. Elle avait deviné que Ted était étudiant – d'après elle, les deux derniers petits copains de Pattie l'avaient été eux aussi. Ted sentit son estomac se soulever en entendant ces informations, que l'infirmière lui révélait au mépris du secret professionnel. Combien de ses camarades avaient subi le même sort ? Combien de fois Pattie avait-elle prétendu être enceinte, combien de fois avait-elle fait semblant de se suicider pour les retenir ? Ted en avait la nausée. Jamais il n'avait rencontré une femme aussi désespérée.

De retour chez lui, il appela Annie pour tout lui raconter.

— C'était du flan, annonça-t-il d'une voix éteinte. Elle n'a jamais été enceinte.

— Comment l'as-tu découvert ?

Annie était en train de prendre le petit déjeuner avec Tom. Ils lisaient le journal et faisaient des projets pour le week-end.

— Je l'ai su, c'est tout, répondit Ted. Elle m'a menti depuis le début.

Sa voix se brisa tandis qu'il repensait à toutes les fois où Pattie avait pleuré, où elle l'avait houspillé et menacé de se tuer s'il n'obéissait pas à ses désirs. L'éventualité qu'elle se suicide ne lui faisait même plus peur, à présent. D'ailleurs, comment pourrait-il encore avoir peur de quoi que ce soit ? Comment pourrait-il à nouveau faire confiance à quelqu'un ? Il aurait besoin de temps avant d'en être capable.

— C'est fini, conclut-il calmement.

Après avoir raccroché, il appela Liz pour lui apprendre la nouvelle, puis s'allongea sur son lit, la tête lourde mais le cœur léger. Maintenant, il comprenait que Pattie avait été une drogue – elle avait tout fait pour – et qu'elle s'était servie de sa dépendance pour le garder sous son emprise. C'était terrifiant. Il pouvait remercier le ciel d'avoir découvert le pot aux roses et recouvré sa liberté.

— Que s'est-il passé ? demanda Tom à Annie quand elle eut raccroché.

— Je ne sais pas. Ted s'est rendu compte que Pattie n'était pas enceinte. Il dit qu'elle lui a menti tout du long. Apparemment, il a découvert ça hier soir, et aujourd'hui, tout est fini entre eux. Quel soulagement !

— Eh bien, on dirait qu'il l'a échappé belle. Voilà une chose que tu peux rayer de ta liste de soucis, observa Tom avant de se pencher pour l'embrasser.

Annie lui versa une deuxième tasse de café, rasséré née. Pendant ce temps, Ted dormait déjà profondément dans son lit, occupé à cuver sa tequila. Il souriait dans son sommeil.

20

En salle d'embarquement, Katie et Paul s'offrirent un cappuccino chez Starbucks, sachant qu'ils n'en boiraient pas avant longtemps : bientôt, ils se retrouveraient plongés dans le quotidien de la famille de Paul à Téhéran.

Paul n'avait pas revu l'Iran depuis que ses parents et lui avaient emménagé à New York neuf ans plus tôt. Ils parlaient souvent d'y retourner, mais n'avaient jamais mis ce projet à exécution. Une fois adaptés aux nouvelles coutumes de leur pays d'accueil, ils avaient adopté le style de vie et les habitudes américains... Et le temps avait passé. A son arrivée, le père de Paul avait prévu de ne travailler que quelques années aux Etats-Unis, mais ses affaires avaient pris un bel essor et il était resté, au grand dam des siens. Son entreprise, florissante, l'occupait beaucoup, et sa femme avait pris goût à la vie émancipée qu'elle menait à New York. Elle avait renoncé au voile et à la plupart des traditions de sa culture d'origine, ce qui aurait posé problème s'ils étaient retournés à Téhéran. En résumé, ils se sentaient heureux d'être américains, et parfaitement intégrés. Paul, lui, éprouvait davantage l'envie de rendre visite à sa famille en Iran, où il gardait de tendres souvenirs de son enfance. Il avait hâte de revoir son pays natal, les lieux qu'il avait connus et aimés étant petit. Il lui tardait de partager son histoire et son héritage avec Kate qui se réjouissait de faire ce voyage avec lui.

Paul lui avait décrit Persépolis, la campagne autour de Téhéran, les couleurs et les odeurs exotiques du bazar. Il avait envie de tout lui montrer, et se sentait fier de retourner chez lui maintenant qu'il était adulte. Sa mère avait refusé qu'il retourne en Iran avant d'être sûr de son exemption de service militaire : en tant qu'Iranien, Paul aurait été obligé de servir. Le problème n'avait été réglé que l'année précédente, lorsque l'armée avait enfin pris en compte le léger souffle au cœur qu'il avait eu enfant. A présent, il était libre de visiter l'Iran sans crainte.

Bien qu'il fût américain, Paul avait gardé son passeport iranien et serait considéré comme un citoyen iranien dès son arrivée dans son pays d'origine. Katie avait emporté des photocopies de leurs passeports américains pour le cas où ils perdraient les originaux. Elle avait obtenu son visa à l'ambassade pakistanaise – il n'y avait pas d'ambassade iranienne aux Etats-Unis, ni d'ambassade américaine en Iran. Le ministère américain des Affaires étrangères lui avait conseillé de se présenter à l'ambassade de Suisse en cas de problème pendant leur séjour. C'était bon à savoir, même si Paul et Katie avaient la certitude qu'elle n'aurait pas besoin de leur aide. On leur avait recommandé également de se tenir à distance des manifestations de toutes sortes, politiques ou non, un conseil qui valait d'ailleurs pour n'importe quel autre pays. Surtout à leur âge. Il aurait été dommage qu'ils se fassent arrêter par erreur parce qu'ils se trouvaient au mauvais endroit, au mauvais moment. Dans un tel cas, Paul serait traité en citoyen iranien et Katie risquerait de finir en prison si on la prenait pour une opposante au régime. Mais il n'y avait aucune raison pour que l'un ou l'autre rencontre un quelconque problème avec la loi à Téhéran – c'était ce que le père de Paul avait assuré à Annie. En outre, son frère habitait un riche quartier résidentiel du centre-ville.

Katie avait hâte de visiter les musées, le bazar et l'université, où étudiaient deux des cousins de Paul et où enseignait son oncle. L'aînée de ses cousines devait s'y inscrire à la rentrée suivante.

Katie savait déjà, d'après ses lectures et ses conversations avec Paul, que les Iraniennes étaient très instruites et relativement libérées : elles allaient à l'université, avaient le droit de voter, de conduire et d'exercer un emploi dans la fonction publique.

Pendant le vol en direction de Londres, ils regardèrent un film et dormirent. A Heathrow, ils se baladèrent dans les boutiques, avant d'embarquer en classe économique pour Téhéran. On leur offrit du thé, de l'eau et des jus de fruits. Aucun alcool ne serait servi à bord. Tandis qu'une hôtesse charmante lui tendait un verre de jus d'orange, Katie sourit à Paul. Elle avait déjà l'impression d'avoir mis un pied dans un autre monde.

Paul avait écrit à son oncle et à sa tante qu'il viendrait avec une amie, précisant qu'il s'agissait d'une camarade étudiante qui s'intéressait à l'Iran dans le cadre de ses études. Tous deux pensaient qu'il était préférable, dans un premier temps, de se faire passer pour de simples amis. Dans ses lettres, Paul n'avait fait aucune allusion à une quelconque relation amoureuse, et il avait prévenu Katie qu'il leur faudrait se montrer discrets chez son oncle. Il n'avait pas envie de choquer sa famille en leur apprenant de manière trop brutale qu'il fréquentait une Américaine, et non une Persane. Katie comprenait parfaitement ; elle savait que les démonstrations d'affection étaient mal vues d'une manière générale, et pas du tout tolérées entre un musulman et une Occidentale. Elle avait promis à Paul qu'elle respecterait les règles, n'ayant aucune envie de contrarier qui que ce soit. Ils désiraient seulement voir sa famille et profiter de leur séjour.

Pendant le vol, on leur servit un repas traditionnel, conforme aux prescriptions et interdits alimentaires musulmans. La nourriture était tellement abondante qu'ils s'endormirent tous les deux peu après le dessert, et ils somnolèrent pendant presque les six heures du trajet, malgré les films projetés. Depuis New York, le voyage jusqu'à Téhéran avait une durée de treize heures. Katie regardait Paul avec bonheur, plus proche de lui que jamais. Ce voyage à deux l'enchantait.

Lorsque l'avion se posa, l'aéroport, propre et bien ordonné, grouillait d'activité. Il n'y avait qu'un seul terminal, par lequel transitaient tous les vols internationaux, en provenance du monde arabe ou d'ailleurs. Il leur fallut près d'une heure pour récupérer leurs bagages ; Katie surveilla leur arrivée, son voile soigneusement noué autour des cheveux. Elle avait emporté très peu d'affaires : des jupes longues, quelques jeans et pulls, et deux robes de couleurs sobres. Elle n'avait pris aucune tenue trop décolletée, courte, transparente ou punk, ne voulant pas choquer la famille de Paul avec des vêtements excentriques. Et puis, pour la première fois depuis ses treize ans, elle avait retiré toutes ses boucles d'oreilles ; elle prévoyait aussi de porter des tee-shirts à manches longues pour cacher ses tatouages, qui auraient, à n'en pas douter, scandalisé l'oncle et la tante de Paul. Lorsque Annie l'avait vue sans ses piercings la veille du départ, elle avait compris à quel point sa nièce aimait Paul pour faire de telles concessions. Katie tenait à produire une bonne impression sur la famille de Paul ; elle n'avait pas envie d'attirer l'attention ou les critiques.

Le jeune homme lui avait parlé de ses proches avant le voyage et pendant le vol. Ses deux cousines, Shirin et Soudabeh, avaient quatorze et dix-huit ans, et ses deux cousins vingt et un et vingt-trois ans. Ce dernier suivait des études de médecine à l'université de Téhéran, tandis que son frère étudiait l'histoire de l'art pour devenir conservateur. Katie savait que le musée de Téhéran était réputé pour sa richesse exceptionnelle.

Après avoir récupéré leurs valises, ils se présentèrent au service de l'immigration, où Katie donna son passeport et ses empreintes, selon la règle commune à tous les étrangers. Une fois son visa vérifié et tamponné, on la laissa passer. Paul, lui, devait fournir sa carte d'exemption du service militaire en plus de ses papiers ; tout était en ordre. Dès à présent, il ne serait plus reconnu comme un citoyen américain. Pendant le vol, il avait rangé son passeport dans son sac à dos, sachant qu'il ne lui serait d'aucune utilité en Iran. S'il avait un jour des enfants aux Etats-Unis, ceux-ci auraient la double nationalité, ainsi que Katie pour peu qu'ils se marient.

Les agents des douanes et de l'immigration se montrèrent extrêmement polis et obligeants. Katie prit garde de ne pas se tenir trop près de Paul, ni de le toucher ou de lui sourire trop intimement. Pendant deux semaines, ils allaient se comporter en simples amis, même chez son oncle. Le foulard bien en place, la fine tunique de coton soigneusement rangée dans son sac à dos, Katie observait les visages de l'autre côté de la porte des arrivées et elle reconnut immédiatement la famille de Paul.

Son oncle était le portrait craché de son père en moins grand et plus âgé, et sa tante Jelveh, un petit bout de femme, montrait un visage aimable et chaleureux ; ses deux cousins lui ressemblaient tellement qu'on eût dit ses frères, d'autant plus qu'ils étaient sensiblement du même âge. Leurs sœurs n'étaient pas venues à l'aéroport. Paul se précipita dans les bras de ses cousins qu'il n'avait pas vus depuis si longtemps, puis son oncle et sa tante l'embrassèrent, les larmes aux yeux, en lui souhaitant la bienvenue dans son pays. Paul leur présenta Katie, son amie de New York, et elle les salua timidement.

A cet instant, elle remarqua un vieil homme qui se tenait un peu en retrait et observait la scène d'un air grave. Elle reconnut le grand-père de Paul. Il lança à son fils un regard interrogateur, voulant savoir qui étaient ces jeunes gens. Jelveh le lui expliqua gentiment. Alors, il se mit à pleurer en s'avançant vers Paul pour le serrer contre lui. Il avait tellement changé en neuf ans que son grand-père ne l'avait pas reconnu. Ce fut un moment très émouvant. Paul essuya lui aussi quelques larmes. Tandis qu'ils se dirigeaient tous vers le minibus de l'oncle, le vieil homme garda un bras autour des épaules de son petit-fils, qu'il accueillait en enfant prodigue. Quand le grand-père fut installé dans le véhicule, Paul confia à Katie qu'il avait beaucoup vieilli en dix ans ; elle-même le trouvait très frêle et un peu désorienté. D'après Jelveh, il croyait que son petit-fils était rentré pour de bon à Téhéran. Paul, plus heureux que jamais d'être de retour, même pour deux semaines, eut un pincement au cœur en entendant cela. Dès l'atterrissage, il s'était rappelé à quel point il aimait ce pays, qui était encore le sien de bien des manières. Il comprenait mieux pourquoi ses parents n'y retournaient pas : peut-être leur serait-il trop dur de repartir.

Tous se montrèrent très aimables avec Katie, et un des garçons lui prit son sac. Elle s'installa à l'arrière du minibus à côté de la tante de Paul pour que les trois cousins puissent être assis ensemble. Jelveh lui demanda si le voyage l'avait beaucoup fatiguée, et lui promit qu'un bon repas les attendait à la maison, où ses filles étaient restées pour le préparer. Paul avait déjà vanté à Katie les talents de cuisinière de sa tante.

Pendant le trajet, Jelveh confia à la jeune Américaine qu'elle n'avait jamais quitté l'Iran, et que New York lui semblait très loin. A cet instant, Katie éprouvait le même sentiment. La tante de Paul la félicita de s'intéresser à l'Iran dans le cadre de ses études. Katie se garda bien de préciser que son intérêt était plus sentimental que scolaire. La petite mascarade venait de commencer et se prolongerait tout le temps de leur séjour. Avant d'annoncer qu'ils entretenaient une relation sérieuse, ou ne serait-ce qu'une liaison, Paul préférait que sa famille fasse la connaissance de Katie.

Il y avait beaucoup de circulation autour de l'aéroport : les routes qui menaient au centre-ville étaient embouteillées, si bien qu'il leur fallut une heure et demie pour atteindre la maison, située dans le quartier opulent de Pasdaran au nord de Téhéran. Katie regardait autour d'elle, fascinée, on ne l'entendait pas beaucoup. La famille bavardait avec animation en farsi, tout en s'adressant de temps en temps à Katie dans un anglais impeccable.

Parsemée de mosquées, Téhéran ressemblait à n'importe quelle ville moderne : on y croisait à la fois de grands immeubles et des bâtiments plus petits. Ils traversèrent le quartier financier. Katie avait hâte de découvrir le bazar que Paul lui avait décrit de manière si vivante. Elle avait envie d'y acheter quelque chose pour Annie. Tandis qu'ils approchaient de la maison, Paul lui montra l'université et la tour Azadi. La ville s'était développée depuis son absence. Avec ses quinze millions d'habitants, elle semblait encore plus animée, plus surpeuplée qu'avant – et elle l'était peut-être même plus que New York, à la grande surprise de Katie. Mais la taille de Téhéran n'enlevait rien à son exotisme. Ravie de s'y trouver avec Paul, Katie se sentait à l'aise parmi les siens, qui la traitaient tous avec respect et gentillesse.

Le grand-père de Paul, assis à l'avant du minibus, ne parlait presque pas. Il regardait par la fenêtre, perdu dans ses pensées. De temps en temps, il se retournait pour jeter un coup d'œil vers Paul, et ses yeux s'emplissaient aussitôt de larmes. Une ou deux fois, il tapota la main de son petit-fils comme pour s'assurer qu'il était vraiment là, qu'il ne s'agissait pas d'une illusion, et il adressait alors quelques mots en farsi à l'oncle de Paul. Jelveh continuait d'indiquer à Katie les monuments importants, pendant que Paul bavardait et riait avec ses cousins.

Enfin, ils s'arrêtèrent devant une grande maison familiale qui ressemblait à celles que Katie avait pu voir en banlieue de New York, à ceci près qu'elle paraissait encore plus immense et arborait de magnifiques voûtes au-dessus des portes et des fenêtres. Les deux cousines de Paul, qui attendaient devant la maison, se jetèrent dans ses bras dès qu'il sortit du véhicule. Quel choc pour lui de les revoir ! Elles avaient cinq et neuf ans l'année de son départ... Elles étaient devenues de belles jeunes femmes aux yeux de velours brun et à la peau couleur d'ambre, comme celle de Paul ; Katie devinait que, sous leur voile, se cachaient des cheveux aussi noirs que ceux de leurs frères. Les deux filles s'étaient activées en cuisine avec leur mère dès l'aube pour préparer un somptueux déjeuner de bienvenue.

Dès qu'ils eurent pénétré dans la maison, laissant leurs chaussures près de la porte d'entrée, Jelveh se hâta de mettre la dernière main aux préparatifs du repas tandis que les jeunes gens bavardaient avec animation. De délicieuses odeurs de cannelle, d'orange et d'agneau parfumaient l'air, rappelant à Paul des souvenirs familiers. Katie s'éclipsa en cuisine pour offrir son aide à Jelveh, qui lui présenta Shirin et Soudabeh et annonça fièrement que cette dernière allait se marier dans l'année. Les quatre femmes se mirent au travail, assistées de trois jeunes filles que l'oncle et la tante de Paul employaient.

— Elle est fiancée à son futur mari depuis ses treize ans, expliqua Jelveh, tout sourire, tandis que Soudabeh rayonnait de bonheur. L'an dernier, nous avons arrangé le mariage de Shirin. Dès que sa sœur aînée sera mariée, elle pourra le faire à son tour, l'année prochaine.

La plus jeune des deux sœurs se retrouverait donc épouse à quinze ans, ce qui n'avait rien d'inhabituel en Iran. D'après Paul, les unions étaient souvent arrangées

266

dans les familles traditionnelles. Les deux filles, qui maî-
trisaient parfaitement l'anglais, gloussaient d'excitation
en parlant de leurs noces.

Quand le repas fut prêt, Jelveh proposa à Katie de
lui montrer sa chambre, pendant que les hommes sortaient pour discuter et échanger des nouvelles. Le retour
de Paul les mettait en joie. Jusque-là, Katie n'avait pas
remarqué de grandes différences avec les scènes de
retrouvailles familiales aux Etats-Unis.

Shirin et Soudabeh conduisirent Katie à l'étage, dans
une chambre proche des leurs : une petite pièce carrée,
meublée d'un lit étroit, d'une commode et d'une penderie, et dotée d'une minuscule fenêtre tout en haut
d'un mur, par laquelle on ne pouvait pas voir dehors,
mais qui laissait entrer la lumière du soleil. La décoration était sommaire ; Katie put voir, en passant devant,
que les chambres des deux filles se révélaient tout aussi
dépouillées. Shirin lui expliqua que les garçons dispo-
saient de pièces plus grandes à l'étage du dessus. Soudabeh précisa que leurs parents dormaient à l'extrémité
opposée de la maison et que leur grand-père, qui avait
été malade et les avait rejoints lorsque Paul était parti,
occupait plusieurs pièces au rez-de-chaussée.

Katie posa ses bagages dans sa chambre, laissant son
passeport dans son sac à dos avec sa carte de crédit et
ses traveller's chèques. Dans la poche de son pantalon
se trouvait de l'argent en rials, en plus de quelques dollars. Lorsqu'elle était allée chercher son visa, on lui avait
déconseillé de prendre son ordinateur portable : à
Téhéran, les cafés Internet ne manquaient pas. Katie
préféra garder son BlackBerry sur elle.

A peine avait-elle posé ses affaires que les deux sœurs
l'appelèrent en cuisine. Jelveh et les filles disposèrent la
nourriture dans des plats, que les trois domestiques
apportèrent à la salle à manger.

De toute évidence, la famille appartenait à un milieu
aisé, sans être excessivement riche. Jelveh portait une

robe noire assez sobre et une très belle montre en diamants, les deux filles possédaient des bracelets en or, et les hommes, y compris les cousins de Paul, arboraient de grosses montres en or.

Alors que Jelveh finissait de mettre la table, Katie entendit pour la première l'*adhan,* l'appel à la prière de midi. Le muezzin répétait cinq fois par jour son chant entêtant, lancé à travers des haut-parleurs disséminés partout dans la ville. Tout s'arrêta instantanément. Il n'y eut plus aucun bruit dans la maison tandis que chaque membre de la famille écoutait les sept versets de l'appel. Katie se sentit hypnotisée par cette voix qui exhortait les fidèles à prier, et qu'elle allait entendre, comme lui avait expliqué Paul, à l'aube, à midi, dans l'après-midi, au coucher du soleil et deux heures plus tard.

Dès que le muezzin se tut, l'activité reprit.

Jelveh et ses filles avaient préparé des plats délicatement parfumés au safran, aux fruits et à la cannelle. En sentant les odeurs délicieuses de poulet, de mouton et de poisson, Katie s'aperçut qu'elle mourait de faim après ce long voyage, malgré les deux repas servis pendant chacun des vols. Elle n'avait aucune idée de l'heure qu'il était à New York ; elle avait l'impression d'avoir été transportée dans un autre monde, sur une autre planète, à des millions de kilomètres de là. Voilà seulement deux heures qu'elle se trouvait à Téhéran, et la famille de Paul faisait tout pour qu'elle se sente chez elle.

Quand vint le moment de se mettre à table, Katie s'assit entre Shirin et Soudabeh. Les trois domestiques passèrent les plats, tandis que les conversations fusaient de tous côtés. Le retour de Paul représentait un grand événement pour toute la famille. Les hommes bavardaient avec animation en farsi, riaient à gorge déployée. Paul avait l'air complètement à l'aise parmi eux, comme s'il ne les avait jamais quittés. De leur côté, Shirin et Soudabeh bombardaient Katie de questions sur les dernières tendances à New York en matière de mode, montrant les mêmes centres d'intérêt que toutes les filles de leur âge partout dans le monde. De temps en temps, Paul lançait un sourire rassurant à Katie. Elle prit soudain conscience que ces deux semaines sans aucun contact physique, sans aucune marque d'affection, lui sembleraient bien longues. Mais le sacrifice paraissait dérisoire face à l'expérience d'un voyage à Téhéran.

— Ça va ? lui demanda Paul, à l'autre bout de la table.

— Très bien, répondit-elle en souriant.

Il savait à quel point cela devait être dépaysant, pour elle qui ne comprenait pas la langue, et il voulait s'assurer qu'elle ne se sentait pas trop isolée, même si son oncle, sa tante, ses cousins et cousines l'avaient très bien accueillie. Katie, elle, se régalait avec les différents plats au goût relevé et délicatement épicé.

Quand les garçons lui proposèrent de lui faire visiter l'université le lendemain, elle répondit qu'elle avait hâte de la découvrir, ainsi que le bazar. Ils lui promirent de lui montrer tout ce qu'il y avait à voir à Téhéran pendant son séjour. De toute évidence, ils faisaient des efforts pour la mettre à l'aise.

Puis le grand-père de Paul se mit à parler en farsi, l'air soucieux. Il posa une question à son petit-fils, qui lui répondit « non ».

— Que t'a-t-il demandé ? s'enquit Katie.

Elle avait eu l'impression que la conversation la concernait, car le grand-père l'avait regardée à plusieurs reprises.

— Il voulait savoir si tu étais ma petite amie, répondit Paul tranquillement. Je lui ai dit que non.

Katie acquiesça. Ils s'étaient mis d'accord sur ce point avant de partir. Paul n'avait aucun intérêt à ce que sa famille connaisse la nature de leurs relations.

Après le déjeuner, Jelveh suggéra aux trois jeunes filles d'aller se reposer à l'étage. Shirin et Soudabeh suivirent

Katie dans sa chambre et tombèrent en admiration devant les vêtements qu'elle sortait de son sac. Shirin les tenait un par un devant elle, brûlant de les essayer mais n'osant pas demander la permission, tandis que Katie déposait rapidement ses affaires dans la commode et dans la penderie.

Katie voulut ensuite ranger son argent et son Black-Berry – il lui semblait stupide de les garder sur elle dans la maison. Mais, alors qu'elle ouvrait son sac à dos, elle s'aperçut que son passeport avait disparu, ainsi que sa carte de crédit et ses traveller's chèques. La poche était vide. Quelqu'un avait dû les prendre pendant le repas, puisqu'elle avait vérifié son sac juste avant de descendre. Katie sentit une vague de panique l'envahir. L'idée de ne plus avoir ses papiers la mettait mal à l'aise. Peut-être Paul ou l'un des cousins avait-il voulu lui faire une blague. Elle l'espérait.

Mais, quelques instants plus tard, lorsqu'elle en parla discrètement à Paul d'une voix nouée par l'inquiétude, il eut l'air aussi surpris qu'elle et alla aussitôt demander des explications à son oncle. Celui-ci répondit que Katie n'avait pas besoin de ses papiers pendant qu'elle séjournait chez eux, et qu'il était préférable de les garder en lieu sûr. Sa carte de crédit et ses traveller's chèques ne lui seraient d'aucune utilité, vu qu'il n'avait pas l'intention de lui laisser payer quoi que ce soit. Quant au passeport, Katie n'avait pas de raison de s'en servir avant son départ. Paul ne savait pas qui avait fouillé dans le sac, et il n'avait pas envie d'interroger son oncle, car, dans cette maison, il était le chef de famille. Lorsqu'il rapporta un peu plus tard à Katie leur conversation, elle parut très contrariée. Entre-temps, Paul s'était rendu compte que ses deux passeports et son argent avaient également disparu. Katie fut bien contente d'avoir gardé son BlackBerry et un peu de monnaie sur elle pendant le déjeuner.

— Pourrais-tu le prier de me les rendre ? Je préférerais les avoir avec moi, demanda-t-elle à Paul tandis qu'ils en discutaient à voix basse dans le couloir, à l'étage. Je me sens mal à l'aise sans mes papiers d'identité.

Par chance, les photocopies de leurs passeports se trouvaient encore tout au fond de son sac.

— Moi non plus, cela ne me plaît pas, lui assura Paul, ennuyé par cette complication. J'en reparlerai à mon oncle.

Mais ce dernier répéta qu'ils n'avaient pas besoin de ces documents. Il semblait bien décidé à les conserver en lieu sûr, et Paul ne voulait ni entamer une dispute ni lui manquer de respect. Kate était au bord des larmes lorsqu'il lui fit part de sa réponse.

— Cela m'inquiète vraiment, murmura-t-elle.

A cet instant, elle aurait tant aimé pouvoir se blottir dans ses bras... Elle avait besoin d'être rassurée. Certaine que l'oncle de Paul ne nourrissait pas de mauvaises intentions, elle n'en était pas moins angoissée de ne plus avoir son passeport sous la main ; c'était comme si on la privait de son libre arbitre. Elle s'aperçut alors qu'elle n'avait pas donné de nouvelles à sa tante depuis son arrivée à Téhéran. Mais son BlackBerry marcherait-il, d'ici ? Prenant le parti d'essayer, elle écrivit un court message – *Bien arrivés, bisous* – et éteignit aussitôt son téléphone pour économiser la batterie, au cas où on lui interdirait également de s'en servir.

Ne voulant pas risquer de perdre son seul moyen de communication avec le monde extérieur, elle glissa son BlackBerry dans une chaussette et le cacha sous le matelas, où elle savait que personne n'irait le chercher. Si bienveillantes qu'eussent été les motivations de l'oncle de Paul, Katie trouvait choquant qu'il lui ait confisqué son passeport, ses traveller's chèques et sa carte de crédit, preuves matérielles de sa liberté et de son indépendance. Il la traitait comme une enfant. De son côté, Paul était tout aussi mécontent. Son oncle lui avait fait remarquer que seul son passeport iranien comptait ici, que les documents américains ne lui serviraient à rien. Paul aurait préféré les garder avec lui, mais il ne pouvait rien y faire. En tant que chef de famille, son oncle prenait les décisions pour toute la maisonnée, y compris pour Kate tant qu'elle serait logée chez eux.

Dans l'après-midi, les trois cousins partirent en voiture pour un petit pèlerinage sur les lieux de leur enfance. Les femmes restèrent à la maison, et Shirin et Soudabeh jouèrent aux cartes avec Kate. Celle-ci aurait aimé visiter la ville avec Paul, mais elle ne voulait pas faire de peine à ses cousines, tout excitées par sa présence.

Trois heures plus tard, les garçons revinrent d'excellente humeur. Paul raconta qu'ils avaient revu son ancienne école et rendu visite à un ami d'enfance. Il avait découvert, à sa grande surprise, que ce dernier n'était autre que le futur mari de Soudabeh, qu'elle devait épouser pendant l'été. Cela lui faisait drôle d'imaginer ses propres camarades fondant déjà une famille, même s'il savait qu'ici les gens se mariaient plus tôt qu'en Occident. Lui ne se sentait pas prêt, malgré tout son amour pour Katie. Quoi qu'il en soit, il était ravi d'être de retour à Téhéran, de revoir sa famille, ses amis et tous les endroits familiers, d'entendre et de sentir à nouveau les bruits et les odeurs qui lui avaient tant manqué.

Le soir, l'oncle et les trois cousins s'en allèrent voir de vieux amis. En partant, Paul lança un regard contrit à Kate. Son oncle avait exigé qu'elle reste à la maison avec Jelveh, Shirin et Soudabeh, pendant que les hommes se retrouvaient entre eux, ainsi que le voulait la coutume.

Les jeunes filles passèrent la soirée allongées sur le lit de Kate, à parler de mode et de stars de cinéma. Les deux sœurs ne les connaissaient pas toutes, mais elles semblaient déjà bien informées et écoutaient Kate avec fascination. Elles la traitaient comme un dignitaire en visite officielle. Annie aurait été soulagée de constater combien la famille de Paul, saine et soudée, prenait bien soin de sa nièce.

Ce soir-là, les trois filles s'amusèrent beaucoup. Soudabeh demanda à Katie si elle avait un petit copain et gloussa d'excitation en l'entendant répondre par l'affirmative. Kate ne put s'empêcher de rire sous cape à l'idée qu'il s'agissait de leur cousin, ce qu'elle ne pouvait évidemment pas leur confier. Elle n'était pas musulmane, du moins pas encore ; mieux valait éviter d'afficher sa relation avec Paul.

Les filles se couchèrent bien avant le retour des garçons. Kate finit par se demander pourquoi ils tardaient autant. Elle avait beau se raisonner, elle se sentait exclue, chaque jour davantage. Le lendemain matin, Paul se montra très attentionné et s'excusa une fois de plus de l'avoir laissée seule la veille.

— Tu as bien dormi ? lui demanda-t-il, regrettant de ne pouvoir la serrer dans ses bras.

— Très bien, répondit-elle en souriant. A quelle heure êtes-vous rentrés ?

— Vers deux heures du matin.

Quelques instants plus tard, ses cousins descendirent, et ils discutèrent de la sortie qu'ils avaient prévue ce jour-là avec Kate et Soudabeh, à l'université de Téhéran. Tout de suite après le petit déjeuner, les cinq jeunes partirent en minibus, pleins d'entrain.

Kate fut impressionnée par la taille de l'université, bien plus grande que celle de New York où Ted étudiait le droit, et tout bonnement immense par rapport à Pratt, l'école des beaux-arts que Paul et elle fréquentaient. Toute la journée, les cousins leur firent visiter les lieux, s'arrêtant de temps en temps pour discuter avec des amis ou présenter de jeunes étudiantes à Paul.

Enthousiasmée par tout ce qu'elle venait de voir, Kate suggéra d'aller visiter un musée, mais personne ne sembla intéressé. Paul lui promit d'arranger cela pour un autre jour. Katie rêvait également de découvrir le bazar dont on lui avait tant parlé.

Ce soir-là, en allumant son BlackBerry au moment d'aller se coucher, elle découvrit un message d'Annie : *Prends soin de toi. Je t'aime.* Soulagée de constater que la batterie était encore presque pleine, Katie n'en éteignit pas moins son téléphone, car le chargeur et le transformateur avaient à leur tour disparu de son sac à dos. L'oncle de Paul interdisait à Shirin et à Soudabeh d'avoir des téléphones portables. En revanche, elles possédaient chacune un iPod qu'elles écoutaient constamment.

Le lendemain matin, au petit déjeuner, les filles discutèrent avec Kate d'un sujet qui les réjouissait : leurs mariages. Shirin ne voyait aucun problème d'être promise à un homme de cinq ans son aîné. Elle le trouvait très séduisant. Les deux sœurs parlaient déjà de faire un bébé. Jelveh avait expliqué à Katie qu'elle s'était mariée à quatorze ans avec l'oncle de Paul qui était beaucoup plus âgé, et qu'elle avait eu son premier fils un an plus tard. Plus jeune qu'Annie, Jelveh était déjà maman d'un garçon de vingt-trois ans… Kate lui avait confié que sa tante les avait élevés, elle, son frère et sa sœur, après la mort de ses parents, l'année de ses cinq ans. Jelveh avait été choquée d'apprendre que la tante de Katie n'était pas mariée et qu'elle n'avait jamais eu d'enfants.

— Comme c'est triste, avait-elle commenté avec compassion.

Ça l'était peut-être, mais Annie n'avait pas l'air d'en souffrir. Elle les avait, eux, songea Katie.

Paul tint sa promesse en organisant une sortie au musée d'Art contemporain. Cette fois-ci, ses cousines faisaient partie de l'expédition. Pour la plus grande joie de Kate, ils restèrent plusieurs heures au musée, qui possédait l'une des plus belles collections de peintures contemporaines qu'elle eût jamais vues ; ils explorèrent ensuite le Jardin des sculptures.

A la fin de la semaine, tous se rendirent au grand bazar, où Kate acheta un magnifique collier d'argent pour sa tante. S'étalant sur plusieurs dizaines de mètres, les stands vendaient toutes sortes d'articles autour desquels les gens s'attroupaient pour engager d'intenses négociations. Katie n'avait pas imaginé le bazar aussi grand ni aussi fréquenté, ni les couleurs, les bruits et les odeurs aussi étourdissants. Elle passa un moment formidable.

Cette première semaine à Téhéran se révéla merveilleuse, mais, quand arriva le week-end, Paul et Katie durent admettre que la vie à New York leur manquait. Les journées avaient été tellement remplies qu'ils avaient l'impression de se trouver à Téhéran depuis plus longtemps. Kate avait envie de revoir sa tante. Elle se sentait loin de chez elle et des siens, même si elle appréciait beaucoup la famille de Paul.

Ce jour-là, Kate décida d'envoyer un mail à Annie. Plutôt que d'utiliser son BlackBerry dont la batterie déclinait, elle demanda à l'un des cousins de Paul s'il pouvait l'accompagner dans un café Internet après ses cours, et il eut la gentillesse de l'y conduire. Dans son message, elle raconta à Annie tout ce qu'ils avaient fait d'intéressant, lui assura qu'elle allait bien, mais qu'elle lui manquait. Ensuite, elle écrivit quelques mots à Ted et à Lizzie ; quand elle eut fini, il lui tardait encore plus de rentrer aux Etats-Unis. Malgré toutes les merveilles qu'elle découvrait à Téhéran, elle commençait sérieusement à avoir le mal du pays, et c'est la mine sombre qu'elle rejoignit les autres ce soir-là. Paul eut de la peine pour elle ; il admirait la façon dont elle s'était adaptée jusque-là, durant cette semaine riche en événements. Par moments, il avait l'impression que sa famille essayait de le convaincre de rester à Téhéran, en lui montrant combien il avait été heureux ici, dans son pays. Paul avait beau se réjouir de son séjour en Iran, il se rendait bien compte que ce n'était plus chez lui, et que ses parents, ses amis et sa vie à New York lui manquaient. Son grand-père ne ratait pas une occasion de lui rappeler qu'il était iranien, pas américain, et son oncle et ses cousins lui faisaient chaque fois écho. Même s'il se sentait parfaitement à l'aise à Téhéran, Paul avait hâte de retourner à New York. Une semaine de vacances était bien suffisante. La deuxième commençait à lui peser.

Katie partageait son avis, d'autant plus qu'elle se lassait d'avoir à cacher la nature de leurs relations. Elle aurait voulu pouvoir le serrer dans ses bras et l'embrasser à sa guise. De plus, elle trouvait parfois fatigant d'avoir à assimiler une nouvelle culture, à comprendre toutes leurs coutumes. Il n'en restait pas moins que Paul était heureux d'être venu et, plus particulièrement, d'avoir partagé cette expérience avec Katie. Malgré les mises en garde pessimistes d'Annie, ni l'un ni l'autre ne regrettait son voyage, bien au contraire. Hormis Persépolis, qu'ils espéraient pouvoir visiter avant de partir, Paul avait montré à Katie tout ce qu'il voulait lui faire découvrir et tout ce qu'elle souhaitait voir.

Ils retournèrent au bazar pour acheter un bracelet à Liz et une ceinture à Ted. Ce soir-là, Katie commença à se sentir mal pendant le dîner. Soudain très pâle, elle transpirait à grosses gouttes et la tête lui tournait. Jelveh, inquiète, lui toucha le front : Katie avait de la fièvre. La jeune femme s'excusa, se leva de table et se retira à l'étage. Deux minutes plus tard, elle vomissait. Lorsque Paul la rejoignit après le repas, son état s'était considérablement dégradé. Il l'aida à s'allonger, avant de redescendre prévenir sa tante que son amie aurait sans doute besoin d'un médecin. Quand Jelveh monta la voir, Katie, fiévreuse, était secouée de violents frissons. Elle pleurait, se plaignait de douleurs atroces au ventre, tout en jurant qu'elle n'avait rien bu ni rien mangé au bazar. Selon Jelveh, cela ressemblait à la mauvaise grippe qu'ils avaient tous attrapée au cours de l'hiver. Katie n'avait jamais été aussi malade. Fou d'inquiétude, Paul ne put s'empêcher de l'embrasser sur le front, profitant de ce que sa tante était sortie un moment. Malheureusement, celle-ci reparut dans la chambre à cet instant précis...

— Tu n'as pas le droit de faire ça ici, Paul, et tu le sais, dit-elle d'un air désapprobateur. Ne t'avise pas d'embrasser Kate en public, vous risquez de vous attirer des ennuis. C'est un comportement inacceptable, d'autant plus qu'elle n'est pas musulmane. Si ton grand-père te voyait faire ça, cela lui briserait le cœur.

Après cette semonce, Jelveh posa sur eux un regard inquisiteur.

— C'est ta petite amie ? demanda-t-elle à son neveu, en baissant la voix pour que personne d'autre ne l'entende.

Les yeux écarquillés, Kate observa Paul tandis qu'il hésitait avant d'acquiescer. Il n'avait pas envie de mentir à sa tante – il lui faisait confiance pour se montrer discrète. Il savait qu'elle aimait beaucoup Kate, même si elle ne voulait pas les voir en couple parce que la jeune fille était chrétienne.

— Tes parents sont au courant ?

Elle paraissait choquée. Il acquiesça de nouveau.

— Oui. Ils aiment bien Kate. Ils s'inquiètent juste pour l'avenir de notre relation mais, pour nous, c'est différent : on vit à New York, pas à Téhéran.

Jelveh se tut un long moment, perdue dans ses pensées.

— Non, ce n'est pas différent, finit-elle par dire d'une voix douce. Tu es toujours musulman, même à New York. Et Kate ne l'est pas. Je crois que tu es resté trop longtemps loin de chez toi. Il est temps que tu reviennes ici, que tu te rappelles qui tu es.

— Je ne peux pas faire ça, répondit-il calmement. Ma vie est à New York, et mes parents y habitent.

— Tes parents ont eu tort de t'emmener si jeune. Ton oncle et moi voulons que tu restes à Téhéran. Tu pourras continuer tes études ici avec tes cousins, et vivre chez nous.

Paul en eut le souffle coupé.

Jelveh parlait avec son cœur. Ses intentions étaient bonnes. Kate écoutait, stupéfaite.

— C'est impossible, Jelveh, se défendit Paul, une note de panique dans la voix. Mes parents seraient bouleversés si je ne rentrais pas, et moi aussi. J'adore ce pays, mais ce n'est plus chez moi.

— Tu seras toujours chez toi à Téhéran, répliqua fermement sa tante.

A cet instant, Katie courut à la salle de bains, et ils purent entendre ses haut-le-cœur à travers la cloison.

— Je vais appeler le médecin, déclara Jelveh. Nous en reparlerons plus tard.

Le ton calme de sa voix n'avait rien de rassurant. Son oncle avait ses deux passeports et Paul ne pouvait pas quitter Téhéran sans en récupérer au moins un. Et de toute évidence, Jelveh et son mari étaient bien décidés à le garder chez eux.

Ils n'eurent pas le temps d'en discuter davantage : une demi-heure plus tard, le médecin arriva pour examiner Katie, qui avait 39 °C de fièvre et se sentait encore plus mal. Le docteur, concluant à un virus ou à une infection bactérienne, voulut la faire hospitaliser, mais après s'être entretenu avec Jelveh, il décida que Katie serait aussi bien à la maison.

La fièvre persista trois jours pendant lesquels Jelveh resta au chevet de la jeune femme. Paul se faisait un sang d'encre pour Katie, qu'il venait voir dès qu'il le pouvait. S'il remerciait intérieurement sa tante de n'avoir rien dit à personne au sujet de leur relation, il lui était de plus en plus difficile de cacher ses sentiments à mesure que l'état de Kate empirait. Lorsque la fièvre retomba, seulement deux jours avant la date prévue de leur retour aux Etats-Unis, Katie ressemblait à un fantôme, pâle comme un linge, les yeux creusés de cernes sombres. Pour autant, sachant qu'ils rentreraient bientôt, elle n'avait pas voulu alerter Annie. Paul la félicita pour son courage. Il se permit de lui tapoter la main, mais se garda bien de l'embrasser, conscient du scandale qu'il risquait de provoquer.

Katie fut soulagée quand le médecin déclara qu'elle pourrait repartir à New York en temps voulu. N'ayant aucune envie de rester en Iran, elle avait hâte de rentrer chez elle pour revoir Annie et finir de guérir dans son propre lit. Ces derniers jours, elle s'était sentie aussi vulnérable qu'une fillette de cinq ans. Même si Jelveh, très maternelle, avait pris soin d'elle presque aussi bien qu'Annie l'aurait fait, quoique avec des remèdes différents.

Après avoir confirmé la réservation de leurs billets d'avion, Paul alla demander leurs documents à son oncle. Celui-ci acquiesça, ouvrit un tiroir de son bureau et lui tendit le passeport de Kate, ainsi que sa carte de crédit et ses traveller's chèques.

— Et moi ? J'ai besoin de mes passeports.

— Non. Ta tante et moi, nous ne voulons pas que tu partes. Ta place est ici.

— Pas du tout, protesta Paul tandis qu'un frisson d'angoisse remontait le long de sa colonne vertébrale. Tu ne peux pas m'obliger à rester. Un jour ou l'autre, je trouverai un moyen de partir.

— Tu n'as rien à faire à New York, Paul. Ton pays, c'est l'Iran. Tu es chez toi à Téhéran.

— L'Amérique aussi est mon pays, rétorqua Paul. C'est à New York que je me sens chez moi, pas ici.

J'aime beaucoup l'Iran, mais pour moi, c'est du passé. J'ai envie de faire ma vie aux Etats-Unis.

— Ton père a commis une grave erreur en décidant de partir. Il s'est laissé séduire par l'argent qu'il pouvait gagner là-bas. Mais il y a plus important que l'argent : la famille et les traditions, par exemple. Tu peux rattraper l'erreur de ton père en restant à Téhéran.

— Je ne resterai pas ! s'exclama Paul. Je dois ramener Kate chez elle. Elle est malade, il faut qu'on parte.

— Elle peut prendre l'avion toute seule.

Paul avait l'impression de parler à un mur.

— Es-tu en train de me dire que tu ne me rendras pas mon passeport ?

— Exactement, répondit son oncle avec un regard d'acier, tandis que Paul le dévisageait sans y croire. Je pense qu'il faut que tu restes ici. Et que tu renvoies Katie chez elle.

— Je ne la laisserai pas prendre l'avion toute seule, répéta le jeune homme d'une voix ferme, tandis que son oncle quittait la pièce tranquillement, et sans un mot.

Quelques instants plus tard, Paul rejoignit Katie dans sa chambre, l'air profondément préoccupé.

— Qu'est-ce qu'il y a ? On dirait que tu as perdu quelqu'un, lui dit Katie, ne plaisantant qu'à moitié.

— Non, quelque chose. Mes passeports. Mon oncle ne veut pas me les rendre.

— Tu es sérieux ?

Katie semblait horrifiée. Paul acquiesça et lui tendit ses papiers.

— Ils veulent que je reste.

— Combien de temps ?

— Pour toujours, j'ai l'impression. Ils considèrent que je suis iranien et que ma place est ici.

280

Voilà la seule chose qui avait inquiété la mère de Paul concernant ce voyage : la possibilité qu'on veuille retenir son fils dans son pays natal. Elle ne s'était pas trompée.

— Tu devras repartir seule, reprit-il. Je ne veux pas que tu restes à Téhéran. Tu es malade, il faut que tu rentres chez toi.

— Je ne te laisserai pas ici, répliqua-t-elle avec une lueur de panique dans le regard. Et si on demandait de l'aide à l'ambassade de Suisse ?

— C'est inutile. Je te rappelle que je suis citoyen iranien.

— Ton oncle n'a pas le droit de te faire ça.

Katie s'était mise à pleurer.

— Si, Katie. C'est le chef de famille. Selon lui, cela tuera mon grand-père si je repars, expliqua-t-il. Mais cela tuera mes parents si je reste. Mon oncle pense qu'ils devraient revenir, eux aussi.

— Je ne quitterai pas Téhéran sans toi, répéta Katie avec fermeté, étreignant son passeport.

— Ta tante deviendrait folle. Et ton visa expire dans deux semaines. Je veux que tu rentres.

Katie paraissait encore très malade. Le virus qu'elle avait contracté l'avait profondément affaiblie.

— Je ne veux pas te laisser ici, insista Katie, en larmes.

— On n'a pas le choix.

Il la serra dans ses bras, en priant pour que personne ne les surprenne. Cette fois-ci, son vœu fut exaucé.

— Je vais envoyer un message à ma tante, annonça Katie avec un air de défi.

— Elle ne pourra rien faire.

Pour Paul, la bataille était perdue d'avance. Son oncle, qui édictait les règles et faisait la loi, avait décidé qu'il resterait à Téhéran.

— Tu ne connais pas Annie, répliqua Katie, tout en extirpant son BlackBerry de sous son matelas.

Elle fut soulagée de constater que la batterie n'était pas à plat. Devant Paul, elle rédigea un message succinct pour sa tante :

J'ai attrapé une mauvaise grippe. L'oncle de Paul ne veut pas lui rendre ses passeports. J'ai les miens mais je ne partirai pas sans lui. Je suis malade, Paul est coincé. Que faire ? Peux-tu nous aider ? Je t'aime. K.

Après avoir éteint l'appareil, elle le rangea de nouveau dans sa cachette, tandis que Paul la regardait avec un sourire triste. Quelque chose lui disait qu'il ne retournerait jamais à New York. Il éprouvait beaucoup de peine pour ses parents, et, à présent, il regrettait d'être venu à Téhéran avec Kate. Son oncle l'avait pris au piège. Dans deux semaines, le visa de Kate ne serait plus valable et elle serait contrainte de partir. Finalement, Annie et la mère de Paul avaient vu juste : ce voyage avait été une erreur.

21

Tom et Annie s'étaient concocté un week-end idyllique : ils avaient dîné chez Da Silvano le vendredi ; fait du lèche-vitrines le samedi, puis Tom avait effectué de menues réparations dans l'appartement ; le soir, ils avaient préparé le repas ensemble avant de faire l'amour aux chandelles. Aujourd'hui dimanche, ils prévoyaient d'aller au cinéma.

Ce matin-là, après avoir feuilleté le *New York Times*, ils rejoignirent Ted au Mercer pour célébrer, autour d'un brunch, sa liberté retrouvée. Ted avait rendu ses dissertations et quitté le cours de Pattie. Peu lui importait d'obtenir un zéro dans sa matière, du moment qu'elle sortait de sa vie. Lorsqu'il s'était présenté au bureau du conseiller pédagogique pour se désinscrire, Pattie l'avait aperçu dans le couloir, mais n'avait pas cherché à lui parler. Elle savait qu'elle avait abattu toutes ses cartes et qu'elle avait perdu. Ted, lui, se sentait renaître. Las de partager un appartement avec des colocataires, il avait décidé de s'installer seul et de se consacrer à ses études.

Pendant le repas, il fit la remarque qu'il avait essayé de joindre Liz tout le week-end.

— Elle est à Londres, l'informa Annie.

— Qu'est-ce qu'elle fait là-bas ?

— Elle est avec un ami.

Annie affichait un petit sourire énigmatique. Quand Liz lui avait dit qu'Alessandro l'avait invitée à le rejoindre en Angleterre pour le week-end, elle l'avait vivement encouragée à partir.

— Tu as des nouvelles de Kate ? demanda Ted.

— Oui, j'ai reçu un mail. Elle a l'air de bien s'amuser. Je crois que j'ai eu tort de m'inquiéter.

Annie semblait soulagée, tout comme Tom.

— Moi aussi, elle m'a envoyé un message, mais il était vraiment lapidaire. A part bonjour, au revoir et je t'aime, elle ne disait pas grand-chose. Quand rentre-t-elle ?

— Dans quelques jours.

Annie était heureuse que le voyage de Katie se passe bien. Whitney avait raison : il fallait laisser les enfants voler de leurs propres ailes. Ted avait réussi à s'extraire de sa situation cauchemardesque avec Pattie, Liz s'était débarrassée de Jean-Louis, et Kate paraissait bien s'en sortir en Iran. Finalement, tout allait pour le mieux dans leurs vies.

— Je pense toujours qu'elle n'aurait pas dû partir, confia Ted en prenant l'air du grand frère réprobateur.

— Elle a peut-être bien fait, répondit Annie, faisant preuve d'indulgence envers sa nièce. Si tout se passe bien, ç'aura été une grande aventure pour elle. A son retour, elle aura pris de l'assurance, et elle se sentira capable de se débrouiller seule.

— Paul est un type bien, mais elle ne le connaît pas suffisamment pour s'en aller aussi loin avec lui, insista Ted. Il vient d'une culture tellement différente !

Annie partageait son avis, mais elle ne s'en réjouissait pas moins que Kate prenne du bon temps.

A la fin du brunch, Tom et Annie partirent au cinéma. Ils regardèrent le film en grignotant du pop-corn, lovés l'un contre l'autre. De retour chez Annie, alors qu'ils préparaient le dîner, elle se rappela soudain qu'elle avait oublié de rallumer son téléphone portable. En découvrant le message de Katie, elle crut que son cœur s'arrêtait de battre. Sans un mot, paniquée, elle tendit l'appareil à Tom.

— Que dois-je faire ?

— Cette histoire ne me dit rien qui vaille, répondit Tom, les sourcils froncés. Tu devrais appeler les parents de Paul pour voir ce qu'ils en pensent. Ils connaissent le contexte et leur famille mieux que nous. Peut-être que l'oncle de Paul fait du bluff dans l'espoir de le retenir.

Annie suivit son conseil et appela aussitôt chez les parents de Paul. Ce fut sa mère qui répondit. Annie lui lut le message de Katie et lui demanda son avis. La mère de Paul, très franche, ne cacha pas son inquiétude.

— La famille a toujours voulu qu'on revienne. Ils pensent que Paul devrait vivre en Iran, pas aux Etats-Unis. Mon beau-frère est très têtu, il est capable de retenir Paul pour de bon, expliqua-t-elle, des larmes dans la voix. C'est pour ça que je ne voulais pas qu'il parte. Ils ne lui feront aucun mal : ils l'aiment, et ils sont persuadés d'agir pour son bien. Ils essaient juste de rattraper l'« erreur » qu'on a faite en l'emmenant aux Etats-Unis. Je suis tellement désolée pour Katie ! J'espère qu'elle va mieux. Ma belle-sœur est très gentille, je suis sûre qu'elle a fait venir un médecin et qu'elle s'occupe bien d'elle.

— Oui, mais Katie refuse de quitter Téhéran sans Paul, se lamenta Annie.

La situation devenait inextricable. Annie promit à la mère de Paul qu'elle la rappellerait, et celle-ci s'engagea à contacter sa famille en Iran pour essayer d'en savoir plus. Dès qu'elle eut raccroché, Annie se tourna vers Tom.

— Comment puis-je me rendre à Téhéran ? lui demanda-t-elle, les yeux agrandis par l'inquiétude.

Ne sachant pas par où commencer, elle se tournait vers Tom, certaine qu'il aurait la réponse.

— Tu dois obtenir un visa délivré par l'ambassade du Pakistan, et il faut une bonne quinzaine de jours pour l'obtenir.

Il se pencha pour l'embrasser, soucieux de la voir si angoissée.

— Je vais essayer de trouver une solution, ajouta-t-il. J'ai des amis au ministère des Affaires étrangères. Peut-être que l'un d'eux pourra nous aider.

Il passa les trois heures suivantes à s'entretenir avec diverses personnes au téléphone. Deux d'entre elles acceptèrent de réfléchir au problème dès le lendemain. Tom leur avait signalé qu'une jeune Américaine avait contracté un virus à Téhéran et que son compagnon de voyage, qui n'était autre que son petit ami, se voyait dans l'impossibilité de repartir, son oncle refusant de lui rendre son passeport. Tom avait précisé que le jeune homme possédait la double nationalité iranienne et américaine, tout comme ses parents établis à New York, et qu'ils avaient entrepris ce voyage pour rendre visite à sa famille. Certes, il ne s'agissait pas d'une question de vie ou de mort, mais Katie et Paul se trouvaient dans une situation délicate. Pour conclure, Tom avait expliqué que la tante de la jeune fille devait aller la chercher sur place, celle-ci n'étant pas en état de voyager seule ; elle aurait d'ailleurs rapidement besoin d'un suivi médical une fois de retour sur le sol américain. Il s'avançait un peu, mais il espérait ainsi obtenir un visa pour Annie dans les plus brefs délais.

Tom savait que Katie, avec son caractère indépendant, n'aurait jamais demandé de l'aide à sa tante à moins d'y être contrainte et forcée. En temps normal, elle aurait trouvé une solution toute seule. Ils n'avaient aucune idée de ce qu'elle avait attrapé, ni du degré de gravité de son état, et cela l'inquiétait. De toute façon, ils ne pouvaient rien faire de plus avant le lendemain matin. Annie envoya un message à Katie : *Je cherche une solution. Tiens bon. J'arrive le plus vite possible. Bises, A.*

Elle tenta également d'appeler l'oncle de Paul, mais personne ne répondit, ce qui ne fit que l'angoisser davantage.

Elle ne put fermer l'œil de la nuit. A sept heures du matin, la sonnerie du téléphone la fit sursauter. Un ami de Tom avait appelé l'ambassadeur du Pakistan à Washington pour lui demander un service en faveur d'un grand journaliste ayant besoin de deux visas pour l'Iran. Sans en avoir informé Annie, Tom avait en effet décidé, la veille, de l'accompagner. Il connaissait la région, le pays et les coutumes, et il savait qu'elle risquait de rencontrer des difficultés en partant seule là-bas. Voyager avec un homme serait plus facile. Il avait envie de l'aider, et il en avait la possibilité.

L'ambassadeur avait accepté de leur remettre les deux visas à neuf heures le lundi. Il ne leur restait plus qu'à aller les chercher au consulat pakistanais, à New York, avant de prendre un vol pour Londres – ils suivraient le même itinéraire que Katie et Paul. Selon l'ami de Tom, l'ambassadeur n'avait aucune envie d'avoir sur les bras une jeune Américaine malade coincée à Téhéran avec l'un des journalistes américains les plus célèbres sollicitant de l'aide en sa faveur. Le diplomate avait tenu à résoudre ce problème, ne pouvant ignorer un appel au secours qui n'avait rien de politique ni de provocateur.

Quand Tom lui annonça qu'il partait avec elle, Annie s'empourpra, gênée.

— Tu ne vas pas laisser tomber ton travail pour moi, objecta-t-elle. Je peux me débrouiller seule.

Elle essayait de se montrer courageuse et d'éviter de profiter de lui et de ses relations. Il lui avait déjà été d'une aide inestimable en lui obtenant un visa et un billet d'avion.

— Ne sois pas stupide, répondit-il avec fermeté. J'ai été correspondant dans cette région pendant deux ans. Tu ne peux pas entreprendre ce voyage seule, je viens avec toi. J'appelle ma chaîne, tu appelles la compagnie aérienne.

Avec lui, tout paraissait si simple ! Et ça l'était, car elle n'osait imaginer le temps qu'il lui faudrait, seule, pour régler les différentes formalités.

— Nous récupérerons les visas avant d'aller à l'aéroport, et avec un peu de chance, on attrapera un avion vers midi, conclut Tom.

Annie priait pour qu'ils arrivent à Téhéran au plus vite, ne sachant pas à quel point Katie était malade.

Pendant que Tom annonçait à ses supérieurs qu'il prenait un congé exceptionnel de trois ou quatre jours pour raisons personnelles, Annie réserva deux places sur un vol en partance pour Londres à treize heures. Elle prévint ensuite son assistante de son absence, avant de téléphoner à Ted pour l'informer de la situation. La nouvelle l'ébranla. Il espérait lui aussi que Katie ne soit pas trop souffrante. Quelques instants plus tard, la mère de Paul appela Annie : elle avait réussi à joindre sa belle-sœur, qui lui avait expliqué que Katie avait eu beaucoup de fièvre et d'importantes douleurs au ventre, mais qu'elle allait mieux. Jelveh lui avait aussi confirmé qu'ils n'avaient pas l'intention de laisser Paul repartir, jugeant que sa place était en Iran et non aux Etats-Unis, et que ses parents avaient commis une grave erreur en quittant leur pays. La mère de Paul était en larmes.

Annie prépara un sac suffisamment léger pour pouvoir le garder dans l'avion, sans oublier d'y glisser quelques foulards. Une heure plus tard, Tom et elles étaient en route pour le consulat du Pakistan. Le père de Paul leur avait donné toutes les indications nécessaires pour récupérer facilement les visas ; il leur avait également dicté les numéros des passeports de Paul et l'adresse de son frère, chez qui les jeunes gens étaient logés. Il ne restait plus à Tom et Annie qu'à se rendre sur place pour prendre la mesure de la situation. Le vol de Londres leur parut très long, celui de Téhéran, interminable. Luttant contre l'angoisse, Tom et Annie discutèrent à voix basse, tentant de deviner ce qui avait pu se passer. Tous deux craignaient que la famille de Paul n'ait découvert la nature des relations entre les deux jeunes gens. Annie s'inquiétait de ne pas pouvoir recevoir de messages de sa nièce dans l'avion, les téléphones portables devant rester éteints. Elle tentait de ne pas céder à la panique. Alors qu'ils attendaient à l'aéroport d'Heathrow d'embarquer pour Téhéran, elle vit que Katie n'avait pas répondu au court message que Annie lui avait envoyé : – *On est en route. Je t'aime. A.*

Arrivés à l'aéroport Imam-Khomeiny de Téhéran, ils franchirent sans problème l'immigration – les officiers relevèrent leurs empreintes digitales. Avant l'atterrissage, une hôtesse de l'air lui avait suggéré gentiment de se couvrir les cheveux. Annie se coiffa avec l'un des foulards qu'elle avait apportés. Ils passèrent la douane sans encombre. Tom avait pensé à tout : il avait réservé des chambres d'hôtel dont une pour Katie, au cas où ils seraient obligés de rester plusieurs jours.

Tom avait envisagé de contacter la police, mais il ne voulait pas envenimer la situation ; de plus, Annie et lui n'avaient aucune revendication légitime pour venir en aide à Paul. Son oncle avait le droit de garder son passeport. De l'aéroport, ils prirent un taxi pour se rendre à l'adresse que le père de Paul leur avait indiquée, sans savoir ce qu'ils allaient y trouver ni quel accueil la famille leur réserverait. Se montreraient-ils aimables, ou bien hostiles ? Annie s'inquiétait de plus en plus de n'avoir reçu aucun message de Kate. Elle craignait que sa nièce ne soit plus souffrante que la famille de Paul ne voulait bien l'avouer. Et si elle était atteinte d'une maladie potentiellement mortelle, telle une méningite ? Ou qu'elle ait déjà succombé ? Annie avait les larmes aux yeux chaque fois que cette idée lui traversait l'esprit.

En voulant rallumer son BlackBerry, Katie s'était rendu compte qu'il n'avait plus de batterie ; elle ignorait donc qu'Annie était en route pour la retrouver. Allongée sur son lit, elle songeait à leur situation, inextricable.

Jelveh continuait à prendre soin d'elle. Elle se montrait toujours aussi douce et maternelle, lui offrant du thé, des repas légers et du riz, ainsi que des herbes qui, selon elle, l'aideraient à reprendre des forces. Katie commençait à se sentir mieux. En revanche, ni elle ni Paul ne savaient comment faire pour qu'il puisse rentrer aux Etats-Unis en sa compagnie.

Tandis qu'elle se reposait dans sa chambre, Katie entendit le muezzin appeler à la prière du coucher de soleil, puis à celle de la nuit deux heures plus tard. La musique de l'*adhan* lui était devenue familière. Lorsque Paul monta prendre de ses nouvelles, ainsi qu'il le faisait constamment, elle lui expliqua qu'elle n'avait reçu aucun message de sa tante, son téléphone étant hors d'usage. Chaque fois que Paul venait à son chevet, il était profondément abattu. Sa famille l'avait pris au piège.

La circulation était tellement dense qu'il fallut une heure et demie à Tom et à Annie pour rejoindre la maison de l'oncle de Paul depuis l'aéroport. Dans le taxi, Annie était rongée par l'angoisse. Elle espérait que l'oncle et la tante de Paul n'avaient pas laissé Katie se déshydrater à cause de la fièvre.

Enfin, le taxi s'arrêta devant une grande maison. Annie était si nerveuse qu'elle ne souffrait même pas du décalage horaire alors qu'elle n'avait pas dormi de tout le voyage. Tandis qu'ils descendaient de voiture, Tom lui conseilla à voix basse de garder son calme, de se montrer patiente et déterminée et de ne pas porter d'accusations contre la famille de Paul, quelle que soit son inquiétude pour les jeunes gens. Tom voulait avancer prudemment et faire preuve, autant que possible, de politesse et de civilité, jusqu'à ce qu'ils en sachent plus.

Lorsqu'il sonna à la porte, une domestique vint leur ouvrir. Tom demanda à voir l'oncle de Paul, d'une voix claire et forte, pleine d'assurance. Quelques instants plus tard, Jelveh vint à leur rencontre, douce et aimable.

— Je suis Annie Ferguson, la tante de Katie, annonça Annie. Je suis venue chercher ma nièce.

Alors qu'elle regardait Jelveh avec sévérité, elle se rendit compte que celle-ci, très souriante, n'affichait aucune hostilité à son égard.

— Katie m'a envoyé un message pour me dire qu'elle était malade, expliqua Annie d'un ton un peu moins froid avant de se tourner vers Tom. Voici Tom Jefferson, un ami, journaliste américain. J'aimerais voir Paul et Katie.

Elle aurait voulu les voir sans attendre, mais Jelveh ne semblait pas pressée. Cela faisait presque deux jours qu'Annie avait reçu le message de Kate. Elle avait les nerfs à vif, priant pour que sa nièce soit encore en vie. Elle frissonna.

— Bien sûr, répondit Jelveh en souriant. Votre nièce m'a parlé de vous.

Elle leur demanda de patienter un instant sur le seuil, avant de disparaître à l'intérieur de la maison. Deux minutes plus tard, son mari se présenta à la porte et les invita à entrer d'un petit signe de tête. Tandis qu'il les conduisait au salon, il leur proposa à boire. Ils déclinèrent son offre. D'une politesse et d'une hospitalité exemplaires, il ressemblait à s'y méprendre au père de Paul. Annie avait envie de hurler qu'elle voulait voir les deux jeunes gens immédiatement, mais elle n'avait pas oublié le conseil de Tom : elle devait rester calme et courtoise, se montrer patiente même si elle enrageait de voir l'oncle de Paul prendre tout son temps. Elle se trouvait sur leur territoire, les négociations se feraient selon leurs termes.

— Votre frère m'a dit que vous m'aideriez, commença-t-elle. Je sais que ma nièce a été malade et je suis sûre que vous avez pris bien soin d'elle. Mais j'ai appris que vous aviez confisqué le passeport de Paul. Ses parents sont très contrariés. J'aimerais que vous les laissiez partir tous les deux avec moi, conclut-elle d'une voix ferme.

Elle espérait le convaincre sans avoir à se battre.

— Paul et Katie sont ici, répondit-il calmement. L'état de votre nièce s'améliore de jour en jour. Elle a attrapé un mauvais virus, mais elle va beaucoup mieux. Ma femme s'est occupée d'elle. Bien sûr que nous allons la laisser repartir avec vous. Si nous avons gardé son passeport, c'était simplement pour éviter qu'elle ne le perde.

Annie en doutait, mais elle ne fit aucun commentaire.

— Pour Paul, c'est une autre histoire, continua l'oncle de Paul. L'Iran est son pays, son héritage. Sa place est ici et pas à New York. Mon frère a fait une grossière erreur en quittant l'Iran. Paul doit rester avec nous, il sera bien mieux ici.

A ces mots, Annie et Tom se rembrunirent. L'homme semblait sincère, il croyait réellement agir pour le bien de son neveu. Son intention n'était ni mauvaise ni malveillante, seulement regrettable, dans la mesure où Paul se sentait chez lui à New York, avec ses parents. Ils n'essayèrent pas de le contredire. A présent, Annie voulait avant tout voir sa nièce, même si elle avait aussi espéré repartir avec Paul.

— Où est Katie ?

— Là-haut, dans sa chambre.

Il était évident que l'oncle de Paul se méfiait de Tom : ce journaliste lui faisait l'effet de quelqu'un d'important, voire de dangereux, et il n'avait pas tort. Tom, qui suivait attentivement la scène, n'était toujours pas intervenu.

— Elle est vivante ? demanda Annie, prise de panique.

Et si Katie avait succombé pendant qu'ils faisaient le trajet jusqu'ici ? Annie redoutait qu'elle n'ait contracté une méningite, les jeunes gens en mouraient si facilement. Mais si ç'avait été le cas, l'oncle les aurait sûrement prévenus dès leur arrivée. La peur lui embrumait l'esprit, lui mettait les nerfs à vif. On prétendait que Katie allait mieux, mais était-ce la vérité ?

— Bien sûr, assura aussitôt l'oncle de Paul.

— Je veux la voir, répéta Annie, tentant de retenir ses larmes d'épuisement et de soulagement.

Alors, Tom s'avança. L'atmosphère était tendue. Le journaliste se demandait si Katie aurait omis d'évoquer quelque chose dans son message. Peut-être l'oncle de Paul avait-il percé à jour leur secret... Peut-être avait-il voulu mettre un terme à leur relation en retenant Paul en Iran.

— Ont-ils commis un crime ? demanda Tom sans ménagement.

— Pas en public, c'est certain, répondit l'oncle de Paul.

Sitôt qu'elle en avait eu connaissance, Jelveh lui avait annoncé que leur neveu entretenait des relations plus qu'amicales avec Katie. Elle ne cachait rien à son mari.

— Cependant, ils semblent plus proches qu'ils ne prétendaient l'être en arrivant, reprit-il. Or, un musulman qui fréquente une Occidentale de confession différente risque une punition très sévère dans notre pays.

Annie crut défaillir. Elle serra la main de Tom.

— Pour cette raison, continua l'oncle de Paul, mon neveu a eu tort de venir avec Katie et de faire croire qu'ils étaient amis. C'est une bêtise de jeunesse, ajouta-t-il en souriant, mais il ne serait pas sage qu'ils se marient. C'est aussi pour cela que Paul doit rester ici. Il n'y aura plus de danger une fois que Katie sera partie. Je lui ai rendu son passeport, sa carte de crédit et ses traveller's chèques. Elle est libre de s'en aller. Je suis sûr qu'elle sera heureuse de vous voir.

Annie et Tom laissèrent échapper un soupir de soulagement. L'oncle de Paul n'avait aucune raison de retenir Katie en Iran, et il n'en avait pas non plus l'intention. Elle n'était pas leur otage, mais leur invitée, et ils l'avaient traitée comme telle.

— En revanche, la place de mon neveu est ici. Il ne partira pas avec Kate.

— C'est terrible d'imposer cela à votre frère et à sa femme, intervint Tom avec colère. Paul est leur seul enfant. Vous allez leur briser le cœur.

— Cela les poussera peut-être à revenir, répondit doucement l'oncle.

C'était son vœu le plus cher.

— Vous savez très bien que ce n'est pas réaliste. Ils ont refait leur vie là-bas, votre frère dirige une entreprise. Ce serait très difficile pour eux de tout laisser derrière eux.

L'oncle de Paul hocha la tête.

— Et je suis prêt à faire beaucoup de bruit si vous ne me confiez pas immédiatement les deux jeunes gens, ainsi que les deux passeports de Paul, continua Tom. Ses parents m'ont demandé de le rapatrier à New York.

Il y allait au culot, mais c'était leur seul espoir. L'oncle de Paul n'avait aucune obligation d'accéder à sa demande.

— Je ne suis même pas certain qu'il ait envie de partir, observa ce dernier en se levant. Il est très attaché à son pays natal et à sa famille.

Tom faillit lui faire remarquer que ses parents comptaient encore davantage pour lui, mais il se retint.

— Je vais vous conduire auprès de Kate, annonça l'oncle d'un ton cordial comme s'il s'adressait à des invités de marque, ce que Kate était pour lui.

Quelques instants plus tard, il frappait à la porte de la jeune fille. Katie était assise dans son lit, en train de

294

discuter à voix basse avec Paul, installé dans un fauteuil à côté d'elle. Tous deux semblaient préoccupés. En voyant Tom et Annie entrer dans la pièce, ils furent stupéfaits. Katie avait appelé sa tante à l'aide, mais elle n'imaginait pas que celle-ci viendrait jusqu'ici. Poussant un cri de joie, elle se précipita dans les bras d'Annie tandis que le jeune homme adressait à Tom un sourire de gratitude. Celui-ci se tourna alors vers l'oncle de Paul, le regard glacial.

— Je veux les passeports de votre neveu, ordonna-t-il. Tout de suite. Vous ne pouvez pas le retenir ici contre sa volonté. Je suis journaliste, et je suis prêt à aller jusqu'au bout.

Il y eut une longue, longue hésitation, puis l'oncle de Paul quitta la pièce sans un mot. Cinq minutes plus tard, il revenait avec les passeports. Il n'avait pas envie de porter préjudice à son pays en laissant un journaliste déclencher un scandale dans les médias – ce que Tom semblait tout à fait prêt à faire. L'amour et le respect qu'il éprouvait pour sa patrie étaient plus forts que son désir de retenir son neveu contre son gré. Il avait perdu cette bataille au profit de Tom. L'air triste et abattu, il lui tendit les documents.

— Merci, murmura Tom en les glissant dans la poche de sa veste, sous le regard admiratif des deux jeunes gens.

La liberté de Paul était entre ses mains.

Tom leur demanda de faire leurs valises immédiatement, craignant que l'oncle ne change d'avis. Annie aida sa nièce tandis que Paul partait récupérer ses affaires dans sa chambre.

Dix minutes plus tard, les deux jeunes descendaient avec leurs bagages. Katie, toute pâle, était encore très faible. Jelveh les avait rejoints dans l'entrée et paraissait aussi bouleversée que son mari de voir partir son neveu.

Paul n'aurait pas la chance de faire ses adieux à son grand-père qui s'était absenté, ni à ses cousins qui étaient à l'université, ni à ses cousines qu'on avait envoyées dans leurs chambres avec interdiction d'en sortir. Cela l'attristait profondément.

Annie remercia l'oncle et la tante de Paul d'avoir pris soin de Katie, qui les remercia à son tour. Après avoir regardé son neveu en pleurant, Jelveh le serra dans ses bras, consciente qu'elle l'embrassait pour la dernière fois. Les larmes aux yeux, l'oncle de Paul se détourna, refusant de saluer les quatre Américains qui quittaient sa maison. Tandis qu'il montait dans le taxi, Tom fut touché en remarquant que Paul pleurait lui aussi. Le jeune homme pensait à son grand-père, qu'il ne reverrait plus. Quand la voiture démarra, il jeta un dernier regard chargé de nostalgie à la maison de son oncle. Il se sentait tiraillé entre ses deux cultures, ses deux vies. Très attaché à son pays natal et à sa famille, il avait tenu à revenir en Iran et, par certains côtés, il aurait bien aimé y rester. Mais il savait que c'était impossible, ses parents auraient été anéantis. Katie voyait bien à son visage qu'il souffrait. Quel que soit son choix, il trahissait une partie de sa famille qui l'aimait.

Il pleura en silence jusqu'à l'hôtel. Pendant le trajet, personne n'ouvrit la bouche – la souffrance de Paul était trop poignante. Tom se demandait presque s'il avait eu raison d'obliger son oncle à le laisser partir. Peut-être le jeune homme aurait-il préféré rester ? Mais une fois arrivés à l'hôtel, Paul les suivit sans hésiter et remercia Tom de son aide inestimable en lui ayant permis de récupérer ses passeports, et de les avoir sauvés tous les deux. Et bien qu'il fût très peiné de quitter Téhéran, il avait envie de retrouver ses parents à New York.

L'hôtel leur réserva des places sur un vol pour Londres qui partait dans trois heures : ils ne voulaient pas rester plus longtemps. Annie et Tom eurent juste le temps de récupérer leurs bagages avant de prendre avec les enfants un taxi pour l'aéroport. Finalement, la situation s'était débloquée plus facilement qu'ils ne l'avaient espéré, car l'oncle de Paul avait fait preuve de raison. Annie ne pouvait effacer de son esprit la tristesse qu'elle avait lue sur son visage au moment de leur départ. Pendant qu'ils attendaient d'embarquer, ils appelèrent les parents de Paul, qui témoignèrent leur gratitude à Tom. Ils savaient que, sans lui, leur fils n'aurait peut-être pas été capable de revenir : aux yeux d'un garçon de son âge, l'oncle incarnait une figure impressionnante face à laquelle il était difficile de s'imposer. Si Tom avait réussi, c'était uniquement parce qu'il avait joué avec l'oncle de Paul la carte de l'amour et du dévouement pour son pays. Celui-ci avait voulu à tout prix éviter un scandale médiatique.

Pendant le trajet vers Londres, les deux jeunes gens restèrent perdus chacun dans ses pensées, bien trop marqués par leur aventure pour échanger une seule parole. Au moment où l'avion décollait de Téhéran, Paul ne pouvait détacher son regard de cette ville qu'il aimait tant et qu'il était si triste de quitter. Il ne leur fallut pas longtemps pour s'endormir ; Annie se leva pour étendre sur eux une couverture. En retournant s'asseoir à sa place, elle embrassa Tom et le remercia une nouvelle fois. Drôle d'odyssée que celle qu'ils venaient de vivre...

Leur brève escale à Londres fut placée sous le signe de la fatigue. Katie semblait encore très faible, et tous avaient été affectés émotionnellement. Dans l'avion qui les ramenait à New York, ils regardèrent des films et prirent un repas. Cette fois-ci, Paul et Katie bavardèrent un moment. Katie venait de comprendre à quel point il était tiraillé entre ses deux vies. Avant de partir de Téhéran, elle s'était même demandé s'il n'allait pas changer d'avis et rester là-bas. Paul avait l'air plus attaché à l'Iran qu'elle ne l'avait imaginé. Pour tout dire, il se sentait autant iranien qu'américain, aussi dévoué à un pays qu'à l'autre, et c'était un déchirement.

Lorsqu'ils atterrirent à JFK, les parents de Paul les attendaient. Sa mère éclata en sanglots et serra son fils dans ses bras un long moment, avant de se tourner vers Tom et Annie pour les remercier. Katie et Paul se regardaient tristement. Ce jour-là, ils avaient été catapultés dans le monde des adultes, ils avaient pris conscience des énormes différences entre leurs deux cultures et de l'importance que chacun accordait à la sienne. Katie se sentait américaine jusqu'au bout des ongles, Paul avait un pied dans chaque monde. Ils venaient de vivre une expérience effrayante pour l'un comme pour l'autre, une expérience qui les avait dépassés, au point de requérir l'intervention de Tom et d'Annie. A présent, ils ne souhaitaient qu'une chose : se retrouver chez eux, avec leur famille.

Pour la première fois depuis le début de leur voyage, Katie embrassa Paul sur la joue avant de quitter l'aéroport. S'agissait-il d'un baiser de retrouvailles ou d'un baiser d'adieu ? Tous deux avaient l'air abattus en partant, et, tandis qu'ils se disaient au revoir, Annie crut entendre le bruit de deux cœurs qui se brisent.

22

Ils étaient tous épuisés en arrivant chez Annie, où les attendait Ted. Celui-ci serra sa sœur dans ses bras, pleurant de soulagement. Quelques instants plus tard, Annie accompagna Katie dans sa chambre, et sa nièce s'endormit avant même qu'elle ait refermé la porte. Cette journée interminable l'avait été encore plus pour elle qui avait été si malade.

Pendant que Ted et Annie discutaient à voix basse dans la cuisine, où ils étaient allés préparer quelque chose à manger, Tom s'étendit sur le canapé. Il n'avait pas faim. Il était tellement éreinté qu'il n'arrivait plus à avoir les idées claires. Alors qu'il regardait les informations sur sa chaîne, le journaliste interrompit le programme habituel pour annoncer qu'un attentat terroriste venait de se produire en Belgique. Une bombe avait explosé juste devant l'immeuble de l'OTAN à Bruxelles, faisant cinquante-six morts.

— Oh, merde, marmonna Tom.

Il appela aussitôt au bureau pour se porter présent.

— Où es-tu ? lui demanda son producteur. Cela fait des heures qu'on essaie de te joindre.

— A New York. J'étais à Téhéran ce matin, je suis rentré il y a deux heures, expliqua Tom d'une voix fatiguée.

— Désolé, Tom, mais on a besoin de toi.

— Je m'en suis douté en voyant les infos.

Il se redressa, devinant qu'il partirait bientôt en Belgique.

— Est-ce que tu peux prendre le vol de minuit pour Paris ? On t'enverra un hélico à Charles-de-Gaulle pour te transporter à Bruxelles, si ça te convient.

— Bien sûr.

Sa vie était faite ainsi. Tom rejoignit Annie et Ted dans la cuisine pour les informer de son départ.

— Je dois y aller, annonça-t-il, s'efforçant de sourire malgré son épuisement.

— Tu ne veux pas rester dormir ?

Annie pensait qu'il souhaitait simplement rentrer chez lui.

— J'aimerais bien, mais le travail m'appelle. Je dois prendre le dernier vol pour Paris. Il y a eu un attentat terroriste à Bruxelles.

— Et tu pars maintenant ?

Annie était stupéfaite. Rompue de fatigue, elle n'arrivait pas à imaginer qu'il puisse repartir après la journée qu'ils venaient de vivre entre Téhéran et New York.

— Tu ne peux pas prendre un jour de congé ?

— Non, pas quand il arrive quelque chose d'aussi important. Je dormirai dans l'avion.

Désolée pour lui, Annie le suivit dans la chambre pour l'aider à faire sa valise. Elle lui tendit un sac, dans lequel il fourra les chemises qu'il portait à l'antenne, trois costumes, quelques jeans et des pulls. Il ne savait pas combien de temps il s'absentait.

— Je suis navré de t'abandonner comme ça, murmura-t-il.

— Comment peux-tu t'excuser après ce que tu viens de faire pour nous ? demanda-t-elle en souriant, le regard empli d'amour et de reconnaissance.

Il ne put s'empêcher de l'embrasser.

— Mon ex-femme détestait mes déplacements. Avec ce métier, je ne peux pas faire de projets, parce que je finis toujours dans un avion à l'autre bout du monde. Elle me reprochait de ne jamais être là quand on avait besoin de moi.

— Mais tu as été présent, aujourd'hui ! s'exclama Annie en l'enlaçant. Tu es allé jusqu'à Téhéran pour ramener deux enfants chez eux. Sans toi, je n'aurais jamais pu récupérer Paul, son oncle ne m'aurait pas écoutée. Pour moi, c'est être là quand c'est vraiment important, voilà l'essentiel. Tu ne crois pas ?

Tom sourit, touché par le compliment. Son ex-femme avait toujours cherché à le culpabiliser, alors qu'avec Annie il avait le sentiment d'être un héros – et c'est bien ce qu'il était pour elle.

Une fois sa valise bouclée, il prit une douche et se changea tandis qu'Annie lui préparait un sandwich. Alors que Tom s'approchait d'elle pour l'embrasser, Ted apparut dans la pièce.

— Où est-ce que tu vas ? demanda-t-il en voyant la valise.

— A Bruxelles, pour un reportage. Pas de répit pour les braves.

Ted le regarda, sidéré.

— Je ne sais pas comment tu fais !

— On s'habitue, répondit Tom tout en mettant un bras autour des épaules d'Annie.

Ces deux derniers jours avaient pourtant été éprouvants. Sans rien laisser paraître, il avait craint que Paul et Katie ne s'en sortent pas aussi bien. A cette inquiétude s'était ajoutée la fatigue de quatre vols internationaux en quarante-huit heures.

— Je t'appellerai, promit-il à Annie avant de l'embrasser une dernière fois.

Ensemble, ils sortirent du séjour. Tom eut un petit rire en ramassant sa valise.

— Tu sais, la meilleure chose qui me soit jamais arrivée, ç'a été de me casser le bras en jouant au squash.

— C'est exactement ce que je me dis pour ma cheville, répliqua-t-elle en souriant. Prends soin de toi. Je te verrai à la télé.

Il fit un salut et disparut. Lorsque sa tante revint dans le séjour, Ted la trouva rayonnante. Il était heureux pour elle, et profondément soulagé que sa sœur soit rentrée saine et sauve à la maison, après la folie des derniers jours. Tout s'était bien terminé grâce à Tom. Un type formidable, cela ne faisait de doute pour personne.

Une heure plus tard, le silence régnait dans l'appartement tandis que chacun s'endormait dans sa chambre. Annie jeta un coup d'œil à son réveil : Tom devait être en train de décoller. Cela faisait chaud au cœur de savoir qu'il était là, quelque part dans le monde, et qu'il reviendrait bientôt. Elle ne pouvait plus imaginer de vivre sans lui. A présent, Tom faisait partie du paysage, de la famille, au même titre que les enfants. C'était à leur tour maintenant, elle et lui ensemble.

En se réveillant le lendemain, Katie se sentait déjà mieux. Le voyage à Téhéran lui paraissait aussi irréel, aussi lointain qu'un rêve. Au téléphone, même s'il affirmait avoir retrouvé ses parents et New York avec plaisir, Paul lui sembla triste lorsqu'il évoqua sa famille d'Iran. L'idée d'être retenu là-bas contre son gré, pourtant, l'avait effrayé. Alors qu'il lui promettait de passer la voir dans l'après-midi, Katie perçut un changement dans sa voix, une distance, un détachement.

Sa visite se déroula dans un climat étrange. Certes, leur périple n'avait pas manqué d'intérêt ni de piquant, mais la menace que l'oncle de Paul avait fait peser sur lui les avait ébranlés tous les deux. Katie comprenait à présent qu'elle s'était engagée dans une relation qui la dépassait et qu'elle n'était pas encore prête à assumer. Ils avaient parlé mariage en pensant que tout serait facile, et prenaient à présent conscience de ce qui les séparait : l'existence de Paul, partagé entre deux familles et deux mondes, l'ancien et le nouveau, se révélait bien plus compliquée que la sienne. Ils avaient rêvé de mêler leurs univers pourtant si différents, sans imaginer que ce rêve puisse être aussi difficile à réaliser, sans tenir compte de leurs origines ou de leur religion. Ce genre de découverte ne s'assimilait pas en un jour. Ces deux dernières semaines, ils avaient mordu à pleines dents dans la vie, avant de se rendre compte finalement que cela était trop lourd à digérer. Encore enfants et heureux de l'être, ils ne se sentaient prêts ni l'un ni l'autre à embrasser complètement la vie d'adulte. Tous deux s'accordaient à dire qu'il fallait faire une pause, car il était trop tôt pour prendre des décisions qui conditionneraient le reste de leurs existences. Ils avaient besoin de temps pour profiter de leur jeunesse avant de vivre une relation aussi intense. Ils avaient besoin de temps pour leurs familles, leurs amis, leur univers propre, de temps pour grandir et respirer. Quand Paul s'en alla après l'avoir embrassée une dernière fois, c'est avec tristesse que Katie referma la porte derrière lui.

Deux jours plus tard, alors qu'elle dînait chez Annie à son retour de Londres, Liz eut du mal à croire qu'il se soit passé autant de choses pendant son absence. Ted logeait chez sa tante en attendant de trouver un autre appartement. Katie avait annoncé qu'elle reprendrait les cours dès le début du prochain semestre. Elle avait déjà démissionné du salon de tatouage, et voulait rester chez elle pour profiter de sa famille et se remettre du virus contracté à Téhéran. Selon le médecin qu'Annie l'avait emmenée voir, Katie était hors de danger, mais elle se sentait encore faible.

— Alors, ce week-end à Londres ? demanda Annie à l'aînée de ses nièces.

L'expression de Liz en disait long sur ses sentiments.

— Super. Alessandro vient ici le mois prochain, j'aimerais te le présenter. C'est tellement agréable de sortir avec un homme qui se comporte comme tel. Je l'aime, Annie.

Pour la première fois de sa vie, Lizzie était sûre de ce qu'elle ressentait.

— C'est ce que j'ai toujours souhaité pour toi, répondit Annie en souriant.

Liz n'était plus une jeune fille, mais bel et bien une femme.

— Dois-je comprendre qu'il y a du mariage dans l'air ?

Sans vouloir se montrer trop pressante, Annie l'espérait de tout son cœur.

— C'est possible, mais on veut prendre notre temps. Si tout se passe bien, je chercherai peut-être une place au *Vogue* italien, néanmoins ce n'est pas encore d'actualité. On a envie de laisser évoluer les choses à leur rythme. Je vais peut-être l'aider à ouvrir un magasin à New York.

— C'est formidable.

Après seize ans d'efforts, Annie avait le sentiment d'avoir mené Liz à bon port. Il lui semblait même que sa nièce avait pris du poids. Elle avait l'air heureuse, ne donnait plus l'impression de fuir ses angoisses. Elle se montrait enfin prête à aimer un homme sans craindre de le perdre. Katie, elle, avait compris qu'elle n'avait pas besoin de prendre autant de risques. Quant à Ted, il profitait de sa liberté retrouvée. Tous avaient surmonté des épreuves dont chacun était sorti grandi, y compris Annie.

— Et toi ? demanda Liz. Qu'as-tu fait de Tom ?

— Il est à Bruxelles. Le pauvre, il a été obligé de reprendre l'avion deux heures après notre retour de Téhéran. Mais ça n'a pas eu l'air de le déranger outre mesure. J'imagine qu'il a l'habitude, c'est son rythme de vie. Il passe son temps à courir après l'actualité, d'un bout à l'autre de la planète.

Annie se sentait comblée, entourée des enfants qu'elle avait élevés et de l'homme qu'elle aimait. Il y avait assez de place pour eux tous dans son cœur, et Tom le savait. Lui aussi les avait adoptés dans son univers. Ensemble, ils avançaient dans la même direction, à pas tranquilles et assurés.

Ce soir-là, juste après le départ de Liz, Tom appela Annie pour lui annoncer qu'il rentrait, son reportage à Bruxelles étant terminé. C'était le matin en Belgique, et son avion décollait bientôt.

— Avons-nous prévu quelque chose ce week-end ? demanda-t-il à Annie.

— Pas que je sache. Pourquoi ?

— Je me disais qu'on pourrait peut-être retourner quelques jours dans les îles Turks et Caicos. Un peu de repos ne me ferait pas de mal.

C'était peu dire, après la semaine qu'il venait de vivre.

— A moi non plus, admit-elle, tout en songeant à leur week-end merveilleux là-bas et au chemin parcouru depuis.

— Crois-tu que les enfants pourraient s'en tirer sans toi pendant deux ou trois jours ? demanda-t-il avec espoir.

— Je pense. Tout le monde me semble avoir retrouvé le bon chemin, pour l'instant.

Cela valait pour elle également. Jamais elle ne s'était sentie aussi bien dans sa peau, aussi forte.

— C'est à ton tour maintenant, Annie, lui rappela-t-il doucement.

Elle réfléchit un instant avant d'acquiescer.

— Tu as raison, répondit-elle.

Puis elle le corrigea en souriant :

— C'est à *notre* tour.

Après avoir accordé toute son attention aux enfants de sa sœur pendant seize ans, Annie avait envie de consacrer du temps à Tom, tout en sachant qu'elle serait toujours là pour son neveu et ses nièces. Ces derniers avaient grandi, ils prenaient leur envol. Ils avaient commis des erreurs, les avaient réparées, et en avaient tiré les conséquences. Tom était apparu dans sa vie au bon moment : ni trop tard, ni trop tôt.

— On se voit ce soir alors, conclut-il, heureux et serein.

Il avait hâte de la retrouver. A présent, il avait une raison de rentrer à la maison : une femme, une famille l'attendaient. Pour la première fois, il s'y sentait prêt.

Lorsqu'il arriva, Annie était en train de se préparer un thé, tout juste revenue du travail.

— Comment s'est passé ton voyage ? demanda-t-elle tandis qu'il l'embrassait.

La présence de Tom chez elle lui semblait tellement normale... comme s'il avait toujours vécu là.

— C'était long et ennuyeux. Tu m'as manqué.

— Toi aussi.

Ils avaient l'appartement pour eux, Katie s'étant absentée et Ted étant reparti chez lui quelques jours pour faire ses cartons. Lorsque Annie eut fini son thé, Tom la suivit jusque dans la chambre.

— Qu'est-ce qu'il y a ? demanda-t-elle, voyant qu'il souriait.

Tom s'installa à côté d'elle sur le lit, où elle s'était assise pour retirer ses chaussures.

— Tu me rends heureux. Je repense à l'époque où je me demandais s'il y aurait une petite place pour moi dans ta vie. Je ne me pose plus la question.

Il se laissa aller en arrière sur le lit, l'entraînant avec lui.

— C'est là que j'ai envie d'être.

— Moi aussi, murmura-t-elle.

Il l'embrassa et, la serrant contre lui, il sut qu'il avait enfin trouvé sa place, là, dans les bras de la femme qu'il aimait. Il leur avait fallu un bras cassé, une entorse à la cheville, presque une vie entière pour y parvenir, et pourtant, tout semblait soudain si simple, si évident !

Annie avait consacré seize ans de sa vie aux enfants de sa sœur pour être prête à accueillir Tom, qu'elle attendait sans le savoir. Lizzie avait connu d'innombrables Jean-Louis avant d'avoir le courage d'aimer Alessandro. Ted avait dû subir la folie de Pattie pour découvrir qui il était et ce qui comptait pour lui. Quant à Katie, elle avait eu besoin de braver tout et tout le monde pour se sentir libre. De son côté, Tom s'était d'abord trompé de femme avant de trouver l'âme sœur, même si celle-ci ne s'était pas présentée tout à fait comme il s'y attendait, même s'il lui avait fallu se montrer patient pour qu'elle l'accepte dans son monde. Chacun avait fait face aux défis et aux souffrances qui jalonnent le chemin de la maturité.

Finalement, ils en avaient tous tiré des leçons certes douloureuses, néanmoins précieuses. Et pour chacun d'eux, il s'était agi d'un rite de passage sans lequel ils n'auraient pas pu grandir. Il y avait là une parfaite symétrie, songea Annie en souriant, le regard plongé dans celui de Tom. L'entorse à la cheville et le bras cassé faisaient aussi partie de cet ordre divin qui les avait réunis : leur rencontre n'était ni un accident ni une erreur. Et même si les épreuves avaient été difficiles, les récompenses en valaient tellement la peine, pour chacun d'eux ! Ils avaient tous été très courageux. Eussent-ils faibli ou refusé de relever le défi, ils n'en seraient jamais arrivés là. Annie se réjouissait que tout se soit bien terminé. Un sourire entendu se dessina sur ses lèvres tandis que Tom l'embrassait. La boucle était bouclée.

Vous avez aimé ce livre ?
Vous souhaitez en savoir plus sur Danielle STEEL ?
Devenez, gratuitement et sans engagement, membre du
CLUB DES AMIS DE DANIELLE STEEL
et recevez une photo en couleurs dédicacée.

Il vous suffit de renvoyer ce bon accompagné d'une
enveloppe timbrée à vos nom et adresse au *CLUB DES
AMIS DE DANIELLE STEEL – 12, avenue d'Italie –*
75627 PARIS CEDEX 13 ou de vous inscrire sur
le site www.danielle-steel.fr

CLUB DES AMIS DE DANIELLE STEEL
12, avenue d'Italie – 75627 Paris Cedex 13
Monsieur – Madame – Mademoiselle

NOM :
PRÉNOM :
ADRESSE :

CODE POSTAL :
VILLE :
Pays :

E-mail :
Téléphone :
Date de naissance :
Profession :

La liste de tous les romans de Danielle Steel publiés
aux Presses de la Cité se trouve au début de cet ouvrage.
Si un ou plusieurs titres vous manquent, commandez-les
à votre libraire. Au cas où celui-ci ne pourrait obtenir le
ou les livres que vous désirez, si vous résidez en France
métropolitaine, écrivez-nous pour le ou les acquérir par
l'intermédiaire du Club.

Composé par Nord Compo Multimédia
7, rue de Fives, 59650 Villeneuve-d'Ascq